JN098291

感染の令和

（または）あらかじめ失われた日本へ

佐藤健志

KKベストセラーズ

感染の令和

または

あらかじめ失われた日本へ

佐藤健志

目次

プロローグ　令和はすべてが許される

第二部　黄昏の現地妻国家

第五部　パンデミックと国の行く末

凡例

引用については、読みやすさを考慮し、かな遣いや表記を変更したり、読点を追加したりした場合がある。文中のカッコ、および英語文献の翻訳は、断りがないかぎり引用者によるもの。

またＵＲＬは、ページが移動・削除されるなどの理由で、アクセスできなくなる場合があることを了承されたい。

プロローグ

令和はすべてが許される

二〇一九年、わが国では「平成」から「令和」へと元号が変わりました。

改元は時代の大きな節目。世の中が刷新され、良い方向へと進んでゆくのではないか、人々がそう願ったとしても当然です。平成の日本は、繁栄からスタートしたにもかかわらず、迷走と衰退を繰り返す結果に終わったのですから。


けれども刷新は起きていません。平成と比べても、迷走と衰退がひどくなっている。

一九九七年に始まったデフレ不況は、ほぼ四半世紀にわたって続いています。平成元年（一九八九年）に導入された消費税など、令和元年、一〇パーセントの大台に乗りました。

国が全体として貧困化する中、新自由主義とグローバリズムを柱とする構造改革によって、社会的な格差も拡大してゆきます。二〇二〇年に発生した新型コロナウイルス感染症のパンデミック（以下「コロナ禍」）が、これに拍車をかけたのはご存じのとおり。


インフラの老朽化が進むうえに、気候変動が激化したせいでしょう、毎年のように大規模な自然災害、とくに水害が発生するようになりました。地方の衰退には歯止めがかからず、少子化・非婚化の傾向もあいかわらず。

コロナ禍への対策においても、国産ワクチンの開発が遅れ、ファイザーやモデルナなど、外国製ワクチンの輸入に頼るありさま。世界に冠たる経済大国として繁栄を謳歌した時代はどこへやら、先進国の座から転落しつつあるとしか思えないような現象が、社会の随所で見られるのです。

昭和末期から平成初期、一九八五年から二〇〇〇年ぐらいまでの間、日本人は自国について「アメリカに次ぐ国際社会のナンバー2」「アジアのトップランナー」のイメージを持っていました。しかるにそれも、今や「アメリカと中国という二大国に挟まれた小国」に移行しつつあると評さねばなりません。(1)

とはいえ、最も重大な問題はこれです。

社会規模で共有される現実、「コンセンサス・リアリティ」とも呼ぶべきものが崩壊しつつあること。

国や社会は、人々が現実認識を共有することによってまとまります。世の中のさまざまな出来事について、どう評価するかは人それぞれとしても、事実のレベルにおける基本的な認識、「何が起きているのか」という点があまりに食い違っていたら、コミュニケーションが成立せず、意思の疎通ができなくなる。国政選挙、とりわけ衆議院の総選挙について、異なる複数の結果が発表されたら、政治はどうなると思いますか？(2)

コミュニケーションを成立させるには、自分の都合とは関係なく、共通の現実認識をつくろうとする姿勢が不可欠なのです。現実認識は価値観の影響をどうしても受けるため、完全な客観性や普遍性を持った現実認識というものは存在しません。しかし現実認識をめぐるコンセンサスが失われてゆけば、国や社会はまとまりを失い、「何でもあり」の状態に陥ってしまうのです。

コンセンサスが必要なのは、事実レベルにおける現実認識に限られません。物事が思い通りに行かなかったり、不祥事を抱え込んでしまったりするなどして、自分のあり方の矛盾や破綻を突きつけられたとき、どういう態度を取り、いかなる形で責任を取るべきかについても、認識の共有が不可欠。

このような状況に置かれれば、なりふりかまわず開き直って、責任逃れの保身に走りたくなるのが人間の常です。誘惑を自制する立派な人もいるでしょうが、みんながそうするのを期待するのは甘すぎる。共有された現実認識、コンセンサス・リアリティによって、あるべき振る舞い方に関するルールを定めておかねばなりません。(3)

「自分のあり方の矛盾や破綻を突きつけられたときの振る舞い方」についてコンセンサスが崩れても、国や社会は「何でもあり」になってしまう。恥知らずな者や、自己欺瞞の深い者ほど有利です。体裁を取りつくろったり、不都合な現実を指摘する者を黙らせたりするだけのカネや権力を持っていれば、なおさらでしょう。

現実を共有しないことのメリット

注目すべきは、なりふりかまわず開き直って、責任逃れの保身に走りたくなった者にとっては、現実認識についてのコンセンサスがなくなるほうが望ましいこと。「何が起きているのか」という根本の点が曖昧になるわけですから、自分のあり方に矛盾や破綻があるかどうかも曖昧にできる。開き直りや保身が容易になるではありませんか。

現実認識と人々の振る舞いの両方について「何でもあり」が横行する。近年のわが国に見られる状況は、まさにこれだと言わねばなりません。

二〇一〇年代後半、安倍内閣が長期政権となったころから、政府は都合の悪い現実について、存在自体を認めたがらない傾向が強くなりました。「批判は当たらない」「結果的に失敗したが、対処は適切だった」「その点については答弁を差し控える」「仮定の話には答えられない」——政府関係者の決まり文句として、すっかりなじみ深くなったこれらの言葉は、「都合の悪い現実（認識）を共有するつもりはない」と言っているのです。

よって、矛盾や破綻を指摘されたときの振る舞いからも節度が失われる。その結果、次に挙げる四つの反応が顕著に見られるようになります。

（1）自分に都合のいい主張や、無内容で観念的なお題目をひたすら繰り返す。
（2）論点をそらし、無関係な話（願望や思い入れを含む）を展開する。
（3）詭弁や嘘、意味をなさない非論理的な返答に終始する。
（4）感情を制御できなくなってヒステリーを起こすか、相手を侮蔑したがる。

これまた「都合の悪い現実（認識）を共有するつもりはなく、ゆえに対処する意思もない」と表明している次第。

あわせて注目したいのが、最近、謝罪の際にしばしば使われる「誤解を与えたとすればお詫びしたい」なる表現です。「誤解」が示すとおり、これは自分と相手とでは現実認識が一致しておらず、しかも相手のほうが間違っていることが大前提。「正しい現実認識のもとでは、自分の振る舞いには何も問題はないのだが、間違った現実認識を持つ連中が反発しているようだから、とりあえず頭を下げてやる」というわけなのです。

コンセンサス・リアリティを否定すると、都合の悪いことには取り合わずにすむし、謝罪する際にも開き直りや保身を図ることができる。いろいろメリットが多いのです。平成以後のわが国のごとく、衰退が進み、物事が悪くなる一方のときは、ひときわ魅力的に映るでしょう。

サッバーフの言葉が意味するもの

都合の悪い現実は、最初から存在を認めようとしないのですから、コンセンサス・リアリティを否定すると、物事がすべてうまく行くかのような錯覚が成立します。いわゆる「ニッポン、すごい!」ですが、むろんこれは気持ちがよい。

けれども、物事が本当にうまく行くはずはありません。うまく行っていないからこそ、都合の悪い現実を否認せずにいられなくなったのです。

否認した以上、そのような現実に対処することもできない。よほど幸運でもないかぎり、事態は悪化の一途をたどることになります。

こうして「主観的には物事がうまく行くようでありながら、客観的には物事が悪化を続ける」状態が成立する。「コンセンサス・リアリティを否定し、開き直りや保身に走る」という姿勢そのものについて、矛盾や破綻があらわになるのです。さあ、どうするか。

ピンポーン! それを認めることも拒否するのです。「このままだと、いずれどうにもならなくなるのではないか」と薄々感じていればこそ、「いや、これでうまく行くんだ!」と意地を張らずにいられなくなる、そう言えば分かりやすいでしょう。(4)

当の心境について、本質を要約した言葉があります。

Nothing is true. Everything is permitted.
真実などというものはない。すべてのことが許される。

十一世紀後半から十二世紀前半の中東に生きた、ハサン・サッバーフ（ハッサン・I・サバとも表記されます）という人物が、死に際に残したものとされています。イスラム教の分派「ニザール派」の開祖ですが、同派は山岳地帯の城塞を拠点とし、敵対する人物の殺害も辞さなかったことから「暗殺教団」とも呼ばれました。(5)

「これが真実だ」と言えるものがなければ、どんなことをしても問題にはならない。暗殺を肯定する宗派の指導者にふさわしいモットーながら、みんながこの発想に従って行動したら最後、国や社会がまとまりを保つことはできません。

サッバーフに強い関心を寄せてきたアメリカの作家ウィリアム・S・バロウズも、画家のキース・ヘリングと共作した『黙示録』のまえがきで、この言葉を紹介しつつ、以下のように語ります。

すべてのことが許されるのは、何も真実ではないからだ。われわれが現実だと思っているものは、ことごとく約束事、幻影、夢……芸術にすぎない。

絵画が額縁から離れ、文章がページを後にするとき、現実そのものが根底から崩れる。たんに物理的な意味で飛び出すのではなく、「絵画は絵画にすぎず、文章は文章にすぎない」とする通念の束縛からも脱しなければならないが、このとき芸術は文字通り、現実となる。（中略）現実とい

う名の壁に一ヶ所でも亀裂が走れば、決壊は確実だ。(6)

われわれは普通、現実を絶対的なものと見なします。しかるに現実は、「社会的に共有された現実認識」としての側面も強く持っている。のみならず、完全な客観性や普遍性を持った現実認識は存在しません。

その意味では現実も、一種の虚構、すなわち「約束事、幻影、夢、芸術」にすぎない。サッバーフの言葉通り、「真実などというものはない」のです。

ならば現実にひそむ虚構性を、絵画や文章といった芸術の力で暴くこともできるはず。くだんの暴露が社会規模で達成されるとき、現実は絶対的なものではなくなり、崩れ落ちることになります。(7)

インフラの中のインフラ

バロウズは「物理的な現実の制約から人間の魂を解き放つ」ことを理想としており、このような崩壊も肯定的にとらえていたふしがあります。

ただし常識的に考えれば、現実の崩壊が多大な混乱や犠牲を伴うのも疑いえません。バロウズとヘリングが『黙示録』で描いたのも、現実が崩れ落ちるときに生じる阿鼻叫喚(あびきょうかん)の地獄絵図でした。

黙示録は「この世の終わり」ですから、地獄絵図も無理からぬところながら、革命が起きる際にも、同様のメカニズムが働いています。革命とは「現在の社会体制を否定する理念を信奉する人々が、それを実現しようと決起すること」ですが、当初の段階においては、いかなる理念もたんなる考え、つまり虚構にすぎない。

革命とは「虚構の現実化」なのです。体制打倒を謳うスローガンや図画（たとえばポスターなど）が、街頭にあふれるようになれば、まさしく「絵画が額縁から離れ、文章がページを後にする」状態が実現することになる。

裏を返せば、現在の秩序、ないし現実を維持しようとするかぎり、「何でもあり」を肯定してはならない。サッバーフがテロリズムを肯定し、バロウズが現実の崩壊を「世の終わり」と結びつけたのは、決して偶然ではありません。

「真実などというものはない。すべてのことが許される」。この言葉は、コンセンサス・リアリティこそ、国や社会をまとめあげる最も根源的な基盤、インフラの中のインフラであることを示しています。真実が存在しないとしても、いや、存在しないのであればなおさら、われわれは現実認識を共有しなければならないのです。

現実認識もインフラのうち、いやインフラの中のインフラだと言うと、違和感をおぼえる方もいると思われます。「インフラ」は「インフラストラクチャー」の略ですが、『広辞苑』はこれを「産業や社会生活の基盤となる施設」と規定しました。

つまり物理的なもの。社会的・経済的な活動が円滑に進むような制度や、公共性の高いサービス（医療・教育・警察・消防・通信など）も、インフラに含まれる場合が多いものの、「共有された認識」がインフラだという発想は、なかなかなされません。しかし健全なコンセンサス・リアリティに支えられないかぎり、インフラの整備も進まないのです。

社会・経済活動の目的は、経世済民、国の存立と繁栄の持続的達成にある。それらの活動について、基盤を提供するのがインフラの役割。同時にインフラ整備は、基本的に政府や自治体といった公的な部門が行います。

「経世済民の達成のためには、どのような施設・制度・サービスが必要か」をめぐって、コンセンサス、社会的合意が成立していなければ、インフラが整備されるはずはありません。近年のわが国でインフラの老朽化が目立つのも、「公共事業はムダが多く、利権の巣窟だ（＝だから力を入れる必要はない）」という認識が共有された結果、公共投資が控えられたことが大きく影響しているのです。

この例が示すとおり、すべてのコンセンサス・リアリティがインフラ整備を支えるとは限りません。わけても敗戦以後のわが国は、国家を「望ましくないもの」と見なし、政府を不信の対象と位置づける現実認識、いわゆる「戦後平和主義」のもとにスタートしています。(8)

コンセンサス・リアリティ自体に、国や社会のまとまりを突き崩す要素が潜んでいたのです。戦後日本は、みずからが国家であることを否定する状態で始まっており、「新たな歴史を刻む以前に、あらかじめ失われた国」だった、そう評しても過言ではないでしょう。

図1　発展する国や社会の「現実」

　健全なコンセンサス・リアリティによって、社会統合の基盤が提供される。それを踏まえて、経世済民の基盤であるインフラストラクチャーが整備される。ゆえに社会・経済活動も充実、発展と繁栄が実現する。

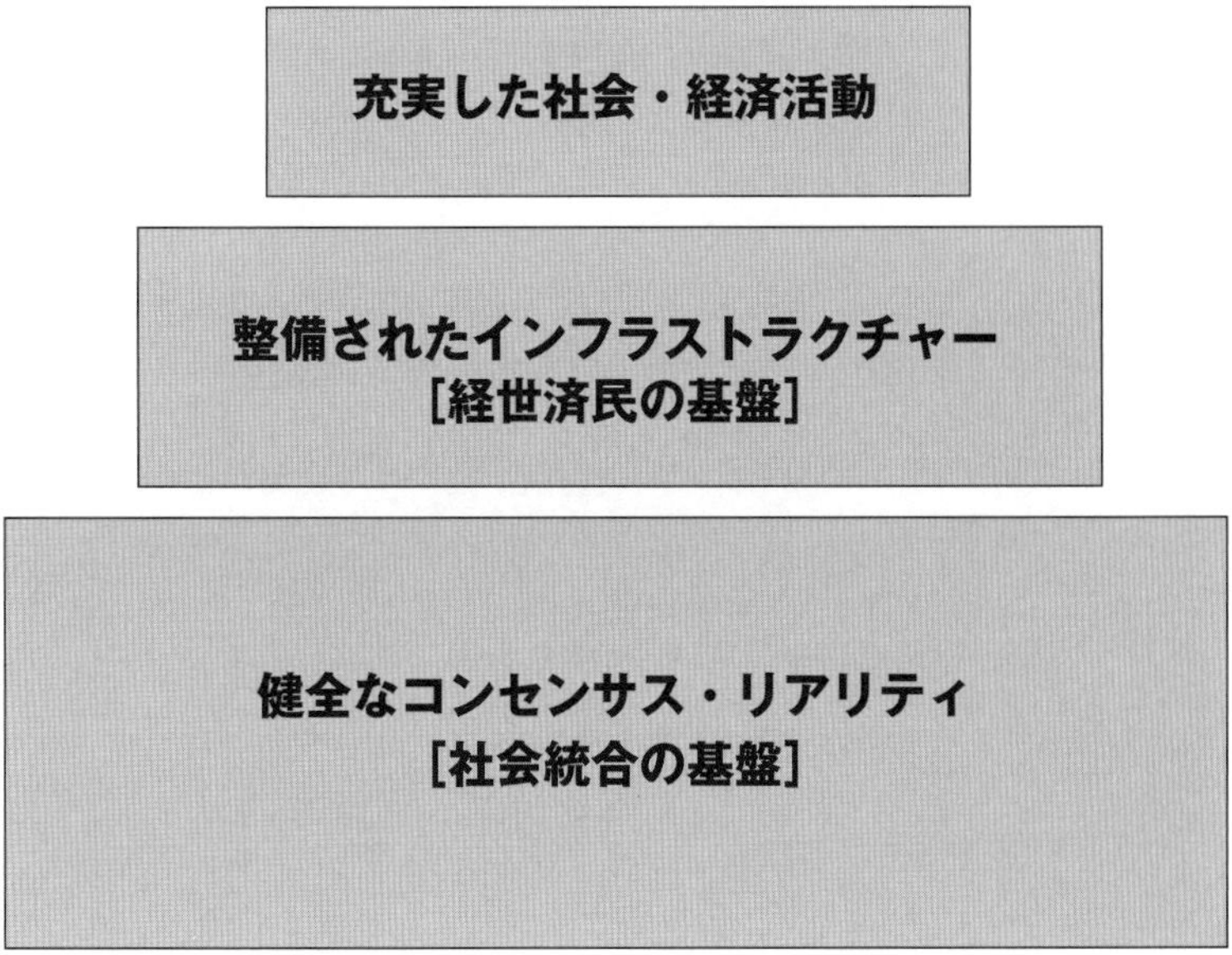

充実した社会・経済活動

整備されたインフラストラクチャー
［経世済民の基盤］

健全なコンセンサス・リアリティ
［社会統合の基盤］

だとしても一九七〇年代ぐらいまでは「経済発展による繁栄の達成が重要だ」という認識も強く共有されていました。国や社会がまとまっていなければ、発展や繁栄は達成されません。経済成長をめぐる認識は、戦後平和主義の弊害を中和する効果を持ったのです。

しかも戦前の日本は、ナショナリズムを積極的に醸成(じょうせい)、社会に定着させています。敗戦を境に、「国家否定」「政府不信」が現実認識の基本線になったとしても、これが一朝一夕に消滅するはずはない。おかげでコンセンサス・リアリティも、とりあえず健全と見なして差し支えありませんでした。

わが国に限らず、発展する国や社会の「現実」は、前ページの図1のようにまとめられます。まず根底に、健全なコンセンサス・リアリティがある。社会統合の基盤を提供するような、共有された現実認識です。

これを踏まえて整備されるのが、経世済民の基盤であるインフラストラクチャー。国や社会に関するコンセンサス・リアリティが、具体的な形を取ったものと形容することもできるでしょう。インフラが整備されれば、社会活動や経済活動も充実しやすい。こうして国は発展し、人々は豊かさを獲得するのです。

あらかじめ失われた国へ

問題は一九八〇年代、日本がアメリカを圧倒しかねないほどの経済大国となったことでした。

目標が完璧なまでに実現された以上、「経済発展による繁栄の達成が重要だ」という認識も影響力を失わざるをえない。おまけに敗戦から三十五年以上が経過したため、戦前から受け継いだナショナリズムも薄れました。コンセンサス・リアリティにひそむ弊害を中和する要素がなくなったのです。

戦後平和主義は、国や社会のまとまりを突き崩す性格を持つことを自覚していません。「そもそも国政は、国民の厳粛な信託によるものであって、その権威は国民に由来し、その権力は国民の代表者がこれを行使し、その福利は国民がこれを享受する」「日本国民は、恒久の平和を念願し、人間相互の関係を支配する崇高な理想を深く自覚するのであって、平和を愛する諸国民の公正と信義に信頼して、われらの安全と生存を保持しようと決意した」（日本国憲法前文）といった具合に、社会統合の基盤を提供しているつもりでいる。

社会統合の基盤を提供するような顔をして、国や社会のまとまりを突き崩すとなれば、うさんくさい目で見られるようになっても仕方ないでしょう。一九八〇年代に目立ちはじめた戦後平和主義の退潮は、元号が「昭和」から「平成」に変わり、一九九〇年代に入ったあたりで決定的となりました。これが世に言う社会の保守化、ないし右傾化です。

保守化や右傾化は「ナショナリズムを重視する」特徴を持つはず。戦後平和主義に代わる、新しい健全なコンセンサス・リアリティの出現を期待したくなるところです。けれども、そうはなりませんでした。

かわりに共有されるにいたったのが、「自助と自己責任の原則のもと、誰もが市場原理に基づいて自己の利益の最大化をめざすことこそ、新たな成長と繁栄をもたらす」という発想。要するに新自由主義ですが、この発想、社会統合がなくとも経世済民は達成できると構える点で、国家否定と政府不信という戦後平和主義の特徴にも通じています。

ただし新自由主義は、戦後平和主義と違い、最初から社会統合の基盤を提供するつもりがない。そのかぎりにおいて、欺瞞的、ないし偽善的とは言えません。

他方、当時の日本人の大多数は「戦後は平和と繁栄の続く良い時代だ」とも認識しています。戦後平和主義がうさんくさくなってきたとしても、国家否定や政府不信をそう簡単に捨て去れるはずはありません。(9)

新自由主義がコンセンサス・リアリティとなったのも、必然の帰結でしょう。繁栄の達成と、戦前から受け継いだナショナリズムの希薄化により、戦後日本が「あらかじめ失われた国」であることは、少しずつ顕在化していました。しかるに日本人は、「これからは自助と自己責任の時代だ、国が失われていて何が悪い」と開き直る口実を見つけたのです。

このころは欧米でも新自由主義の風潮が花盛りだったものの、くだんの理念はわが国において「欺瞞性や偽善性のない戦後平和主義」という独自の特徴を持ったことになります。時代の流れとともに退潮したかに見える戦後平和主義ですが、実際にはいっそう純化された形で生き残ったのでした。

平成以後の日本では、「改革」、とりわけ「構造改革」が政治の基本路線となります。新自由主義的

図2　平成（または1990年代以後）の日本の「現実」

　繁栄の達成と新自由主義の台頭により、コンセンサス・リアリティが社会統合の基盤たりえなくなる。インフラストラクチャーの整備も止まり、機能が低下する。社会・経済活動は不安定化、迷走と衰退が進む。

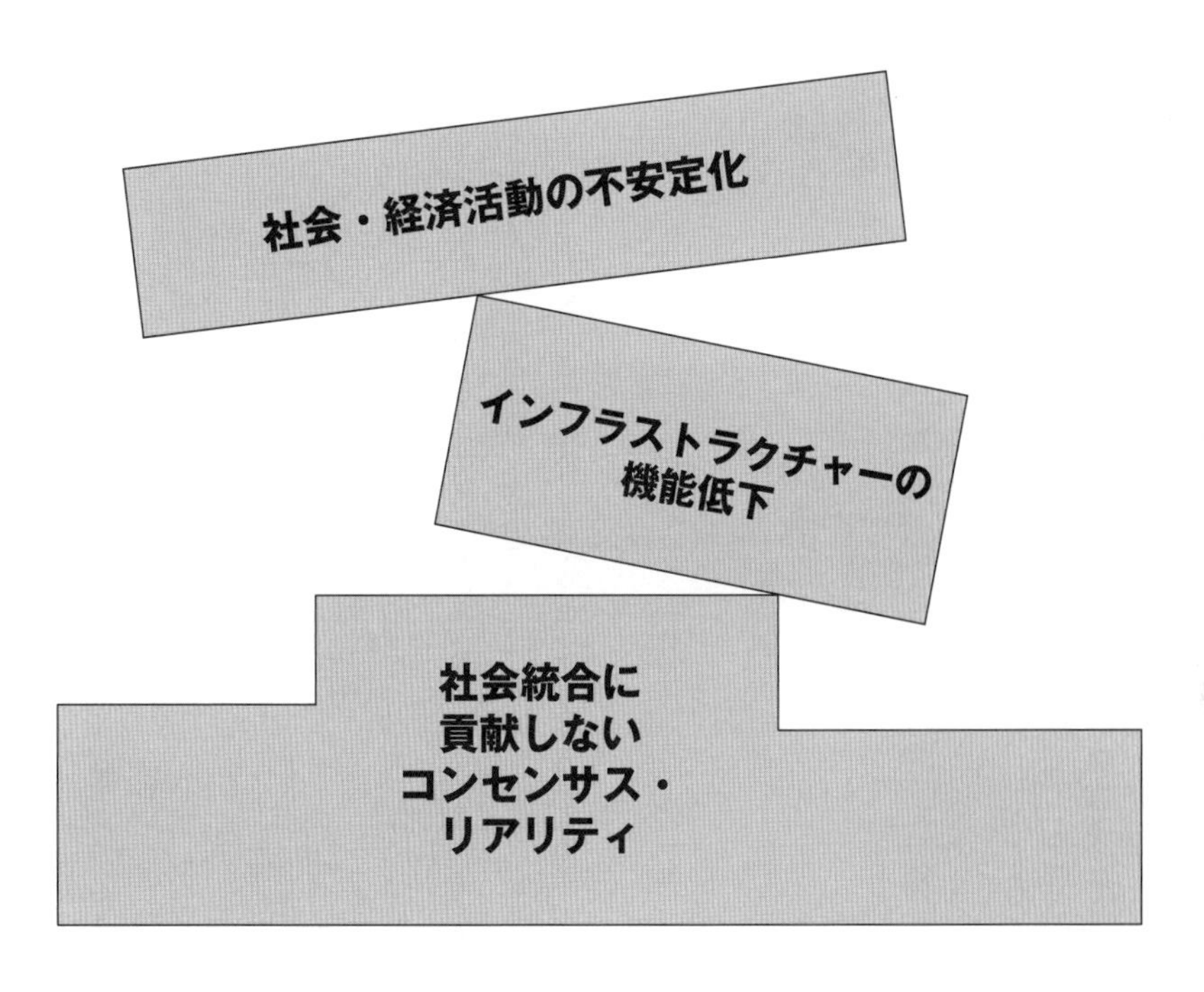

なコンセンサス・リアリティを踏まえて、社会統合を突き崩すような政策が体系的に推進されました。

そんな状況で、インフラが整備されるはずはありません。インフラは、国や社会に関するコンセンサス・リアリティが具体的な形を取ったものなのです。当のコンセンサス・リアリティが、社会統合の基盤を提供することを放棄しているとき、インフラの機能が低下するのは自明の理。これは経世済民の基盤がぐらつくことにひとしいので、社会活動・経済活動も不安定化します。

平成、ないし一九九〇年代以後の日本の現実は、前ページの図2のようにまとめられるでしょう。わが国は新たな成長と繁栄を追求するつもりで、「あらかじめ失われた国」としての本質を開花させ、迷走と衰退を繰り返すハメとなりました。「天使」(=豊かさと幸せを与えてくれる存在)であるかのごとく思われた戦後平和主義は、成熟するにつれて「死神」の正体をあらわにしたのです。

「ラストディッチ」の病(やまい)

成長と繁栄をもたらすはずの現実認識が、国を迷走・衰退させ、貧困化と格差拡大をもたらす。これは人々の精神衛生にも多大なストレスを引き起こします。

われわれのアイデンティティは、現実認識を踏まえて成立するもの。ゆえに現実認識を共有した人々は、アイデンティティについても基盤を共有することになります。だからこそコンセンサス・リアリティは、社会統合の基盤たりうる。

現実とコンセンサス・リアリティの間に矛盾が生じ、それがどんどん大きくなってゆくとき、人々のアイデンティティも根底から脆弱化するのです。ウィリアム・バロウズではありませんが、「一ヶ所でも亀裂が走れば、決壊は確実だ」。

アイデンティティが決壊したら最後、自分が何者で、どう生きてゆけばいいのか分からなくなってしまう。誰であれ、必死に避けようとして当たり前。

その先には、厄介な心理状態が待っています。当該の状態を「ラストディッチ」と名づけることにしましょう。

ラストディッチとは、「最後の防衛（抵抗）の場」「土壇場」を意味する英語。形容詞として用いられるときは、「ぎりぎりの」「最後の望みをかけた」「窮余（追い詰められたあげく）の」といった意味を持ちます。(10)

ここで言う「ラストディッチ」も、上記の定義を踏まえたもの。特定の理念について、アイデンティティを維持するための「最後の砦」であるかのごとく執着、何が何でもその正しさを信じようとする心理状態と規定できます。

くだんの執着は、意識的になされるわけではありません。崩壊の危機に怯え、救いを求める精神が、そうと気づかないまま理念にしがみつき、離そうとしなくなるのです。

よって「自分はラストディッチになっている」という自覚にいたることも、まずありません。合理的な判断に基づいて、当該の理念を肯定したつもりでいるはず。

しかし合理的な判断と、ラストディッチの間には重大な違いがあります。つまり自分が肯定する理念と、現実のギャップが目立ってきた（＝当の理念が正しくない可能性が強まった）ときの対応。

前者の場合、人は現実のほうを尊重し、理念を否定するか、修正することで対処します。ところが後者の場合、人は理念のほうを尊重し、おのれの現実認識を修正、もとへ歪曲することで対処しようとする。

都合の悪い現実など、そもそも存在しないことにするのです！


まさかと思われた方もいるかも知れませんが、何ら不思議はありません。

ラストディッチに陥った者にとり、自分の執着する理念が正しくなかったと認めるのは、アイデンティティを進んで崩壊させるにひとしいのです。それくらいなら、都合の悪い現実を否認したほうがマシと考えるのは、まさに合理的な判断でしょう。

もっとも、いくら否認を決め込んだところで、都合の悪い現実がなくなるわけではない。多くの場合、理念と現実とのギャップも拡大します。ラストディッチのもとで、これに対処する方法はただ一つ。

おのれの現実認識をさらに歪曲するのです！

ずばり悪循環。ラストディッチの現実認識は、どんどん支離滅裂にならざるをえません。十八世紀イギリスの政治家・文人、エドマンド・バークの表現にならえば、さしずめこんなところ。

歪んだ感情によって心が混乱するせいで理性が狂い、矛盾だらけの誇大妄想に取り憑かれてしまう。

第三者にしてみれば、この妄想は理解不能だし、彼ら自身、自分が何を考えているのか把握できなくなる。(中略)頭の中にはモヤモヤと霧が立ち込め、「物事は本来、すべて思い通りになるはずだから、そうならないのはみんなが結託して邪魔しているせいだ」などという錯覚に陥る。(11)

ラストディッチにおいて、人は合理的に狂ってゆくのです。

この状態が続けば、振る舞いも奇矯、ないし支離滅裂にならざるをえない。批判にさらされることも多くなるでしょう。とはいえ、反省して振る舞いを改めるのは至難の業。そんなことをしたら、アイデンティティが崩壊するではありませんか。

周囲とのコミュニケーションが成立しなくなろうと、おのれの矛盾や破綻について頬かむりを決め込んだり、詭弁や嘘を並べ立てたり、ヒステリーを起こしたりするほうがマシだ！

こう判断するのは、またもや合理的なこと。冒頭で挙げた四つの反応が、なりふりかまわず繰り広げられるのです。(12)

まともな現実認識は、いよいよできなくなってゆく。自滅にいたるのは目に見えています。ラストディッチ、それは精神が「現実への適応能力を失わせるウイルス」に感染して発症、機能不全に陥ってゆくことと言わねばなりません。(13)

今や政府は結果を出せない

「ちょっと待ってくれ。ラストディッチに陥った者の振る舞いは、最初に出てきた令和日本の状態とそっくりじゃないか。わが国は全体としてラストディッチになっているのか？」

ピンポーン！　その通り。

ラストディッチになる人々は、いつの時代にも一定数存在します。社会の周縁部にいる少数派は、とくにその傾向が強い。極端な主張を掲げる政治団体や、新興宗教などは（すべてがそうとは言いませんが）典型的な例でしょう。

戦後日本の左翼・リベラルも、「護憲」と「反戦」の二つの理念について、ラストディッチ的な執着を見せてきました。ただし救いは、「護憲」や「反戦」が、戦後平和主義の根幹をなす理念として、コンセンサス・リアリティの一部になっていたこと。このため奇矯で支離滅裂な振る舞いをしても、それなりに受け入れてもらえたのです。

のみならず、憲法が改正されたり、平和が維持されなくなったりする事態は、今までのところ起きていません。政権を担当する保守勢力が、「国民感情に配慮する」として左翼・リベラルに妥協しつつ、戦後平和主義と国際社会の現実とのツジツマ合わせを（対米従属という形で）行ってきたためですが、おかげで「護憲」「反戦」の理念にひそむ問題点、すなわち観念的な非現実性が極端に際立つこともありませんでした。

保守勢力は、対立する左翼・リベラルとの間にも、現実認識が共有されるよう努めていたのです。現実認識の共有は、国や社会がまとまりを保つための大前提ですから、政権を担う側としては当然の義務。社会統合が崩れたら、経世済民も危うくなってしまうではありませんか。

わが国において、左翼系の政党がほとんどつねに野党に甘んじてきたのも、このことと無関係ではないでしょう。ラストディッチ性の強い勢力は、現実への適応能力が低いうえ、コンセンサス・リアリティを崩しにかかってしまう。政権を安定して担える器ではないのです。(14)

しかるに二〇一〇年代後半になると、ほかならぬ保守勢力が、左翼・リベラルに匹敵するか、それを超えるほどのラストディッチ性を見せはじめました。冒頭で指摘したとおり、「都合の悪い現実（認識）を共有するつもりはない」「都合の悪い現実（認識）に対処する意思はない」という姿勢を、露骨に示すようになったのです。

なぜそうなったか、理由はお分かりですね？

政権を担っている以上、経世済民について結果を出さなければなりません。ところが平成以後の日本では、コンセンサス・リアリティが新自由主義的なものになったせいで、成長と繁栄が達成できなくなりました。

都合の悪い現実に立ち向かおうとしても、連戦連敗に終わってしまうのです。現にわが国では二〇〇六年いらい、内閣が毎年交代する事態が六回も続きました。二〇〇九年には自民党が下野、民主党（現在の立憲民主党の前身的な政党）が二〇一二年まで政権を担っています。

本来なら、コンセンサス・リアリティたる新自由主義の是非を再検討すべきところ。けれどもわが国において、この理念は「欺瞞性や偽善性のない戦後平和主義」という特徴を持っています。新自由主義の否定は、戦後日本における現実認識を根底から突き崩しかねません。国家の肯定や、政府への信頼にめざめねばならないのです。為政者にしてみれば、願ったり叶ったりではないかと思われるかも知れませんが、話はそう甘くない。

そんなことになったら最後、対米自立までめざさねばならなくなる。戦後日本の存立基盤が危うくなるではありませんか！

「今の路線（＝新自由主義に基づく構造改革推進）で物事は必ずうまく行く」という理念にたいして、政府がラストディッチ的に執着したのも無理からぬことでしょう。

権力を握っている以上、都合の悪い現実（認識）の共有を拒否するのは難しくありません。観念的なお題目や詭弁を並べ立てておき、痛いところを突かれたら居丈高（いたけだか）な態度に出るか、ヒステリーを起こせばいいのです。

ただし政権を担う者は、反対勢力とも現実認識を共有することで、コンセンサス・リアリティを維持するのが務めだったはず。それを放棄したときに、インフラが整備されることはありえません。インフラが整備されなければ、経世済民について結果を出すのはますます難しくなる。理念（＝今の路線で物事は必ずうまく行く）と現実のギャップが拡大してしまうのです。またもやアイデンティティ崩壊の危機。

ラストディッチ性を強め、現実認識をいっそう歪曲する以外、対処の方法はありません。こうしてコンセンサス・リアリティは総崩れとなってゆくのです。(15)

経世済民をめぐる現実の拒絶

とはいえ、疑問がわいてこないでしょうか。

ラストディッチに陥った政府が、「真実などというものはない。すべてのことが許される」とばかり、コンセンサス・リアリティをみずから崩しにかかったら最後、国が良い方向に進むわけがない。二〇一〇年代を通じ、わが国は迷走と衰退に歯止めをかけることができず、没落の様相を強めながら令和を迎えました。

ついでに政府が新自由主義にしがみついてラストディッチ化するとは、「公的な立場にあろうと、自己の利益の最大化をめざして差し支えなく、批判されても責任逃れに走ればよい」と構えるにひとしい。近年、政治をめぐる不祥事が頻発しているのも、そう考えればうなずけます。

政治がこのありさまでは、国民の不満も相当に高まっているはず。自民党が下野に追い込まれたとしても、驚くにはあたりません。二〇一〇年代以前、同党は政権を二回失っているのです。

にもかかわらず二〇一二年の政権奪還いらい、自民党は国政選挙に勝ち続け「一強」と評されます。二〇〇六年、初めて権力の座についたときは、一年で退陣せざるをえなかった安倍総理ですが、二〇一二年にカムバックを果たしてからは、じつに八年近くも君臨、憲政史上最長の在任期間を記録しました。(16)

経世済民で結果を出すことができず、コンセンサス・リアリティまで崩しにかかった政府が、根強い支持を誇るのはなぜなのでしょう?

——国民の多くもラストディッチ状態になり、「今の路線(=新自由主義に基づく構造改革推進)で物事は必ずうまく行く」という理念にしがみついている。

こう考えないかぎり、説明はつきません。ついでにこれも、十分に納得のゆく話。アイデンティティの崩壊を受け入れる覚悟で、戦後日本の現実認識を根底より改めないかぎり、新自由主義の否定は不可能なのです。

崩壊の危機に瀕したアイデンティティを守るべく、政府と国民が手を取り合って、コンセンサス・リアリティを解体しはじめた、これが現在起きている事態の本質にほかなりません。「国家否定や政府不信のもとでも、成長と繁栄を実現し、経世済民を達成することはできる」という理念に執着したあげく、経世済民をめぐる現実を拒絶するようになったのです。

国家否定も政府不信も、戦後日本におけるコンセンサス・リアリティの中核。裏を返せば現在の事態には、コンセンサス・リアリティを守ろうとする側面も存在します。

ただし経世済民が達成できていない以上、これは「不都合な現実（認識）の共有を拒否する」形を取らざるをえない。コンセンサス・リアリティを守るために、コンセンサス・リアリティを解体するという、ハサン・サッバーフやウィリアム・バロウズさえ唸りそうなパラドックスが成立しているのです。

この場合、国民の信任を得る条件は、「物事はうまく行っている」という印象を与えるように現実認識を歪曲しつづけること。要するに、心地よい誇大妄想を提供するのです。そんな政府は信任に値しないのですが、政府不信の傾向が強いうえ、ラストディッチにまで陥った国民は、どうしても現実より妄想を選びたくなる。(17)

民主党政権が崩壊していらい、野党、とりわけ左翼系野党への支持が高まらない理由も、ここまでくれば明らかでしょう。

彼らはあいかわらず、政府の失点をあげつらおうとしている。つまりは不都合な現実を突きつけようとしているのですが、ラストディッチで思い詰めた者にとって、これほどイヤなものはありません。

しかもわが国では、左翼系野党のほうが、もともとラストディッチ性を強く持っている。下手をすれば、今なお「護憲」「反戦」に固執しかねないくらいです。自民党中心の現政権に代わって、経世済民で結果を出せる力量があるとは到底言いがたい。

政権交代がもはや起こらないと言っているのではありません。経世済民が達成できないことの不満が高まりつづけ、「とにかく自民党を政権から引きずり下ろさなければダメだ」という理念に多くの国民が共鳴すれば、同党は下野に追いやられるでしょう。

けれども経世済民について結果を出せないかぎり、先の不満はすぐさま「とにかく立憲民主党（たとえば）を政権から引きずり下ろさなければダメだ」へと変貌するに違いない。やがて自民党が政権を取り戻し、すべてが繰り返される次第です。

逆に状況次第では「国難突破のために、過去の行きがかりを捨てて結束を！」などというスローガンのもと、与野党を超えた大同団結が成立するかも知れません。だとしても戦後日本の現実認識を根底から改めなければ、経世済民で結果が出せないことは変わらない。

くだんの大同団結が、党派を超えた現実否認の徹底へと向かうのは、ほぼ確実と言わねばなりません。わが国のコンセンサス・リアリティはみごとに解体され、物事は完全に何でもありとなるでしょう。(18)

社会はこうして分断される

「なるほど。しかし『経世済民をめぐる現実の拒絶』で、政府と国民が手を取り合い、いずれ野党まで加わるかも知れないとしたら、それはそれでコンセンサス・リアリティが成立することにならないか？　経世済民の結果が出せないのはその通りとして、コンセンサス・リアリティ自体は回復される気がする」

いい質問です。

近年のわが国におけるコンセンサス・リアリティの解体には、妄想の世界に閉じこもってでも、「国家否定や政府不信のもとでの成長と繁栄」という従来のコンセンサス・リアリティを守ろうとする意味合いが見られる。妄想に閉じこもる過程では、現実認識の解体が起こるとしても、完全に閉じこもってしまえば認識がふたたび共有される、理屈ではたしかにそうなります。

問題はくだんの認識（もはや「**現実**認識」とは呼べません）が、何でもありの性格を強く持つことです。ハサン・サッバーフ風に言えば「真実などというものはない。すべてのことが許される」ですし、エドマンド・バーク流に言えば「矛盾だらけの誇大妄想」。

真実が存在せず、すべてのことが許され、そして矛盾だらけ。

お分かりでしょうか？　妄想化の完成したコンセンサス・リアリティは、整合性や一貫性を持ちえません。さまざまな妄想が、噛み合わないままにあふれているのです。合意された事柄があるとしたら「都合の悪い現実は受け入れない、何でもありで構わない」という開き直りのみ。

おまけに社会がラストディッチ化しているのですから、それらの妄想の一つひとつについて、何が何でも正しいと信じたがる者が出てくる。まともな議論が成立する余地はなくなってゆくばかりです。

人間、物理的な現実と無縁に生きてゆくことはできないので、コンセンサス・リアリティの妄想化が完全に達成されることはないでしょう。何でもありになってしまった認識を、現実に引き戻そうとする動きも、たえず生じるはず。

ところが妄想にアイデンティティのよりどころを求めた者にとって、くだんの動きはみずからの存在を否定されるにひとしい。阻止したくなって当然です。そのような者にとっては、自分こそが現実との接点を保っているのであり、妄想に取り憑かれているのは相手のほうだということになるでしょう。(19)

かくして妄想に閉じこもろうとする人々と、現実に向かい合おうとする人々の間で、対立・抗争が絶えなくなる。妄想に閉じこもりたがる人々の間でも、よりどころとする妄想が違っていれば、対立・抗争が生じます。これが世に言う「社会の分断」。

二〇一〇年代後半、政府が「不都合な現実（認識）の共有を拒否する」傾向を強めたころから、わが国でも分断が目立つようになりました。コンセンサス・リアリティの解体、および妄想化が進んで

図3　令和日本の「現実」

コンセンサス・リアリティは矛盾だらけの妄想となり、社会統合が破壊される。インフラストラクチャーの劣化も止まらず、機能不全が頻発する。そのせいで社会・経済活動が脆弱化、没落と亡国の道をたどる。

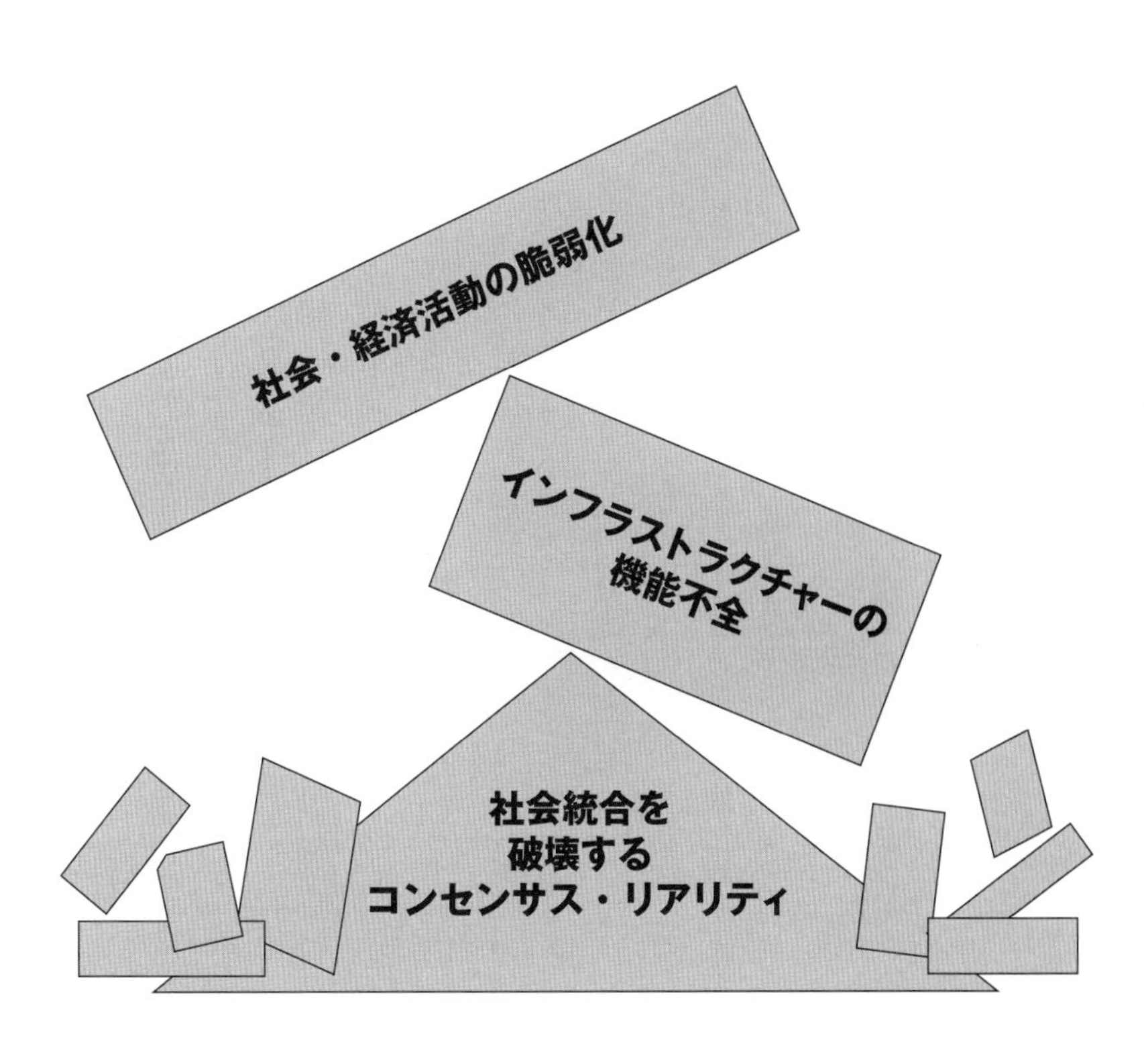

いるのですから、不思議はありません。(20)

コロナ禍についても、「あれはただの風邪」「行動制限は必要ない」「メディアが煽っているだけ」と頑(かたく)なに主張、感染対策の必要性を説く専門家を非難する人々が現れました。「都合の悪い現実は受け入れない、何でもありで構わない」という開き直りの分かりやすい例でしょう。(21)

解体されたあげく、妄想化の進んだコンセンサス・リアリティは、社会統合の基盤を提供しないどころか、統合を積極的に破壊する代物なのです。ならばインフラも、機能低下にとどまらず、機能不全を起こして当たり前。社会・経済活動も、不安定化を通り越して脆弱化にいたります。

令和日本の現実は、前ページの図3のようにまとめられるでしょう。この状態から抜け出せないかぎり、没落と亡国が待ち受けているのは、疑いえないところと評さねばなりません。「あらかじめ失われた国」たる戦後日本は、二〇二〇年代、その本質をついに完成させるかも知れないのです。

社会の分断について、対立する双方の側が納得する形で決着がつくことは基本的にありません。ラストディッチに陥った者は、自分の主張が正しくなるように、現実認識そのものを歪曲しつづけるためです。妄想へと無限に退却するわけですが、これを阻止するのは不可能に近い。

ただし特定の主張について、妄想に閉じこもろうとするものか、現実に向かい合おうとするものかを見分ける便利な基準が存在します。冒頭で挙げた「矛盾や破綻を指摘されたときの四つの振る舞い」が見られたら、前者だと判断して間違いありません。

都合の悪いものであろうと、現実は現実として向かい合う気があったら、これらの振る舞いをするはずがない。しかも振る舞いを改めないかぎり、自滅にいたるのもまず確実。内容のいかんを問わず、取り合わないのが賢明でしょう。

社会統合のためには現実認識の共有が不可欠だとしても、都合の悪い認識を共有することを拒む相手まで、そこに含めては元も子もなくなる。向こうの妄想につきあわされるだけの結果になるのがオチではありませんか。社会統合はあくまで経世済民、すなわち現実への適切な対処のためになされるのです。

再生に向けた跳躍

本書の題名『感染の令和』は、むろんコロナ禍を踏まえたものです。ただし、われわれが感染を警戒しなければならないのは、新型コロナウイルスだけではありません。

ラストディッチに関連して述べたとおり、わが国では「現実への適応能力を失わせるウイルス」への感染も広がっています。その結果、令和は「真実などというものはない。すべてのことが許される」時代になりつつある。一九七〇年代ぐらいまで、日本人と安定した共生関係を築いていた「戦後平和主義」というウイルスが、昭和から平成への改元あたりを境に「新自由主義」へと変異して毒性を強め、自滅に追いやろうとしている、そう形容することもできるでしょう。(22)

日本再生をめざすのであれば、われわれは社会統合の基盤となるような、健全なコンセンサス・リアリティを取り戻さねばなりません。現実の崩れ落ちた時代を超えてゆくためには、現実を再構築する必要があるのです。

このような現実認識を、戦後のわが国は一度も持ったことがありません。戦後平和主義というコンセンサス・リアリティが健全であるかのように見えたのは、戦前から受け継がれたナショナリズムが残っており、かつ「経済発展による繁栄の達成が重要だ」という認識が共有された間だけでした。

健全なコンセンサス・リアリティの再建は、戦後からの脱却と同義なのです。あらかじめ失われていた国を、あらためて取り戻すと形容することもできるでしょう。けれども戦後を脱却するとは、現実を否認してでも守ろうとしてきたアイデンティティを、みずから突き崩すにひとしい。

相当な抵抗が生じるのは確実でしょう。ラストディッチに陥った人々など、死にものぐるいで阻止しようとするはず。健全なコンセンサス・リアリティの再建が必要だと理屈では分かっている人でも、戦後の現実認識を根底からひっくり返すとなれば、二の足を踏みたくなっても何らおかしくありません。

アイデンティティが崩壊したら最後、自分が何者で、どう生きてゆけばいいのか分からなくなってしまうのです。だとしても、そこまで行かないことには、われわれは妄想に閉じこもったまま、没落と亡国に向かう恐れが強い。

明治時代初期に来日、わが国の医学の発展に大きく貢献し、宮内省の侍医にもなったドイツ人医師エルヴィン・フォン・ベルツは、当時の近代化・欧米化の試みについて「死の跳躍」と評しました。失敗したら最後、首の骨を折って死ぬかも知れないほどの危険な賭けということですが、日本再生を果たすためには、同じくらいの危険を冒す必要があるのかも知れません。

したがって、慎重さも必要です。何でもありになってしまった認識を、現実に引き戻すところから始めようではありませんか。本書に収録された論考は、国内政治、国際環境、経済、社会、思想、そしてコロナ禍をはじめとする感染症対策のそれぞれについて、「ラストディッチ的妄想を脱して現実に帰還する」ことをめざしています。

くしくも重要な指針を提示してくれるのが、ハサン・サッバーフの言葉「真実などというものはない。すべてのことが許される」。これは現実を否認する口実ともなりますが、妄想だらけとなったコンセンサス・リアリティを捨て、現実へと帰還することをうながす檄文ともなりえます。

われわれが守ろうとしているアイデンティティとて、しょせん虚構にすぎない。ならばそれをみずから突き崩すのも許されるはず。自分が何者で、どう生きてゆけばいいのか、ふたたび見出すまで、不安に耐えて進むのです。[23]

ウィリアム・バロウズもこう語りました。

　勇気があれば、恐怖が過ぎ去るまで頑張り抜ける、それだけのことさ。頑張り抜けなかった者は死ぬ。[24]

令和はすべてが許される。日本再生も例外ではありません。本書が提示するのは、二〇二〇年代、あるいは令和の初頭における時代の全貌なのです。

さあ、ともに現実へと踏みだそうではありませんか。

第一部

平成までを総括する

1　平成とボヘミアン・ラプソディ

わが国にとり、平成は良い時代ではありませんでした。新自由主義とグローバリズムを礼賛する風潮のもと、貧困化や格差の拡大、社会的インフラの劣化が進み、ズルズルと衰退・没落していった、それが偽らざる真相でしょう。こんな評価まであるほどです。

平成という時代は「緊縮」と「改革」が繰り返され、あらゆる実態的価値が下落し、あらゆる虚構がもてはやされ始める逆転現象である「デフレーション」が深刻化し、日本はまさに坂道を転げ落ちるように凋落の一途をたどった「閉塞の時代」であったものと思われます。(1)

デフレーションは経済の縮小を指す概念なので、それを「あらゆる虚構がもてはやされ始める」ことに当てはめたがるのには無理があります。だいたい、わが国がめざましく発展した昭和後半期にも、(戦後日本型の)平和主義という巨大な虚構が強い影響力を持っていました。

国が衰退・没落するときには、現実から目を背けようとして、妄想じみた物の見方、つまり虚構がもてはやされやすくなります。プロローグでも述べたとおり、真実と呼ぶべきものがなければ、どんなことでも許されるからです。

だとしても虚構性の強い現実認識は、衰退期や没落期にのみ見られるわけではありません。妄想じみた物の見方のもと、国が発展・繁栄することだって、条件次第では起こります。

しかし、これらは脇に置きましょう。注目したいのは「閉塞の時代」たる平成が、じつは希望や解放感とともに始まっていたことなのです。

希望や解放感をもたらしたものは何か？　一言で要約するなら、昭和時代には残っていた「負の過去」の束縛から、ついに自由になったという気分でした。

昭和のわが国は、最初の二十年間、自国中心の国際秩序をアジアに築くという夢（何なら虚構と呼んでも構いません）を追います。この夢、ないし虚構は、敗戦によって崩壊しました。ところが復興にあたり、日本人は自国のアイデンティティを突き詰めようとせずにすませます。

自国中心の国際秩序を築こうとする夢は、どこまで正しく、どこまで間違っていたのか？　「アジアの解放」を唱えてアメリカと戦いながら、負けて占領されるや、ほかならぬアメリカに従属する道を選んだことは、どこまで肯定されるべきなのか？

これらの点を曖昧にしたまま、戦前を安易に全否定したあげく、とにかく豊かになればいいじゃないか、と構えたのでした。

昭和について、われわれはとかく「輝かしい発展と繁栄の時代」と位置づけます。とはいえ、それはあくまで昭和後半期の話。絶対悪のごとく見なされがちな戦前、とりわけ日中戦争や太平洋戦争の時期も、昭和の一部にほかなりません。

「発展と繁栄」は、「負の過去」とワンセットだったのです。そしてアイデンティティを突き詰めなかった結果、「負の過去」が真に清算され、解消することもありませんでした。

にもかかわらず、元号が変わったとき、日本人は「負の過去」の束縛まで、昭和、ないし昭和天皇とともに消滅したような気になります。

憲法の規定によれば、天皇は在位中、日本という国そのものを象徴する。ならば昭和天皇は「発展や繁栄」のみならず、「負の過去」まで表していたことになるでしょう。

それが崩御されたのですから、「負の過去がなくなった」と感じるのも無理はありません。平成に入った直後の一九八九年に冷戦が終結、一九九一年にはソ連が消滅したことも、この感覚を強めました。

冷戦とはアメリカを中心とする自由主義陣営と、ソ連（現ロシア）を中心とした社会主義陣営の覇権対立。ソ連消滅に示されるように、これは自由主義側の勝利に終わります。

自由主義陣営に属していたわが国も、晴れて勝ち組の一員となりました。戦後日本は、第二次大戦の負け組としてスタートしたのですから、日本人にとり、これは敗戦の雪辱という意味合いを持つ。けれども敗戦こそ、昭和前半期を「負の過去」にした出来事ではありませんか。

平成のはじめ、日本人が解放感に酔ったとしても、あまり責めることはできません。勝ち組の一員として、過去から自由になった以上、平成の時代には昭和を超えた発展や繁栄が待っていてしかるべきなのです!

自由を求めた果ての墜落

アイデンティティを確立しないかぎり、解消されないはずの問題が解消された気になったのですから、日本人、とくに「エリート」と呼ばれる人たちは、昭和を超えてゆくための新たなアイデンティティまで手に入れたと思い込みました。ずばり「アメリカとの徹底的な一体化」です。

アメリカは自由主義陣営の中心であるうえ、このころは新自由主義とグローバリズムを推進しています。そんな国と一体化しようというのですから、これは「自由(化)を至上の価値とする」ことにひとしい。くだんの発想は、高度成長が終焉を迎えた昭和五十年(一九七五年)あたりから、日本の取るべき方向性として提唱されていたものの、昭和の終わりと冷戦終結によって、一気にお墨付きを得た形となりました。

新自由主義とグローバリズムは、敗戦このかた、わが国で強い影響力を誇ってきた平和主義ともしっくりきます。

戦後日本型の平和主義は、たんに戦争を否定するだけでなく、戦争の主体である国家、わけても自国政府を強く否定し、その行動を抑制しようとするもの。しかるに新自由主義は、市場原理を絶対善のごとく見なすことで、政府が経済に果たす役割を極力抑え込もうとする理念です。グローバリズムにしても、国境を超えたモノ・カネ・ヒトの移動をどんどん進めたがる点で、国家の意義や重要性を否定する。

平成のわが国は、昭和後半期の繁栄を超えようとする一方、昭和後半期を支配した理念を、より強化された形で引き継ごうともしたのです。とはいえここに、巨大な落とし穴が待ち受けていました。

昭和の後半、わが国がめざましい発展を遂げ、世界的な経済大国の地位を築いたのは、**平和主義のおかげではない**のです！　それどころか戦後日本型の平和主義は、国家を否定し、その行動を抑制したがる点で、繁栄の阻害要因となる。

国が発展・繁栄する基本的な条件は、存立基盤がしっかりしていること。要するに安全保障が充実していなければならないのですが、戦後のわが国は憲法で戦争を放棄、戦力の保持まで否定してしまいました。

技術革新にしたところで、しばしば軍事研究と密接に結びついています。さらに経済を持続的に発展させるためには、政府の積極的な関与が欠かせません。市場原理にばかり任せていると、いったん経済が縮小傾向に陥る（＝デフレになる）や、脱却が難しくなってしまうのです。

この点については、『平和主義は貧困への道　または対米従属の爽快な末路』で論じましたので、詳細は同書をご覧下さい。ともあれ昭和後半期の日本は「平和主義など掲げたにもかかわらず、幸運にも発展や繁栄を達成した」と評したほうが、よほど的確なのです。だから「妄想じみた物の見方のもと、国が発展・繁栄することだって、条件次第では起こる」と言ったでしょうに。

では、わが国に幸運をもたらした条件は何だったのか。次のようにまとめることができます。

(1)卓越した国力を誇るアメリカが、自由主義陣営全体を支えたおかげで、国際秩序が安定していた。さらに日米安保体制によって、同国に安全保障を依存できたため、冷戦下でも国の存立が脅かされなかった。

(2)新自由主義やグローバリズムの風潮(平和主義と通底する以上、これらも繁栄の阻害要因となります)も、一九八〇年代以前は台頭していなかった。

(3)昭和前半期を生きた世代が健在だったこともあって、平和主義が謳われるもとでも、ナショナリズムが一種のホンネとして残っていた。

昭和から平成へと時代が移り変わるにつれて、これらの要因はそろって崩れます。言い換えれば平成は、停滞や衰退に陥る恐れの強い時代だったのです。おまけにわが国は、国家や政府の意義や重要性を昭和後半期以上に否定、アメリカとの徹底的な一体化こそ繁栄への道とばかり、向こうの意向に応じた社会システムの改革を推し進めました。

衰退・没落の道をたどって当たり前ではありませんか。アイデンティティを確立しないまま、確立できたような気になった報いというべきか、平成日本は「国家からの自由」「(負の過去を放置したままの)過去からの自由」という幻影を追い求め、力強く飛び立ったつもりで墜落したのです。

「家」に戻ったロック・スター

二つの幻影の根底にひそむのは、むろん敗戦体験です。「戦争を反省する」と称して、過去を強く否定しながら、自国のアイデンティティを突き詰めようとしなかったことと言えば、いっそう正確でしょう。「過去に学ぼうとしない者は、過去を繰り返すことになる」とは、哲学者ジョージ・サンタヤナの有名な言葉ですが、日本人は敗戦の意味合いにきちんと向かい合おうとしなかったせいで、発展や繁栄を維持しえない国をつくってしまったと言わねばなりません。

再生のために必要なのは、非現実的な自由の幻影を追い求めるのをやめて、みずからの原点へと回帰することなのです。くしくも平成最後の冬、わが国ではこれをテーマとした映画が公開され、予想を超える大ヒットとなりました。ブライアン・シンガー監督の『ボヘミアン・ラプソディ』です。

『ボヘミアン・ラプソディ』は、一九七〇年代から一九八〇年代にかけて、イギリスの人気ロックバンド「クイーン」のリーダー格として活躍、一九九一年に四十五歳の若さで死去したフレディ・マーキュリーの生涯を描いています。この作品において、彼は「自由を追い求めるあまり、家や過去を捨てて続ける人物」と位置づけられました。

移民の息子であり、本名を「ファルーク・バルサラ」というフレディは、ロンドンで暮らしているものの、家庭の因習的な雰囲気に反発、父親に反抗する形で音楽の世界に身を投じる。こうしてクイーンが結成されるのですが、レコードを出すようになるのと前後して、彼は名前を正式に「フレディ・マーキュリー」に変え、実家に寄りつかなくなってしまいます。

結婚の際、多くの女性が姓を変えるのを想起すれば、改名の意味は明らかでしょう。フレディは本来の家（族）を切り捨て、バンドという新たな「家」に入ったのです。これは劇中、台詞でもフォローされていました。「クイーンとは何なのか」と聞かれたバンドのメンバーは、「俺たちは家族だ」という旨を答えるのです。

バンドは数年のうちに世界的な成功を収め、富と名声を手に入れます。けれどもフレディは、クイーンという家（族）にも満足できなくなる。彼がゲイであったことも、この傾向に拍車をかけました。他のメンバーが結婚し、それぞれの家庭をつくってゆくのにたいし、フレディは（同性の）恋人にこそ事欠かないものの、独身のままだったのです。

「クイーンが自分を束縛している」と感じたフレディは、横暴に振る舞うようになり、他のメンバーの反発を買います。ところが彼は反省するどころか、バンドを捨ててソロ活動を展開することを考えはじめる。

自由になろうとして血縁を切り捨てたくらいです、クイーンという虚構の家族を切り捨てることに抵抗など感じるはずはありません。バンドは実質的な活動休止に陥り、フレディはミュンヘンでソロ・

アルバムの制作に取りかかりました。

しかしここで、彼はイエスマンにばかり囲まれていることに気づきます。クイーンであれば、フレディの指示にたいし、他のメンバーが文句をつけたり、代案を出してきたりするのにたいし、ミュンヘンに集まったミュージシャンたちは嬉々として従うだけ。

どんな指示にも従う者が、相手について本当に気にかけることはありません。市場原理主義な発想というべきか、イエスと答えるのが自分の利益になると判断しているにすぎない。ミュージシャン以外の取り巻きも、フレディを表向き崇めつつ、金づるとしか見ていませんでした。

何でも思い通りにできる状態は、完全に自由であるかのように見えて、自分の基盤を突き崩すものなのです。束縛を切り捨てつづければ、いずれ自由を求めること自体が束縛となり、アイデンティティをなくして没落するのは避けられません。

ロンドンに戻ったフレディは他のメンバーに謝罪、クイーンとしての活動再開を図ります。そんな折、バンド復活を印象づける絶好の機会が訪れました。アフリカ難民救済のための壮大なチャリティ・コンサート「ライブ・エイド」への出演です。

ライブ・エイド出演の日、フレディは長年寄りつかなかった実家を訪れ、父親との和解を果たします。クイーン復活とあわせ、二重の意味で「家」に戻ったことになるでしょう。結束を取り戻したバンドはみごとな演奏を見せ、詰めかけた大観衆は熱狂するのでした。

エンド・クレジットに「本作品は事実に基づいているが、劇的効果を高めるための脚色がなされている」という一文が出ることが示すように、映画で描かれる「家への帰還」が、どこまでフレディ・マーキュリーの実人生に忠実なものかは疑問も残ります。クイーンのメンバーは、活動再開の条件として、今後は誰が作詞・作曲した歌であろうと「クイーン作」とクレジットし、印税も四等分することを要求するものの、これが実現したのは一九八九年のアルバム『ザ・ミラクル』においてでした。しかるにライブ・エイドはその四年前、一九八五年七月に開催されているのです。

戦後日本はやり直せるか

ただし『ボヘミアン・ラプソディ』は、このような脚色によって、フレディ・マーキュリー、ないしクイーンの伝記映画という域を超えた普遍性を獲得します。

同作品は、新約聖書のルカ福音書に登場する「放蕩息子の寓話」のバリエーションなのです。これは金持ちの息子が、財産を持って家を出たものの、自由気ままな浪費の果てに無一文になったという話。

反省した息子は家に戻り、父親に謝罪します。すると父親は「この息子は、死んでいたのに生き返り、いなくなっていたのに見つかった」と喜び、盛大な祝宴を開いて暖かく受け入れました。

『ボヘミアン・ラプソディ』がわが国で大ヒットしたのも、平成の終わりにあたり、少なからぬ日本人が「自由を追い求めた果てに、自分を見失った放蕩息子」のような心境でいるからではないでしょうか。福音書の放蕩息子と同様、フレディも二つの家（＝実家とクイーン）から暖かく迎えられます。しかもそこには、ライブ・エイドという大祝宴まで待っている！

「自由に執着するあまり、過去を否定すれば没落が待っているが、原点に戻ってやり直す気になれば、家は君を待っていてくれる」——これこそ映画のメッセージにほかなりません。くしくもライブ・エイドの開催された一九八五年は、戦後日本の繁栄がピークに向かいはじめた年でした。

『ザ・ミラクル』が発表された一九八九年は昭和が終わった年で、フレディが死去した一九九一年はソ連が消滅した年。文字通り、「平成の行き詰まりを脱却したければ、まず原点（＝昭和末期～平成初期）に戻れ」という次第です。

けれども「家への帰還」を果たしたとき、フレディはエイズウイルスに感染していました。そのため彼は四十五歳で生涯を閉じるのですが、これはさしずめ「新自由主義やグローバリズムにうつつを抜かしていた間に、社会や文化の基盤が崩れる」ことに該当します。

国家規模の原点回帰が果たされたとしても、束の間の輝きに終わらない保証はどこにもありません。すでにすべては手遅れかも知れないのです。『ボヘミアン・ラプソディ』という題名は、クイーンの大ヒット曲にちなんだものですが、その歌詞にもこんな一節が含まれてました。

「さよなら、みんな。もう行かなきゃいけない。お別れして真実に直面する時さ。母さん、死にたくないよ。いっそ生まれてこなけりゃよかったんだ」

2　手違いで繁栄した戦後日本

一九八九年、共産党支配の崩壊したチェコスロバキア（現在はチェコとスロバキアに分離）では、劇作家のヴァーツラフ・ハヴェルが大統領に就任しました。しかるにハヴェルと並んで、二十世紀後半の同国を代表する劇作家と目されたヨゼフ・トポルは、一九六七年に初演された戯曲『スラビーク（鶯）の夕食』で、次のように語っています。

時間は死ぬまで流れ、時間は我々を死に流す。
あなたは鶯、鳴く鳥の王者、しかし、あなたも、あなたを聞く人次第です。我々の運命は、我々を聞く人の手の中にあるということです……(2)

平成から令和への移行にあわせ、わが国ではさまざまな人々が、「これからの日本はこうすべきだ」といった提言を行いました。この手の発言は玉石混交と決まっていますが（ついでに、最低でも九十五パーセントは玉ならぬ石です）、中には注目に値するものがあったのも間違いありません。

けれどもトポルが指摘するとおり、鳴く鳥の王者たる鶯といえども、結局は「あなたを聞く人次第」。提言がいかなる運命をたどるかは、内容の良し悪しもさることながら、聞く側の見識の有無、ないし価値基準の尺度によって決定的に左右されます。

内容の良し悪しをめぐる評価は、これらの要因によって大きく変わりうるからです。他方、見識や価値基準のあり方は、どのような認識枠組みを持っているかという点と切り離せません。

いかなる姿勢を「見識がある」と規定するか、どんな価値基準を「正しい」と位置づけるか——それもまた、認識枠組みによって大きく変わってきます。「あなたも、あなたを聞く人次第」「我々の運命は、我々を聞く人の手の中にある」というトポルの言葉は、「われわれの発言がどう受け止められるかは、われわれの持つ認識枠組みと、発言を聞く側の認識枠組みのかね合いによって決まる」と言い換えることができるでしょう。

あるべき認識枠組みの根幹

したがって、内容的に優れた提言をするだけでは十分ではありません。当の提言を「優れたもの」と評価するための認識枠組みが、あわせて提示されねばならないのです。さもなければ「時間は死ぬまで流れ、時間は我々を死に流す」、つまりすべてが水の泡。

令和日本をめぐる提言について、正しく評価するための認識枠組みはどのようなものか？　以下にまとめておきましょう。

独立回復（一九五二年）から冷戦終結（一九八九年）までの間、わが国はみごとに発展し、世界屈指の経済大国となった。しかしこの発展は、戦後日本のあり方から必然的に生じたものではない。

わが国は本来、貧しい小国であり続けることを運命づけられていた。高度成長をはじめとする発展は、くだんの運命が偶然抑え込まれた結果、いわば手違いで生じたのだ。

戦後史をめぐっては「一九八〇年代まではうまく行っていたのに、その後ダメになった」（＝発展・繁栄した時期が正常で、低迷・衰退の始まった時期が異常）と見なしたがる傾向が強いものの、これは正しい評価ではない。「本当なら発展・繁栄するはずなどなかったのに、一九八〇年代までは幸運にもうまく行った」（＝発展・繁栄した時期が異常で、低迷・衰退の始まった時期こそが正常）と見なすべきなのである！

敗戦後のわが国に関する基本的なあり方を定めたのは、アメリカの占領政策です。もっとも占領の方針は、当初、寛大なものではありませんでした。吉田茂の腹心として活躍した白洲次郎の表現を借りれば、初期の占領政策は、日本を二度と戦争の起こせない「完全無力国家」にすることを主眼としていたのです。

たとえば一九四五年末、アメリカは日本にたいする賠償計画策定のため、エドウィン・ポーレーという人物を団長とする使節団を送り込みます。同使節団の報告書は、戦後日本人の生活水準について、日本が攻め込んだ東南アジア諸地域の人々の生活水準を上回ってはならないとする方針を取っていました。

憲法の前文や九条に見られる平和主義も、わが国の完全無力化と密接に結びついています。ただ戦争を否定するのではなく、戦争の主体である国家、わけても自国政府を強く否定し、その行動を抑制したがることこそ、戦後日本型の平和主義の特徴なのです。さらに憲法の施行と相前後して制定された財政法は、プライマリーバランスの単年度均衡、つまり政府の歳出と歳入が（少なくとも一般会計では）毎年釣り合うことに固執、国債発行や借入金を原則として禁じることによって、政府が経済を牽引する能力に大きな制約を加えました。

戦時においては、どんな政府も積極財政に徹し、国債の発行によって戦費を調達します。ゆえに国債発行の原則禁止という方針は、「戦争の永久放棄」を保証させるうえでは理にかなっている。ただし当時のわが国が、戦災による貧窮にあえいでいたのを思えば、これは「また戦争をしでかさないためにも貧しいままでいろ」と宣告するにひとしい。疲弊した生産力を回復させ、復興を進めてゆくには、政府による積極的な財政政策が不可欠なのです。

この状況をくつがえしたのが、冷戦対立の深刻化でした。とりわけ中国本土における共産党と国民党の対立、いわゆる「国共内戦」が共産党優位に傾いたのを受けて、アメリカはわが国をアジアにおける戦略的な拠点とする方針に転換、復興や発展を後押しするようになります。

もともとアメリカは、国共内戦に国民党が勝つ（＝現在の台湾政府が中国本土を支配する）と踏んでいました。極東におけるソ連封じ込めも、この予測を前提に構想されていたものの、前提が崩れたせいで転換を迫られた次第。日本への後押しは、なんと手違いの産物だったのです。

　ポーレー使節団がまとめた賠償計画は、クリフォード・ストライクという人物の率いる新たな調査団によって大幅に緩和され、一九四九年には完全に中止されました。つづく一九五〇年には朝鮮戦争が勃発、これによって生じた巨大な需要、いわゆる朝鮮特需が、経済を刺激して復興に勢いをつけます。(3)

平和主義、繁栄に貢献す！

　一九五二年、わが国は自由主義陣営に属する形で独立を回復しました。ありていに言えば、アメリカに従属する道を選んだわけですが、ここで面白い変化が生じます。日本を貧しい完全無力国家にとどめておく手段だったはずの平和主義が、むしろ発展と繁栄を促進する役割を果たすようになったのです。

　冷戦下、日本のような地理的条件に置かれた国が、戦争の放棄や軍事力（戦力）の不保持といった理念を謳ったら、経済発展どころか、存立が危うくなってもおかしくない。しかし従属を受け入れた見返りに、アメリカが日本の安全保障を肩代わりしてくれたため、この点はみごとにウヤムヤとなりました。

　当時のアメリカは、自由主義陣営全体を支えられるだけの卓越した国力を持っています。そんな国に後押しされているのですから、平和主義による経済発展への制約も、成長を阻害するにはいたらない。アメリカは有償・無償の援助や、世界銀行を通じた低利融資といった形で、発展のための財源を提供してくれたのです。

しかも政府の行動、とくに安全保障がらみの行動を強く抑制したがる戦後日本の平和主義は、対米従属が過度に深まることへの歯止めとして機能しました。アメリカが自国の戦略への同調を求めてきても、「日本には戦争の反省から生まれた平和主義がありますので……」と言って退けることができるではありませんか。

平和主義はアメリカの占領政策によって導入された理念ですから、向こうとしても強くは出にくい。現に吉田茂は一九五〇年六月、「日本が講和を結んで独立国家になるというのなら、われわれとしても日本の再軍備を認めてあげましょう。いやむしろ、ぜひ再軍備してもらいたい」というアメリカ国務省顧問ジョン・フォスター・ダレスの申し出を、憲法九条を楯に断っています。(4)

朝鮮戦争により、自衛隊の前身たる警察予備隊が創設されたあとも、白洲次郎は平和主義と占領政策の関連性を指摘することで、予備隊の増強を求めるダレスの主張を突っぱねました。こうして「対米協調、ないし従属を基本としつつ、安全保障についてはアメリカに依存し、もっぱら経済発展に邁進する」という方法論、いわゆる吉田ドクトリンができあがります。

吉田自身は上記の方法論を意識的に築こうとしたわけではなく、独立回復と経世済民をめざして行動していたら、たまたまそういう形になったようです。が、そんなことは問題ではありません。復興や成長を進めるうえで、吉田ドクトリンは間違いなく成果を挙げたのです。

同時に注目すべきは、吉田ドクトリンとて、要は平和主義のバリエーションだという点。

わが国の左翼は、政権を担当する保守勢力が対米従属路線を選んだことについて、「平和主義の理想を否定し、戦争への道をふたたび歩もうとしている」といった類の批判を加えます。けれども保守勢力も、基本的には平和主義を信奉しているのであり、その枠内で現実的な選択をしたにすぎない。そしてくだんの選択のもと、平和主義は良い意味で裏目に出ました。

ただしこれは、戦後日本型の平和主義が本来、国の存立や発展を阻害する特徴を持つ点まで否定するものではありません。平和主義が発展や繁栄を促進するのは、次の二つの条件が満たされているもとでのみ生じる、例外的な事態なのです。

(1)自由主義陣営全体を支えつつ、社会主義陣営を抑え込めるぐらいに、アメリカの覇権が安定していること。

(2)わが国の発展や繁栄を後押ししなければならないと、アメリカが判断しつづけること。つまりは冷戦の継続。

一九七〇年代以後、第一の条件がまず揺らぎはじめます。一九八〇年代に入ると、日本は後押しが必要などころか、アメリカを脅かしかねないほどの経済大国に成長しました。だめ押しというべきか、一九八九年には冷戦が終結、「社会主義陣営」の概念そのものが崩壊してしまったのです！

「聞く耳」を持たせるために

ならば一九九〇年代より、平和主義も国を無力化する理念へと回帰したはず。ところが「手違いの繁栄」に慣れすぎた日本人は、このことを自覚できませんでした。

アメリカの覇権の後退にあわせて吉田ドクトリンを見直し、同国の戦略にたいして、より積極的に協力しようとする動きは、一九八〇年代前半から生じています。とはいえ自国の権益や戦略の主体的な追求をめざしていない以上、これにしたところで、戦後日本型の平和主義の本質である「自国政府の否定」を脱却したものとは呼べません。否、対米従属の度合いをいっそう強めたぶん、自国政府の否定もじつは強まっています。

問題は安全保障の領域にとどまるものではありません。自国政府の行動を抑制するのがそんなに望ましいのなら、「小さな政府」による市場原理の徹底を掲げる新自由主義や、国境や国籍を超えたモノ・カネ・ヒトの移動を是とするグローバリズムも、どんどん推進すべきだという話になってしまう。

こうして「構造改革」の名のもと、規制の緩和や自由化、政府サービスの民営化、外資の導入や外国人労働力の受け入れといった政策が、新たな繁栄を達成する切り札であるかのように位置づけられます。これらの政策は、格差の拡大や国民の全体的な貧困化をもたらすにもかかわらず、です。逆に積極財政による経済の牽引やインフラ整備といった、発展や繁栄に正しく貢献するはずの政策は、「国の借金」をいたずらに増やし、将来の世代にツケを回すものとして忌避されるにいたりました。

国を貧しいままにとどめておくための理念を、豊かになるための前提のごとく見なしているのですから、わが国が低迷・衰退の道をたどったのも当たり前の話。しかしこれは「国の衰退や没落を食い止めるには、どのような政策、ないし国家戦略が必要か」をめぐる価値基準が、完全に倒錯していることを意味します。「戦後日本は平和主義を掲げ、そのもとでいったんは輝かしい繁栄を実現した。ゆえに平和主義こそ、輝かしい繁栄の条件だ」という認識枠組みを否定しないかぎり、有意義な提言ほど却下され、無意味、はては有害な提言ほど評価されることになるのです！


冒頭で紹介したヨゼフ・トポルの言葉にならえば、鶯のように良い声で鳴く（＝優れた提言をする）だけでは、国の運命を転換するうえで十分ではありません。良い声をそうと評価できるよう、相手に「聞く耳」（＝正しい価値基準）を持たせることが必要になります。

くだんの「聞く耳」の基盤をなすものこそ、「敗戦後、わが国は貧しい小国でありつづけるはずだったが、手違いによって経済大国になった。すなわち発展・繁栄した時期のほうが異常であり、低迷・衰退する時期のほうが正常なのだ」という認識枠組み。この枠組みを受け入れさせるうえで必要な条件は、次のようにまとめられます。

（1）国の栄枯盛衰は、論理的必然に基づいて決まるとは限らず、なりゆきや偶然によって大きく左右されることの自覚。

（2）戦後日本型の平和主義が、安全保障のみならず、経済にも重大な影響を及ぼしていることの自覚。
（3）平和主義が発展や繁栄に貢献するという状況が、なぜ一時的に成立したかをめぐる理解の共有。つまりは一九四五年の敗戦から、一九五二年の独立回復を経て、「五五年体制」の構築にいたる十年間の再検証。

何より肝心なのは「自分は正しい提言をしているのだから、受け入れられてしかるべきだし、受け入れないのは向こうがバカなのだ」などと構えないこと。そんな態度を取った最後、「時間は死ぬまで流れ、時間は我々を死に流す」結末が待っています。われわれの運命はあくまで、われわれを聞く者の手の中にあるのです。

3 失われた政府への信頼

わが国における「太平洋戦争（大東亜戦争）」の回顧や総括は、いわゆる「戦争の悲劇」を反省してみせることで、戦後平和主義の正しさを再確認するのが長年のお定まりでした。現在の自分たちのあり方を肯定すべく、過去をダシにしているわけです。

最近では保守層を中心に、先の戦争における「日本の大義」を賞賛することで、戦後平和主義の観念性や非現実性をあげつらう傾向も目立つようになりました。ただしこれは「戦争の反省から平和主義の再確認へ」という姿勢の対極に位置するかに見えて、表裏一体の代物にすぎません。

自分たちのあり方を肯定すべく、過去をダシにしている点に関しては、「日本の大義」論者も、「戦争の悲劇」論者と変わらないではありませんか。平和主義を信奉するか、批判するかの差があるだけ。どちらの姿勢も一面的な解釈に過ぎず、あまりにも多くの事実が捨象（しゃしょう）（無視、ないし排除）されているのです。

ならば太平洋戦争は、いかなる視点から捉えられるべきか。誰しも考えるのは、「第二次世界大戦」（以下「第二次大戦」と略称）の一部として位置づけることでしょう。くだんの大戦は、次のように規定できます。

世界恐慌による国際秩序の不安定化を契機として、近代化・産業化における「第二集団」だった国家主義・全体主義諸国、すなわち枢軸国が、覇権の確立をめざして「先頭集団」たる自由主義諸国とぶつかり、敗退した戦争。アメリカによる覇権の確立と、新たな第二集団としての社会主義陣営の出現を招いた。(5)

ご存じのとおり、わが国は枢軸国の一員でした。さらに日中戦争下の一九三八年、近衛文麿総理は

「東亜新秩序」の建設を声明しています。

これが「大東亜共栄圏」構想へと発展してゆくのですが、その際には「八紘一宇」、つまり日本主導で世界を一つにまとめることが謳われ、「世界新秩序の原理」なる理念まで提唱されました。太平洋戦争は、第二次大戦の一部であるだけでなく、同大戦の本質を踏まえてもいたのです。

ただし上記の視点に基づいたところで、少なからぬ事実、あるいは側面が捨象されるのは避けられません。太平洋戦争は、こんなふうに位置づけることもできるからです。

（1）日中戦争によって悪化の一途をたどった日米関係が、一九四一年八月、対日石油禁輸にまで行き着いたことを契機に、追い詰められたわが国が始めざるをえなくなった「自存自衛」の戦争。

（2）黒船来航によって開国を強いられていらい、日本人の中にくすぶっていたアメリカ（ないしアングロサクソン）への反発が、日米関係の悪化によって抑えきれなくなり、暴発するにいたった「ヒステリー」の戦争。

自存自衛とは、すなわち「守り」の戦いです。たいして覇権、ないし覇権秩序の確立をめざすのは「攻め」の戦い。よって「世界大戦としての太平洋戦争」という発想では、（1）の側面をとらえることができません。

まして（2）の側面は、完全に日本人の内面の問題となります。真珠湾攻撃の際、わが国では「(幕末の志士）吉田松陰の言った通りになった」という評価が見られましたが、吉田松陰と第二次大戦の間に関係があるはずはないでしょう。

同じく幕末に老中首座（席次が最も高い老中）を務めた堀田正睦（ほったまさよし）など、近衛文麿が生まれてもいない時点で、八紘一字による平和を夢想していました。開国した日本が、欧米の文明を学んで強くなり、世界を統一するのだそうです。(6)

中国の覇権も「アジアの解放」だ

映画監督の大島渚にいたっては、太平洋戦争を幕末の動乱どころか、ベトナム戦争と結びつけました。大島の著書『体験的戦後映像論』から、関連箇所を紹介しましょう。

（太平洋戦争は）総体として「第二次世界大戦」にふくまれつつ、日本人の主観としては、あくまで『大東亜戦争』だったはずである。（中略）日本とアメリカの覇権争いが、植民地化されていたアジア諸国の独立運動と複雑にからまりあいながら、アジア全域にわたって展開されたのがあの戦争である。その意味では、『大東亜戦争』はベトナム戦争にまでつながっている。将来においては、アジア諸国の立場から、これらの戦争はすべてひとつながりのものとして、「アジア解放戦争」として一括されるだろう。(7)

大島渚は「あの戦争の戦域は、太平洋に限られたものではない」という理由で、「太平洋戦争」の呼称を否定します。だとしても、「総体として『第二次世界大戦』にふくまれつつ」と前置きしながら、「日本人の主観としては、あくまで『大東亜戦争』だったはず」だとする主張には、何とも意味深長なものがある。

当時の日本人にとり、太平洋戦争は「世界大戦」の一部ではなく、アジアを欧米の支配から解放しようとした別個の戦争だったのです。おまけにそれがベトナム戦争にもつながっているとくるのですから、大島の論理にしたがえば、現在の米中対立も、遠く太平洋戦争につながることになるでしょう。

アメリカの覇権に対抗する旗手が、日本から中国に移行し、「大東亜共栄圏」が「一帯一路」に代わっただけの話。中国の覇権の確立こそは、わが国がかつて夢見た東亜新秩序の完成であり、一世紀近くに及ぶ「アジア解放戦争」の総仕上げかも知れないのです！

太平洋戦争における「日本の大義」を賞賛したがる保守層が、中国の台頭にたいして反発するのは、その意味で論理的な整合性を欠いています。もっとも戦後のわが国が、かつての敵たるアメリカに尻尾を振りつづけてきたのを思えば、あまり彼らを責めるのは酷でしょう。戦後の矛盾は、平和主義の観念性や非現実性をあげつらう程度のことで、おいそれと脱却できるものではないのです。

それはともかく、太平洋戦争を総合的に解釈しようとするのであれば、少なくとも三つの視点を踏まえねばなりません。

（1）幕末いらい日本人が抱えてきた、欧米、とりわけアングロサクソンにたいする感情的葛藤の産物。
（2）十九世紀いらい、欧米とアジアの間で成立してきた支配・被支配の関係の産物。
（3）二十世紀半ば、近代化の先頭集団たる自由主義諸国にたいして、第二集団たる国家主義・全体主義諸国が行った覇権確立の試みの一環。

もっと言えば、これらをすべて押さえても総括としては不十分です。上記の視点は、いずれも「戦争がなぜ起きるにいたったか」にばかり注目しており、「戦争が何をもたらしたか」を問おうとしていません。しかるに太平洋戦争は、「日本人が政府への信頼をなくした戦争」という無視しがたい特徴を持っているのです。

徴兵制のひそかな見返り

戦前の日本については「天皇を絶対視する理念のもと、国民が奉仕や犠牲を強いられた抑圧的な社会」というイメージが根深く存在します。けれどもこれは、戦後平和主義に匹敵する非現実的な観念論にすぎません。そのような「やらずぶったくり」の体制、つまり国民の不満がたまってゆく一方の体制が、八十年近くにわたって安定的に存続し、富国強兵の実現にまで（いったんは）成功すると思いますか？

「滅私奉公」を美徳として称揚する一方、国民が反発しないよう、相応の見返りも用意していたに違いない、そう考えるのが健全な常識というもの。思想面では相当に右翼的だった大島渚すら、徴兵制をめぐって次のように述べています。

> 徴兵は国民にとって、わが子を軍隊にとられることだった。しかし、同時にわが子を軍隊にとってくれることでもあったと私は思うのである。軍隊にとってもらえれば、その間はお国のお金で養ってもらえたわけである。そこで勉強もできたし技術も覚えられた。家へ帰ればその経験が生きたのである。もちろん、わが子を戦死させたいとはいかなる親も思わなかっただろうけれど、そのことをいわば生命保険の掛け金のようにして、わが子はいざとなれば天皇と国家が面倒をみてくれるという実感も持てたはずなのである。そのことの是非善悪は今いわない。ともかくも、家族、わが子の生活を守ることについて、国家が最終的には責任を持ってくれるという感覚はたしかに昔の日本にはあったのではないか、と私はいいたいのである。(8)

教育勅語の有名な一節「一旦緩急あれば義勇公に奉じ、以て天壌無窮の皇運を扶翼すべし」（＝有事の際には、正義と勇気をもって国に尽くし、皇室の永遠の存続に貢献しなさい）も、こうなると意味合いが少なからず変わってきます。戦後のわが国では、この箇所が「天皇陛下のために死ぬことを強制するもの」として、しばしば批判の対象となりました。

そのせいか、勅語を積極的に評価したがる者さえ「日本人を戦争に駆り立てた部分もあるかもしれない」（二〇一八年十月五日、柴山昌彦文科大臣の発言）などと、しばしば弁解じみた留保をつけます。だが実際には、「一旦緩急あれば義勇公に奉じ」こそ、国家や政府への信頼を形成するうえで肝となる箇所なのです。

国民にたいして、そこまでの要求をしたら最後、天皇、ないし政府としても、面倒を見ないわけにはゆかない。大島渚ではありませんが、「いざとなれば天皇と国家が面倒をみてくれる」という感覚なしに、国民が「天壌無窮の皇運」を扶翼しようとするはずはないのです。明治天皇の言葉とされる勅語に、「みなの面倒を見るから有事の際は尽くしてくれ」などと露骨に書いては格好がつかない、それだけの話ではありませんか。

一九三七年に日中戦争が勃発して長期化するまで、わが国が行った大規模な対外戦争は、明治時代の日清戦争と日露戦争、および大正時代のシベリア出兵ぐらいのもの。日清戦争は九ヶ月ほど、日露戦争も一年七ヶ月ほどで終結します。シベリア出兵は四年にわたったものの、人的被害は戦死者三千〜四千名、凍傷による死傷者一万名と、日露戦争（約八万四千名〜十一万八千名死亡）よりずっと少なく、日清戦争（約一万四千名死亡）と同程度でした。

息子を軍隊に取られたとしても、戦死という結果に終わるリスクは、とくに大正以後、[illegible]も高くなかったのです。国が面倒を見てくれるという安心感を得るための「生命保険の掛け金」は、それなりの線に落ち着いていました。日中戦争を契機として、わが国では厚生省（現・厚生労働省）が発足しましたが、同省が社会保障を所管しているのも、関連して偶然ではありません。

政府、国民の信頼を裏切る！

ところが太平洋戦争末期、政府と国民の信頼関係は崩れ去ります。戦局の悪化にともない、国民に要求する奉仕や犠牲はエスカレートしていったにもかかわらず、国民の生活を守る責任は取れなくなる一方だったのです。

最終的に勝利を収める見込みがあるのなら、それでもまだ正当化の余地があるでしょう。けれども一九四四年七月、マリアナ諸島の中心たるサイパン島が陥落した時点で、アメリカは日本のほとんどの都市を爆撃できるようになりました。

本土の制空権を失った以上、これはわが国が勝つ可能性がなくなったことにひとしい。安倍晋三総理の祖父にあたる岸信介は、このとき東条内閣の軍需次官（兼無任所大臣）を務めていたものの、空襲を防げなければ軍需物資が生産できなくなるとして講和、つまり降伏を進言したと言われます。

にもかかわらず、わが国は一年以上もズルズルと戦い、国民の信頼を裏切りつづけました。特攻隊、硫黄島の戦い、東京大空襲、沖縄戦、広島と長崎への原爆投下、ソ連参戦など、いわゆる「戦争の悲劇」と呼ばれる出来事は、最後の一年間に集中しているのです。敗戦後、国民の多くが「政府に裏切られた」と感じ、政府不信が戦後平和主義の根本をなすまでにいたったのも、完全な自業自得でしょう。

政府への不信は、戦後の安全保障のみならず、経済政策にも重大な影響を与えました。わが国の財政法は、国債の発行を原則として禁じ、歳出は歳入の範囲内に抑えねばならないという財政均衡主義の立場を取っていますが、これも「国債を発行できなければ、戦費を調達するうえで重大な支障をきたすため、戦争をしたくてもできなくなる。ゆえに政府の暴走を縛るのなら、財政均衡主義を取るにしくはない」という発想に基づくもの。(9)

財政均衡主義のもとで政府が債務を抱え込んだら最後、対策は歳出削減(=緊縮財政)か増税、ないしその両方の実施しかなくなります。積極財政によって景気を刺激し、経済を牽引することができなくなってしまうのです。二〇一〇年代の日本では、財政出動が不十分なせいでデフレ脱却がなされないまま、消費増税が繰り返されましたが、この迷走も遠く太平洋戦争につながるものと言わねばなりません。

無残な敗戦のせいで自国政府への信頼をなくした日本人にたいし、寛大な占領政策や様々な援助という形で、手をさしのべてくれたのはアメリカでした。

むろんここには、自国の権益や戦略をめぐる計算も働いています。だとしても、敵だったのに親切にしてくれたのは否定できません。「いざとなったときに面倒を見てくれるのは、天皇や国家ではなくアメリカだ」という感覚が、日本人の間に生じるのは必然のなりゆきでしょう。戦後日本が対米従属路線に安住し、何かにつけて同国との一体性を強めたがるのにも、それなりの理由があるのです。(10)

太平洋戦争は、さまざまな視点から振り返ることができます。わが国なりの大義もあれば、反省すべき点もある。日本人の内面的な葛藤に根ざすものであると同時に、欧米とアジアの対立に起因するものでもあり、さらには自由主義と国家主義・全体主義の覇権争いの一環でもありました。

しかし忘れてはならないのは、それが自国政府への信頼喪失という結果をもたらしたことです。この点を直視できないかぎり、われわれはいつまでも「戦後」の枠内で堂々めぐりを続けることになるでしょう。

4 「爽快な器」だった安倍総理

安倍晋三が初めて総理になったのは二〇〇六年。五年にわたった小泉純一郎内閣の次でしたが、二〇〇七年夏の参院選で敗北したあげく、同年九月、健康上の理由を挙げて政権を投げ出します。

その後もわが国では、福田康夫、麻生太郎と、内閣が一年で交代する事態が繰り返されました。二〇〇九年の総選挙では自民党が大敗して下野、民主党が政権を担うことになったものの、たらい回しには歯止めがかからず、鳩山由紀夫、菅直人、野田佳彦と、総理がどんどん代わってゆく。

そんな中、安倍晋三は二〇一二年末の総選挙で総理の座にカムバックしました。また短命内閣かと思いきや、今度は二〇二〇年八月に（ふたたび健康上の理由を挙げて）退陣するまで、八年近くも政権を担います。

二〇一九年十一月、安倍総理の在任日数は通算で憲政史上最長となり、二〇二〇年の退陣直前には、カムバック以後の連続在任日数でも最長となりました。長期にわたって政権を保てることが、内閣として成果を挙げた証だとするなら、安倍内閣は「近代日本で最も成果を挙げた内閣」と呼べるでしょう。

ところが「平成とボヘミアン・ラプソディ」でも述べたとおり、平成（一九八九年〜二〇一九年）のわが国は、衰退・没落の道をズルズルたどってゆきました。二〇一〇年代、その傾向はとくに顕著。安倍内閣がどこまで成果を挙げたかも、こうなると疑わしくなってきます。作家の適菜収など、容赦なくバッサリ切り捨てました。

民主党（政権）の一番危険な部分、愚劣な部分を引き継いだのが安倍政権ではないでしょうか。憲法の恣意的な解釈、デフレ下の増税、TPP……。また、移民政策、農協や家族制度への攻撃といった愚策中の愚策を急進的に押し通してきた。
やってきたのはシンプルな対米追従・売国路線です。(11)

だとしても、そんな内閣がどうして憲政史上最長となれたのか？
適菜の答えを紹介しましょう。

民主党政権の三年間で酷い目に遭ったという意識が国民には強く残っていて、その反動で「民主党よりマシ」「民主党時代に戻すのか」といったテンプレート（＝紋切り型の発想）、思い込みのようなものができた。それが安倍政権を支えていたのだと思います。(12)

その根底には、いっそう根深い病弊があるらしい。

> 戦後の平和ボケ、思想の劣化、革命幻想、破壊願望、無知と忘恩、無責任と恥知らずの成れの果てに発生したのが安倍政権なのです。
>
> 安倍みたいな人間が放置されてきたのは、社会が病んでいるということです。(13)

他方、京都大学教授の藤井聡は、安倍が「空虚な器」であるがゆえに支持されたと主張します。けれども、これは具体的にどういうことなのでしょう。

本人の言葉を引用します。

> 空虚な器であれば、相矛盾した諸言説が無作為に配置されるため、その振る舞いが支離滅裂なものとならざるを得ない。同時に、器であるがゆえに、様々な勢力がその器に自説を配置し、「安倍総理」を利用する形で自説の欠片（かけら）を現実政治に反映させることに成功するが、そうなれば、大なる期待を「安倍晋三」に抱き、支持を寄せることになる。無論、それが「器」に過ぎぬ以上、

その期待は全て早晩裏切られるのだが、それが明らかになるまでは「安倍晋三」は支持を得続けられる。(14)

「安倍晋三＝空虚な器」論は、藤井によると「(安倍内閣に関する)諸事実と整合する、否定することが著しく困難な仮説」なのだとか。中身が空っぽなせいで、周囲のさまざまな人々の意見を脈絡なく取り込んでいればこそ、安倍内閣は国益の実現や国家戦略の達成に成功していないにもかかわらず、長期政権を維持したというわけです。

だったら問題はまずもって安倍晋三にあり、社会全体の病理は必ずしも関係していないことになるでしょう。しかしこの主張に賛同することはできません。事実との整合性を問う以前の話として、「空虚な器」なる発想自体が、多くの点でツジツマの合わない、ナンセンスなものに思われるのです。

ただし本論の目的は、藤井を批判することではありません。ナンセンスであるにもかかわらず、否、ナンセンスであればこそ、「空虚な器」論について考察することは、安倍内閣の人気を理解するうえで重要な手がかりを提供します。間違っている主張も、適切に扱うかぎり、時に有益なものとなるのです。

器は空っぽなのが大前提

では、「安倍晋三＝空虚な器」論について、問題を列挙してゆきましょう。まず指摘したいのは、

「空虚な器」という言葉そのものの奇妙さです。

「器」は「事を担当するに足る才能。器量。また、人物の大きさ」(広辞苑。以下同じ)などの意味を有します。しかし文脈から見て、この場合の「器」が「物を入れおさめるもの。いれもの」の意味で用いられているのは疑いえません。

しかし物を入れおさめるためには、器は空っぽ、つまり空虚でなければならない。でなければ何も入れられず、使い物にならないではありませんか。器が器である以上、空虚なのは当たり前であり、何ら悪いことではないのです。

他方「空虚」は、ただ物理的に空っぽな状態を指す言葉ではありません。「内容のないこと。物事の内容や心の内部がからっぽで、むなしいこと」という語義が示すように、そこには「本来ならばそこにあるべきものが欠落している」という否定的な価値判断がひそんでいます。

空っぽでなければ役に立たない物について「空虚」と形容するのは、日本語の用法として誤りです。「空虚な皿」「空虚なコップ」「空虚な鍋」など、具体的に思い浮かべてみれば、この点は明らかでしょう。

藤井が「器」について、「いれもの」という意味と、「事を担当するに足る才能」という意味をうっかりゴッチャにした可能性はある。しかし「人物の大きさ」という語義の存在が示すとおり、後者の「器」にしたところで、大小の尺度で測られます。「才能」「器量」などの意味で使われる場合であろうと、器の価値はどれだけ多くの物が入るか、つまりはスペースの有無によって決まるのです。
サザンオールスターズのバンドマスターとして、四十年以上にわたり活躍してきた桑田佳祐も、最近のインタビューでこう語りました。

僕自身は空っぽな容れ物みたいなものでね。空気とか情報とか、市井に浮遊しているものをキャッチしては、自分という空っぽの容れ物にポンポンと詰め込んで、それをシャッフルしたり、色付けしたりして吐き出してきた。（中略）僕自身にあまり強い自我のような感覚はないんですよ。(15)

桑田は「歌は空っぽの自分がバランスを取るためのアイデンティティ」とも述べていますが、だからといってサザンオールスターズの音楽、あるいは桑田佳祐のソロ作品が空虚なはずはない。この発言は、幅広い素材を柔軟に扱える懐の深さを示すものにほかならず、彼の音楽が豊かであることの証拠なのです。

安倍総理という器にも、さまざまな勢力が、自分にとって都合のよい政治的主張を配置していたはず。当該の主張が相互に矛盾する（かも知れない）点については置くとして、そんなに沢山「中身」が入っているのであれば、なぜ総理が空虚、すなわち空っぽだという話になるのでしょう。「安倍総理＝空虚な器」論は、この段階ですでに論外と評さねばなりません。

政治家は「器」であるべきだ

何らかの中身を入れることができるよう、空っぽにつくられているのが器の本質である以上、「総理は空虚な器にすぎない」と主張することは、「総理は器にすぎない」と主張するのにひとしい。先に引用した文章でも、「空虚な器」は二度にわたって、たんなる「器」に置き換えられています。

他方、政治家が器であることの問題は、さまざまな勢力が自己の政治的主張を吹き込みたがる点にありました。ならば「空虚な器」論は、「政治家、とくに国の指導者は、さまざまな勢力の主張など聞き入れるべきではない」と説きたがっていることになります。

ところが政治に民意を反映させることこそ、政治家の重要な役割にほかなりません。そしてほとんどの場合、民意は一枚岩などではなく、立場の異なる多くの主張から構成されます。

指導的な地位にあればあるほど、政治家は可能なかぎり、さまざまな勢力の主張を聞き入れるべきなのです！　国のあり方に関する自分の理念を実現させることがすべてで、民意に耳を貸そうとしない指導者など、独裁願望丸出しの全体主義者であり、警戒すべき危険な存在にすぎない。

「空虚な器」論は、安倍総理が民主主義的な指導者だという理由で、彼を批判しているのです。わが国が衰退・没落の道をたどっているとしても、それを打開したがるあまり、実質的な独裁者待望論にまで行き着くのでは、本末転倒と言われても仕方ないでしょう。(16)

すでに触れたように、民意を構成するさまざまな主張が、相互に矛盾する可能性は存在します。否、それぞれの主張は異なる立場からなされているのだから、矛盾していて当然。

よって民意を尊重する指導者の振る舞いにも、十分な論理的一貫性や整合性を期待することはできません。ただし、そのような振る舞いを「無作為」だの「支離滅裂」だのと決めつけてよいかは別の話。

「さまざまな主張を聞き入れたがゆえの一貫性や整合性の欠如」を肯定的に評価するほうが、じつは賢明なのです。十八世紀イギリスの政治家・文人にして、近代的な保守主義の祖と言われるエドマンド・バークは、望ましい政治のあり方について次のように語りました。

> 人間の本性は複雑微妙であり、したがって政治が達成すべき目標もきわめて入り組んでいる。権力の構造を単純化することは、人間の本性に見合っておらず、社会のあり方としても望ましくない。(中略)
>
> 複雑な体制は、いくつものこみいった目標を満たすように構築されているため、個々の目標を達成する度合いにおいては(単純な体制に比べて)劣る。だが社会が複雑なものである以上、「多くの目標が不完全に、かつ途切れ途切れに達成される」ほうが、「いくつかの目標は完璧に達成されたが、そのせいで残りの目標は放りっぱなしになったか、むしろ前より後退した」というよりマシなのである。(17)

藤井も先の文章で、さまざまな勢力が総理を利用する形で「自説の欠片を現実政治に反映させることに成功」したと述べています。もしそうなら、安倍総理の政治手法は、保守主義の立場から見て、まさに模範的なもの。

なるほど、自分たちの主張が断片的に実現されたことをもって、「この調子なら、いずれもっと物事が思い通りになるだろう」と期待した者は、遅かれ早かれ失望を味わう可能性が高い。ただしバークの表現を借りるなら、それは政治の達成すべき目標がきわめて入り組んでいることに起因するのであって、安倍総理の「空虚さ」に起因しているわけではありません。

これを無視して総理を批判したがるのは、ないものねだりの正当化です。「空虚な器」論は、保守主義の名において断罪されねばならないでしょう。

総理の姿勢は一貫している！

だが断罪には及びません。安倍総理の振る舞いは、幸か不幸か、支離滅裂ではないのです。適菜収の表現にならえば「シンプルな対米追従・売国路線」。ほかならぬ藤井も、じつはこの点を認めています。先に引用した文章の前には、こんなくだりがあったのです。

デフレ脱却と言いながら、5％であった消費税率を10％にまで引き上げデフレを加速させ、美しい国をつくると叫び、ＴＰＰ反対を明確に公約に掲げながら（掲げることにより、の意）政権を奪取したにも拘わらず、ＴＰＰを推進して故郷を破壊すると同時に移民枠を抜本的に拡大し、北方領土問題や日韓問題に終止符を打つと意気込んで「新しいアプローチ」を採択した結果、ロシアの北方領土に対する態度も日韓関係も未曽有の水準にまで悪化している――という事実は何人たりとも否定し得ない。(18)

ここで挙げられた三つの事例（デフレ脱却と消費増税、ＴＰＰ反対の撤回と移民枠拡大、北方領土や日韓関係をめぐる「新しいアプローチ」）には、きっちり同じパターンが見られます。安倍総理は口でこそ、経世済民をはじめとする国益の実現や、国家戦略の達成を謳うものの、実際にはどちらも損なう政策を遂行しているのです。

「支離滅裂」とは、「統一もなくバラバラに乱れて、筋道が立たないさま」のこと。(19) かくもみごとな一貫性を持った姿勢が、支離滅裂なはずはありません。口先の発言と、実際の行動とが正反対である点にばかりこだわるから、訳が分からなくなるだけの話、「国益や国家戦略を重視するふりをして、それらを損なう」ことこそ、総理の政治理念なのだと考えれば、その振る舞いにはほとんど完璧な整合性が宿ります。

空虚呼ばわりなどとんでもない、総理の問題は器として（望ましくない形で）充実しすぎていることにあるのです！

戦後の国家観を体現した人物

では、そのような指導者が、なぜ長期にわたって安定した支持を得たのか。
安倍総理は「空虚な器」ではないのですから、「総理を利用して自分たちの主張を部分的に実現させた諸勢力が、そろって総理に夢を託すため」という解釈は成り立ちません。だいたい国益や国家戦略が系統的に損なわれているとき、総理を利用することでメリットを得られる勢力が、多数存在するとも信じがたい。
上記の諸事実を念頭に置いて、私の答えを提示しましょう。

国益や国家戦略を損なうことこそ、国益や国家戦略を真に重視する（＝国民の利益になる）ことだという矛盾した発想が、国民の間に根づいているため。

こう考えれば、安倍総理、ないし安倍内閣の人気について、不可解な点はなくなります。国益が損なわれ、国家戦略が行き詰まるほど、国民は「総理はちゃんと結果を出している」と思い込むのです。失敗こそ成功、ないし失敗ほど成功だというのだから、こんなに楽な話はありません。着実に失敗を重ねさえすれば、安定した支持が得られるのです。在任期間が憲政史上最長になったのもうなずけるではありませんか。

しかも「国益や国家戦略を損なうことこそ、国益や国家戦略を真に重視すること」という発想は、戦後日本の国家観の根本をなしています。

敗戦後のわが国では「政府にだまされた」という心情が広範に見られ、政府や国家への不信感が台頭しました。敗戦直後の状況の悲惨さを思えば、くだんの心情にも無理からぬところがあるものの、戦前の政府とて国益や国家戦略を追求していたのですから、これは「国益や国家戦略など達成しようとしないほうが、国民にとって望ましい」と主張するにひとしい。(20)

現に「ナショナリズム」「愛国心」「(国家)戦略」といった言葉には、長らく否定的なイメージがつきまといました。さらに一九八〇年代以後は、「アメリカとの協力関係を強化することこそ、日本の国際的な地位を高める方法であり、ナショナリズムの復権につながる」と見なす姿勢が、保守層を中心に定着します。

戦後の日米関係は対等なものではなく、わが国がアメリカに従属することを前提にしていますので、同国との協力を強化してゆけば、こちらの国益や国家戦略が損なわれるのは避けがたい。それがナショナリズムの復権(＝国益や国家戦略の達成)につながるというのだから、ずばり「国益や国家戦略を損なうことこそ、国益や国家戦略を真に重視すること」ではありませんか。(21)

駄目押しと言うべきか、一九九〇年代になると、わが国ではグローバリズムが強い影響力を持ちました。グローバリズムとは、国境を越えたモノ・カネ・ヒトの移動が活発化すればするほど、豊かで幸福な生活が実現すると説く理念ですから、ここでも「国益や国家戦略など追求しないのが真の国益や国家戦略」となります。

安倍総理の振る舞いは、このような矛盾した発想を体現したものであり、ゆえに日本人にとって理想的なのです。適菜の言う「戦後の平和ボケ、思想の劣化、革命幻想、破壊願望、無知と忘恩、無責任と恥知らず」は、当の矛盾の内実と帰結を詳述したものにほかなりません。(22)

おまけにナショナリストのイメージが強いおかげで、いかに国益や国家戦略が損なわれようと、「それは表向きで、本当は違うはずだ」という解釈が成立しやすい。だいたい矛盾が極限に達すると、人はしばしば爽快感を覚えるのです。「これ以上の矛盾は起きようがない」状態が、「もう矛盾はない」状態と混同された結果、矛盾が解決され、物事が思い通りになったような幻想が生じるせいですが、ならば安倍内閣の政策も、多くの国民に爽快感を与えたものと思われます。(23)

「空虚な器」ならぬ「爽快な器」、それが安倍晋三総理の正体だったのです。そして「失敗こそ成功」とすれば、国民が総理に寄せた期待も、本質において満たされていたと見るべきでしょう。安倍内閣は終焉を迎えましたが、わが国が衰退・没落の道を脱するのは、そう簡単なことではありません。

5 特攻隊員を笑いものにしたトランプ

二〇一九年八月九日、ニューヨーク・ポスト紙にこんな見出しの記事が出ました。

Trump cracks jokes about Equinox scandal, kamikaze pilots at Hamptons fundraiser (24)

日本語訳こちら。

トランプ、ハンプトンズで開かれた政治資金集会で、エクイノックス社のスキャンダルと神風パイロットを笑いのネタにする

トランプは当然、アメリカ大統領ドナルド・トランプ。

ハンプトンズはニューヨーク州ロングアイランドにある海浜リゾート地です。

全米で最も高価な住宅地とか。

「エクイノックス社」は、集会を主催した不動産王スティーブン・ロスが所有するフィットネスクラブ。

全米で人気急上昇中とのことながら、ちょうどこのころ、会員の間で「ロスがトランプのために資金集会を開くなら退会する」と言い出す者が続出しました。

これがつまり「エクイノックス社のスキャンダル」です。

話を聞いたトランプ、ロスにたいして「いやあ、アメリカ社会は分断されているよなあ」と笑ってみせたとか。

ついでに韓国の文在寅大統領のこともサカナにしたそうですが、問題はその後。

記事より抜粋しましょう。


話題を日本に切り替えると、トランプは安倍総理が話す日本語なまりの英語を真似しつつ、関税撤廃交渉をめぐるやりとりを再現してみせた。


むろん、自分のタフな交渉術に総理がどう屈したかを自慢したに違いない。

トランプは文在寅とのやりとりについても、相手の口真似をまじえつつ、どうやって屈服に追い込んだか再現してみせたとのことですから、安倍総理だけが笑いものにされたわけではありません。

ただし、ツイッターアカウント「アメリカ政治」いわく。


アジア人の英語アクセントを真似るというのはよく見られる人種差別です。(25)

ニューヨーク在住のライター、堂本かおるも次のように連投ツイート。

トランプは「アベはトモダチ」なんて絶対に思っていない。たまにゴルフをしてやれば無制限に引き出せるATMだと思っている。

日本人側の問題は、自分自身の矜持（プライド）の維持。「世界にバカにされる」「恥ずかしい」といった対外的なことでなく。(26)

説得力があるのがイタいところです。
「世界に誇る日米の絆」などと言っても、内実はこの程度。
しかもトランプは、続けてこんな話を披露しました。

総理の父・安倍晋太郎は、戦時中の一九四四年、海軍志賀航空隊に予備学生として入隊しています。特攻隊に配属されたまま敗戦を迎えたそうですが、これに強い興味を持ったトランプ、首脳会談の席で、特攻隊員は酒に酔っていたのか、あるいはドラッグをやっていたのかとたずねたらしい。体当たり攻撃なんて、素面では到底できっこないというわけです。

総理は「いや、彼らはただ祖国を愛していたんだ」と答えたとのことですが、くだんの返答について、トランプはこうコメントしたのですよ。

Imagine they get in a plane with a half a tank of gas and fly into steel ships just for the love of their country!

日本語訳こちら。

信じられるかよ！　国を愛しているからって、片道分の燃料しか積んでいない飛行機に乗り込んで、鋼鉄の軍艦に突っ込むんだぜ！

ジャップはやっぱり頭がおかしい、というオチをつけた次第。
わが国の保守派には、トランプにたいして好意的な者が多いのですが、ここまでコケにされたとあっては、怒らなければ矜持に関わる。
そう思うでしょう？

ところがどっこい。
都合の悪い現実からは、とめどなく逃避して恥じないのが、戦後日本人の戦後日本人たるゆえん。
保守系メディアとして知られる産経新聞は、八月十三日、こんな見出しの記事を出しました。

トランプ氏、日韓首脳の「なまりある英語」を揶揄　安倍晋太郎氏が元特攻隊員と知り感銘(27)

ニューヨーク・ポストが報じたのと同じ出来事を扱ったものですが、特攻隊をめぐるトランプの態度についての取り上げ方が正反対。

産経の記者（ワシントン支局の黒瀬悦成という人です）は、ポストの記述が間違っていたことを示す証拠でも手に入れたのか？

いえいえ。

黒瀬記者、ニューヨーク・ポストの記事を紹介する形で自分の記事を書いています。

どこを見ても、他のニュースソースは出てきません。

おい、ちょっと待て！

元の記事の見出しに何と書いてあったか、もう一度読んでみろ！

トランプ、ハンプトンズで開かれた政治資金集会で、エクイノックス社のスキャンダルと神風パイロットを笑いのネタにする

どこをどう勘違いすると、これが「安倍晋太郎氏が元特攻隊員と知り感銘」に化けるのか。

ウソを承知で歪曲記事を書いた、そうとしか思えません。

肝心の箇所も次のようになっていました。


（トランプは）聴衆に「想像してくれ。彼らはただ愛国心に支えられ、片道燃料の飛行機で鋼鉄の艦船に突入したんだ」と訴えたという。


文脈をまるっきり無視すれば、このような訳にすることも不可能ではないかも知れない。

けれども黒瀬訳が正しいとしたら、ニューヨーク・ポストは一体どうして、トランプが神風パイロットを笑いのネタにしたと報じたんですかね？


トランプがこの記事を知ったら、面白がってバカにすること確実。

さしずめ、こんな調子では。

「信じられるかよ！　シンゾウやカミカゼを擁護したいからって、元の記事を完全にねじ曲げたうえ、お涙頂戴のデタラメ訳をつけたんだぜ！」


堂本かおるのツイートではありませんが、黒瀬記者、および産経新聞の問題は、ジャーナリズムとしての矜持を維持できるかどうかです。

「トランプが特攻隊を笑いものにしたと本当のことを書いて、保守系の読者が不愉快になったらまずい」といった姑息な配慮をしているかぎり、矜持は失われる一方となるでしょう。

第二部
黄昏の現地妻国家

1　ナショナリズムと突然変異

「私の真の母は誰なのか？　これは政治的な問いかけである」

アメリカの哲学者ノーマン・O・ブラウンは、代表作『ラヴス・ボディ（愛の肉体）』でこう喝破しました。(1) 突拍子もない印象を受けるかも知れませんが、ナショナリズムの本質を理解するうえで、ブラウンの言葉は重要な意味を持ちます。

「ナショナリズム」（nationalism）は、「出産・出生」を意味するラテン語 *natalis* に由来する言葉。「国家」「国民」にあたる言葉「ネイション」（nation）も、これを語源とします。

国民とは「同じ国に生まれた者同士」のことなのです。はたせるかな、「ネイション」はもともと女性名詞。「国」は母なのです。

その母を共有していればこそ、誰もが「国家」の一員となる次第。日本語にも「母国」という表現が存在するではありませんか。

ナショナリズムは、「〈母の共有〉という観念に象徴される母国への愛着」と規定できます。「私の真の母は誰なのか？」とは、「私（のアイデンティティ）を真に生み出したネイションは何なのか？」という問いかけにほかならず、ゆえに政治的なのです。

ノーマン・O・ブラウンも、先の一節のあと、古代ローマをめぐる次のような内容の逸話を紹介しました。ローマは紀元前五〇九年、第七代の王タルクィニウス・スペルブスが追放されたことにより、共和政へと移行します。しかるにタルクィニウスがまだ王位にあったころ、彼の二人の王子と、王の甥にあたるルキウス・ユニウス・ブルトゥスが、神託をうかがうためにギリシャのデルポイへと赴きました。

三人の若者は、せっかくデルポイまで来たのだから、自分たちのうち誰が次の王になるのかについても神託を聞こうと考えます。返ってきた答えは「お前たちの中で、最初に母に口づけした者が、ローマの最高権力者となる」というものでした。

これを聞いた二人の王子は、従者にたいし厳重に口止めしたうえで、ローマに戻ったらどちらが先に母親に口づけするか、クジで決めようとします。けれどもブルトゥスは、神託の「母」には隠された意味があるに違いないと考え、うっかり転んだふりをして、その場で大地に口づけしました。

生命を育む場である大地こそ、あらゆる人間の母と呼ぶべきもの。ならばローマの最高権力者たらんとする者が口づけすべき「母」とは、自分自身の母親にあらず、万人の母たる大地のはずだというわけです。

国家は巨大な「親」である

ブルトゥスはやがてタルクィニウス王追放の立役者となり、ローマを共和政へと移行させます。これにより、彼は初代の執政官として最高権力者の座につくのですから、神託は完全に正しかったことになるでしょう。

〈母の共有〉なくして「ネイション」はない、と見抜いたところにブルトゥスの偉大さがあったものの、タルクィニウス王の追放をめぐっては、この点をさらに裏書きするエピソードが出てきます。王が追放される直接のきっかけとなったのは、ブルトゥスの近親者である既婚の女性ルクレティアが、王子の一人セクストゥスにレイプされたあげく、短刀で自殺したことなのです。

神託を受けたときもそうでしたが、この王子、個々の人間を超えたレベルの「女性性」を想像することができない。しかもレイプは生殖の強要である以上、彼の姿勢からは「女を独り占めして、自分のために子を産む存在に作りかえたい」という欲望が読み取れます。

けれども国民を統べようとする者が〈母〉を独占したがるようでは、ナショナリズムも何もあったものではない。ルクレティアの一件により、王政が崩壊してしまったのも、当然の顚末にすぎません。「偉大な権力者は大地に口づけし、愚鈍な権力主義者は人妻を奪う」、そう要約することもできるでしょう。

ナショナリズムと縁の深い概念である「愛国心」も、親の概念と深い関連を持ちます。愛国心にあたる英語は「ペイトリオティズム」（patriotism）ですが、これは「父祖の地」を意味するギリシャ語 *patris* に由来するのです。

父祖とは「父と祖父」のことですから、代々の男親が暮らした地を愛し、守ろうとするのが愛国心の原型。言い換えれば愛国心を共有する者同士は、父祖も共有していることになります。

ナショナリズムの根底に「母の共有」がひそむのにたいし、愛国心の根底には「父の共有」がひそむのです。他方、祖先が代々住んできた国のことを、われわれは「祖国」と呼ぶ。したがって愛国心は、「〈父の共有〉という観念に象徴される祖国への忠誠」と規定できます。

国家が安定した状態で機能するには、母国への愛着（＝ナショナリズム）と、祖国への忠誠（＝愛国心）が、そろって成立しなければなりません。国への愛着がなければ忠誠心は生まれないでしょうし、国に忠誠を尽くすつもりがなければ、愛着も甘えや馴れ合いにすぎなくなる。

〈父〉と〈母〉の両方について、社会規模で象徴的な共有がなされることが、国の存立を確保し、発展を図るための条件なのです。国民の目に、国が巨大な「親」のごとく映ってこそ、社会は家族のようなまとまりを持ち、国は「国家」たりえます。

現に戦前の日本において、国は天皇と皇后を中心とする巨大な家族のようにイメージされました。わが国の子供はすべて「陛下の赤子（せきし）」、すなわち天皇と皇后の子供だったのです。〈父〉も〈母〉も、ほとんど文字通りのレベルで共有されていたことに。

当時の日本人が、強い愛国心やナショナリズムを持っていたのも納得のゆく話でしょう。特攻隊に志願した若者の中には、国、ないし天皇のために死ぬことを「究極の親孝行」と見なす傾向まであったと言われます。

敗戦と遺伝子組み換え

愛国心やナショナリズムさえ持てば、国の存立や発展が保証されるわけではありません。戦前の日本も、最後には惨憺（さんたん）たる敗戦に行き着きました。

ただし国への愛着や忠誠がないところで、国の存立や発展を達成するのがきわめて難しいのも間違いない。愛国心やナショナリズムは、経世済民の十分条件（＝「これが満たされれば大丈夫」という条件）でこそないものの、ほぼ確実に必要条件（＝「これが満たされなければダメ」という条件）なのです。

これらの心情を持つことは、別のレベルにおけるメリットも伴います。個々の人間のアイデンティティが永続性や普遍性を帯び、そのことによって安定性を強めるのです。

個人は有限の存在にすぎず、ゆえにアイデンティティも揺らぎやすい。家、ないし家族は、そんな個人にたいし、連続性、ときには永続性まで付与します。「自分は親の遺志を受け継いだし、自分の意思は子が受け継ぐ。だから家が続くかぎり、自分も生き続ける」という次第。

だとしても、家が普遍性にいたるのはなかなか難しい。集団としての規模が（多くの場合）まだ小さいせいです。ところが国家となると、家（族）に比べてずっと大規模なので、「国民」としての自覚を持った者は、不特定多数の他者とアイデンティティを分かち合える。

しかも時代を超えて、永遠に存在することこそ国家の大前提。「君が代は千代に八千代に」と言うではありませんか。ナショナリズムや愛国心を通じて、帰属すべき「家」を国の中に見出した者は、有限の個人であろうと、永続的・普遍的な存在になれるのです。

戦前の日本をふたたび例に取れば、「陛下の赤子」というアイデンティティを持った者は、他のすべての日本人と兄弟や姉妹の間柄になります。のみならず皇室は「天壌無窮」、永遠に続くとされますので、「陛下の赤子」であるかぎり、永続性のお裾分けにもあずかれる。

「自分の思いは、兄弟姉妹である他の日本人みんなと共有されている。同時に自分たちは過去の日本人の遺志を受け継いでいるし、自分たちの意思は未来の日本人が受け継ぐ。だから日本が存在するかぎり、自分も生き続ける」という次第。家を基盤とするアイデンティティより、安定性が強いのは明らかでしょう。

映画監督の大島渚は、当時の日本人が「わが子はいざとなれば天皇と国家が面倒をみてくれるという実感」「家族、わが子の生活を守ることについて、国家が最終的には責任を持ってくれるという感覚」を持っていたと指摘します。[2] このような信頼感が存在しえたのも、皇室を媒介とした「〈父〉の共有」「〈母〉の共有」が成立し、国が巨大な親、あるいは巨大な家族としてのイメージを持ちえたため。戦前のわが国は、言葉の正しい意味で「国家」だったのです。

けれども敗戦を契機に、愛国心やナショナリズムは崩れはじめます。天皇と国家が、いざとなれば責任をもって国民の生活を守り、面倒を見てくれる（はずだ）という信頼感と、現実とのギャップが大きくなりすぎたのです。ノーマン・O・ブラウンの正しさを裏付けるかのごとく、この崩壊は「父性」「母性」をめぐる形で象徴的に表れました。

マッカーサー元帥による日本占領が始まった直後から、彼のもとには「あなたの子種がほしいので逢ってもらえないか」という日本人女性からの手紙が、何百通と寄せられたのです。マッカーサーという「父」を、ずばり性的に共有することで、「元帥の赤子」を産もうというわけですが、今までの議論を踏まえれば、これは忠誠の対象となる「祖国」を、日本からアメリカに切り替えることにひとしい。

戦後日本においては、「祖国」と「母国」が分裂しているのです。元帥に抱かれたがるのは、「もはや日本に愛国心を持つ気はない」という意思表示。となれば母国への愛着、すなわちナショナリズムも形骸化してゆくのは避けられません。

権力者にたいし、進んで生殖を求めた点で、これらの女性たちの行動は、権力者にレイプされて自殺したルクレティアの裏返しとなっています。ルクレティアの死は、古代ローマにおける王政の終焉をもたらしましたが、マッカーサーに抱かれたがった女たちは、対米従属の始まりを（象徴的に）もたらしたと評することができるでしょう。

この女性たちが、望みどおり子供を産んで家庭をつくったら、どうなるか想像してみて下さい。正妻ではありませんから、むろんシングルマザー。相手は外国人なので、いわゆる「現地妻」です。けれども自分から子種をほしがった以上、恨むことはできない。だとすれば子供にも「お父様は海の向こうのアメリカで、いつも私たちを見守っていて下さるんです。教えをちゃんと守って、良い子にするんですよ」と諭すほかはないでしょう。

ハイ、対米従属のできあがり。戦後日本は、巨大な妾となって恥じない「現地妻国家」だと形容しても過言ではありません。占領期の研究者である袖井林二郎も、次のように述べました。

私はそれらの（＝マッカーサーの子供を産みたがった）女性を軽蔑しようなどとは思わない。彼女らは女としての本能を、正直に勇敢に表わしただけなのである。しかもその行為は、日本占領の本質をあざやかに照らし出している。つまりそれは、アメリカによる日本占領とそれに引き続く諸改革の実施が、少なくとも多くの庶民にとっては、いわば強姦ではなく和姦であったということである。私は占領研究に志してからしばしば、「当時の日本人は占領と寝た」といって、謹厳な方々の不興を買ったが、今でもその信念に変わりはない。日本人はあまりにもいそいそと占領と寝て「改革」という子を産んだのではあるまいか。

占領下の日本人はマッカーサーに代表されるアメリカ占領軍に力ずくで改革を強いられたので

はない。人々は犯されたがったのではないか。（中略）そうして生まれた混血の「民主日本」をどう育てるかは、「父親」の責任でもあるが、何よりも「母親」たる国民自身の責任であったろう。(3)

「占領と寝て『改革』という子を産んだ」という箇所を、たんなる比喩として受け取ってはいけません。「父」「母」の概念と深く関わっている以上、愛国心やナショナリズムは、「子」たる国民の精神的な遺伝子とも呼ぶべきもの。

この遺伝子を進んで組み換え、アメリカを新たな「父」とすることで、日本人は自己のアイデンティティを安定させ、敗戦の衝撃を乗り越えようとしたのです。マッカーサーに手紙を送った女たちが夢見た「元帥の血を引く赤子」（「せきし」と読んでも「あかご」と読んでも結構です）は、その最も即物的な表現にすぎません。

わが国において、愛国心やナショナリズムが今なお否定的にとらえられがちなのも、こう考えれば必然でしょう。自国に忠誠心を持たず、愛着も形骸化するよう、われわれは自分自身を作り替えたのです。吉田茂の腹心として、日本国憲法の草案作成に関わった白洲次郎が、この憲法を「アイノコ（＝混血）」呼ばわりしたことも付け加えておきます。(4)

敗戦直後はヤミの中絶も横行、社会問題となりました。一九四〇年に制定された「国民優生法」により、中絶が実質的に禁じられていたためですが、これもじつに意味深長。マッカーサーの血を引く「アイノコ」ならいざ知らず、日本人の子など産む義理はないというわけです。

中絶横行の背景には、敗戦による生活の逼迫もあったに違いない。しかし、それだけですべてを説明することはできません。一九四八年、「優生保護法」の制定をきっかけとして、妊娠中絶は法的に許容されるようになりましたが、中絶件数がピークに達するのは、独立を回復し、復興も進んだ一九五八年（一一二万八〇〇〇件）だったのです。わが国の合計特殊出生率が、人口を維持できる水準を割り込んだのも、ちょうどこのころのことでした。

日本再生にひそむ自滅リスク

愛国心やナショナリズムが、経世済民の必要条件であるのを思えば、戦後日本の存立や発展には、重大な制約がつきまとっていたと評さねばなりません。事実、わが国は「昭和」の間（＝一九八〇年代末まで）こそ発展や繁栄を達成できたものの、元号が「平成」に変わってからは、低迷と衰退の堂々めぐりに陥りました。

この経緯について「国にたいする（戦前からの）愛着や忠誠心が残っていた間は経世済民に成功したものの、当該の心情がなくなった後は失敗続き」と解釈するのは容易でしょう。ならば「日本再生」のためには、愛国心やナショナリズムの復権が必須になりますが、そこには恐るべきリスクもひそんでいます。

くだんの復権は、占領、ないしマッカーサーと寝て「アイノコ」となった日本人の精神的遺伝子を、純粋に日本的なものへと再度、改造しようとするにひとしい。アイデンティティの根幹にあたる部分に、かくも繰り返し手を加えたら最後、安定性をまったく持たない突然変異、つまりは伝統的な日本人でも戦後日本人でもない異様な「国民（もどき）」が生まれてしまうかも知れません。

関連してご紹介したいのが、アメリカのSF映画『プロメテウス』（リドリー・スコット監督、二〇一二年）です。

主人公は二十一世紀末に生きるエリザベス・ショウという女性考古学者。ショウは世界各地の古代遺跡の研究から「われわれ人類は、太古の地球に来訪した異星人により、何らかの生物工学的な方法で創造されたのではないか」と信じるにいたります。

問題の異星人は、「(生物) 工学」にちなんで「エンジニア」と名づけられます。彼らこそ、人類の真の親というわけです。他方、不妊に悩むショウは、自分が生命を生み出せないことを引け目に感じていました。

彼女の主張は、巨大多国籍企業のオーナーである大富豪ウェイランドの目に止まります。高齢で死を目前にしたウェイランドは、エンジニアと会い、彼らの知識を学ぶことができれば、不老不死になれるのではないかと考える。こうしてショウを中心に探査チームが組織され、エンジニアたちの故郷と目された惑星「LV223」へと、巨大宇宙船プロメテウス号で出発するのです。

LV223に到着したショウたちは、さっそく探査を始めますが、現地で発見された巨大建造物に入ってみると、エンジニアはみな死に絶えていました。ただし奥にある部屋で、探査チームは不気味な黒い粘液を見つけます。

この粘液こそ、あらゆる生物に突然変異を引き起こす、エンジニアの秘密兵器でした。建造物で迷子になった探査チームのメンバーは、これによって即死するか、ゾンビさながらの化け物に変貌してしまう。

調査に同行したウェイランドは、デヴィッドというアンドロイドを使って粘液を採取、プロメテウス号に持ち帰らせます。不老不死への道をさぐるべく、彼は船に戻ったチームメンバーを粘液に感染させるよう命じました。

デヴィッドは、ショウの恋人である考古学者ホロウェイに、粘液の入った酒を飲ませます。そうと知らないまま、ホロウェイと寝てしまったショウは、不妊であったにもかかわらず、イカを思わせる化け物を身ごもりました。

全自動手術装置を使った帝王切開によって、胎内の化け物を取り出したころには、探査チームは総崩れとなっています。そのころ、巨大建造物に戻ったデヴィッドは、カプセルの中で眠っているエンジニアを発見しました。ウェイランド、ショウ、デヴィッドら、生き残ったチームメンバーは、エンジニアを覚醒させ、コミュニケーションを試みます。

ところがエンジニアは人間を敵視、ウェイランドを殺害すると、建造物に格納されていた宇宙船を起動させます。地球に行って粘液を大量に散布、人類を滅ぼすつもりなのです。エンジニアの宇宙船にたいし、プロメテウス号を激突させることで、ショウたちはどうにか相手のもくろみを阻止するのでした。

エンジニアと粘液が、それぞれ「国」および「愛国心やナショナリズム」の比喩と解釈できるのは自明でしょう。エンジニアは人類を生み出した存在だし、ウェイランドは彼らと接触すれば、不老不死になって、自分のアイデンティティに永続性、さらには（宇宙的）普遍性を付与できると考えます。おまけに粘液は、不妊のショウを「母」に変えてしまうほどの生命力を秘めている。

ＬＶ２２３の探査計画は「愛国心やナショナリズムから長らく切り離されてきた人々が、それらを復権させることで新たなアイデンティティを獲得しようとする」さまを、ＳＦの道具立てを使って描いたものと見なすことができます。しかしその帰結は、突然変異の続出によるパニックであり、ひいては人類滅亡の危機でした。

これは、「異様な『愛国者もどき』や『ナショナリストもどき』が続々と現れる結果、深刻な混乱が引き起こされる」ことに該当します。とはいえわが国では、二〇一〇年代いらい、まさにそのような事態が生じているではありませんか。

アメリカやヨーロッパでも、グローバリズムにたいする反発の高まりを受けて、同様の現象が見られます。[5]「プロメテウス」とはギリシャ神話に登場する巨神の名であり、「予見する者」を意味しますが、リドリー・スコット監督が真に描いているのは現在の世界のあり方なのです。

あわせて注目すべきは、覚醒したエンジニアが、人間に敵意を示してウェイランドを殺す展開。長年、愛国心やナショナリズムと無縁に過ごしてきた人々が、今さらそれらを復権させようとしたところで、「国」の側にしてみれば、たんなる御都合主義にすぎません。

まして日本人は敗戦直後、占領という別種の粘液を進んで取り込み、改革という子を生んだはず。

そんな裏切り者の国民など滅ぼしてしまえ、「国」がそう思ったとしても無理からぬ話です。

愛国心やナショナリズムの復権が日本再生のために必須だとしても、安易な復権の試みは、むしろ「日本自滅」の危機をもたらしかねない――『プロメテウス』はわれわれにたいし、こんな問題を提起しているのです。この問題にどう向かい合うかで、わが国の命運は大きく左右されることでしょう。

2 日米貿易交渉の真実

戦後のわが国は、対米協調路線を基本方針としてきました。「協調」と言えば聞こえがいいものの、この方針は「アメリカの子分となるかわりに、国際社会における立場を後押ししてもらう」という従属の性格を強く持っています。

いちがいに批判はできません。一九五〇年代、敗戦の痛手から立ち直りはじめたばかりのわが国にとって、対米協調、ないし従属路線は、安全保障の負担を最小限に抑え、経済発展に全力を注ぐための手段でした。そして日本は高度成長をなしとげ、世界有数の経済大国となったのです。

けれども平成に入ったころから、対米協調路線は裏目に出ます。アメリカが自国の都合に合わせて、さまざまな改革を要求するようになったためです。

「アメリカとの関係を良好に保つことこそ、発展と繁栄の道だ」という発想に慣れてしまった日本政府は、くだんの要求を受け入れてきました。が、アメリカの都合に合わせたものである以上、これらの改革はわが国にとり、むしろマイナスに作用します。

平成日本が低迷で始まり、ズルズルと衰退・没落にいたったのも、無理からぬことと評さねばなりません。問題は政府が、現実を直視して方針転換を図るどころか、「そんなことはない！　改革を受け入れることは、わが国にとってもプラスなんだ！」という旨を強弁しがちなこと。

つまりは自国民を（実質的に）だましてでも、アメリカへの従属、もとへ協調を貫こうとするようになったのです！

二〇一八年九月二十六日、安倍総理とトランプ大統領の首脳会談において合意された、日米貿易協定をめぐる交渉の開始は、その端的な例でしょう。

これは「物品貿易協定（Trade Agreement on goods, 略称ＴＡＧ）」の交渉開始と謳われました。ＴＡＧは物品の輸出入をめぐる関税の削減や撤廃のみをめざすので、サービス分野や投資などに関しても取り決めを交わす「自由貿易協定（Free Trade Agreement, 略称ＦＴＡ）とは別物というのが政府見解。安倍総理も、「ＦＴＡとは全く異なる」と説明したと報じられています。(6)

なるほど、ＴＡＧとＦＴＡが同じはずはありません。そのかぎりにおいて、総理の説明は正しい。

アメリカは以前より、わが国にたいして、二国間のＦＴＡを要求してきました。にもかかわらず、

TAGで合意したというのですから、これだけを取れば、日本が向こうの要求を退けたようにも見える。

ところが、お立ち会い。正しい説明をしているにもかかわらず、総理の言葉は日米間の貿易交渉について、間違った印象を与えるものなのです！

共同声明にひそむカラクリ

「日米両国がTAGをめぐる交渉開始を合意した」ということは、「日米両国が交渉開始に合意したのはTAGのみである」ことを意味しません。

合意を表明した日米共同声明を振り返ってみましょう。協定の交渉開始を記した第三項は、外務省のサイトに掲載された日本語訳（以下「外務省訳」）ではこうなっています。

日米両国は、所要の国内調整を経た後に、日米物品貿易協定（TAG）について、また、他の重要な分野（サービスを含む）で早期に結果を生じ得るものについても、交渉を開始する。(7)

つづく第四項はこちら。

日米両国はまた、上記の協定の議論の完了の後に、他の貿易・投資の事項についても交渉を行うこととする。

TAG自体は、物品の輸出入のみをめぐる協定かも知れません。しかるにそれと並行して、サービスを含む他の分野についても、貿易協定の交渉を始めると明記されているのです。おまけにその後には、「他の貿易・投資の事項」についてまで、交渉を行うことになっている。

物品、サービス、投資のすべてについて、関税をはじめとする障壁の削減や撤廃をめざす協定を、何と言ったでしょう?

ピンポーン! FTAです。

TAGはFTAとは異なるという安倍総理の説明は、そのかぎりでは間違っていません。だとしても、アメリカが要求していた二国間FTAの交渉を、日本が退けたことにはならない。

ハッキリ言ってしまえば、共同声明はFTAを、以下の三つに分解したにすぎないのです。

(1) TAG
(2) サービスを含む他の重要分野についての協定
(3) 投資を含む他の貿易の事項についての協定

こうしておけば、「FTAを受け入れたわけではない」と強弁しつつ、FTAをめぐる要求を受け入れることができる次第。現にトランプは、共同声明の発表にあたり、「我々は今日、FTA交渉開始で合意した」と胸を張っています。(8)

だから日本政府は、自国民を（実質的に）だましてでも、アメリカへの従属、もとへ協調を貫こうとするようになったと言うのですよ！

し・か・も。

TAGについては、さらにとんでもない真実がひそんでいます。

驚くなかれ、TAGの概念そのものが、日本側が勝手に主張しているだけの代物である恐れが強いのです！

TAGはどこにあるのか

在日アメリカ大使館・領事館のサイトに掲載された、共同宣言の日本語訳をご紹介しましょう。TAGの交渉開始を記したはずの第三項は、こうなっています。

米国と日本は、必要な国内手続が完了した後、早期に成果が生じる可能性のある物品、またサービスを含むその他重要分野における日米貿易協定の交渉を開始する。(9)

おや？

外務省訳とちょっと違いますね。

比較しやすいよう、あらためてご紹介しましょう。


日米両国は、所要の国内調整を経た後に、日米物品貿易協定（TAG）について、また、他の重要な分野（サービスを含む）で早期に結果を生じ得るものについても、交渉を開始する。


アメリカ大使館・領事館サイトの訳文には、「日米物品貿易協定（TAG）」という言葉が出てきません。

「サービスを含む」という箇所の扱いも違う。

外務省訳がカッコに入れているのにたいし、アメリカ大使館・領事館の訳はカッコなしです。


英語版の共同声明を見れば、どちらが正しいかはたちどころに明らかになります。なおアメリカ大使館・領事館サイトによれば、この声明の正文は英語であり、日本語訳は「参考のための仮翻訳」にすぎないとのこと。

してみると、外務省訳も正文ではないに違いない。主要な貿易相手国との通商交渉をめぐる合意について、向こうの言語でだけ正式な共同声明を作成し、自国向けには仮訳ですませるとは、何ともご立派ではありませんか。

とまれ、英語版の第三項はこちら。ホワイトハウスの公式アーカイブからのものです。

The United States and Japan will enter into negotiations, following the completion of necessary domestic procedures, for a United States-Japan Trade Agreement on goods, as well as on other key areas including services, that can produce early achievements.(10)

私の訳はこうです。

アメリカ合衆国と日本は、必要な国内手続きをすませたうえで、米日（日米）貿易協定の交渉に入る。この協定の対象は、物品、およびサービスを含めた他の重要分野で、早期の妥結が見込めるものとする。

先に私は、共同声明が「サービスを含む他の分野についても、ＴＡＧと並行して、貿易協定の交渉を始める」旨を謳ったと書きました。けれどもそれは、あくまで外務省訳を踏まえた場合の話。正文である英語版に、そんな分離は記されていないのです！

大ウソの種明かし

信じられない方のために、構文を詳しく見てゆきましょう。

日米が「following the completion of necessary domestic procedures」、つまり必要な国内手続きをすませたうえで「enter(開始)」する「negotiations(交渉)」は、あくまで「United States-Japan Trade Agreement（日米貿易協定)」に関するもの。つづいて協定の対象範囲として、「goods（物品)」と、「other key areas including services（サービスを含めた他の重要分野)」が定められています。

「物品」と「サービスを含めた他の重要分野」の関係は、「as well as（〜と同様に)」ですから対等です。そして最後に、この両者について「that can produce early achievements（早期の妥結が見込めるもの)」という条件づけがなされている次第。

いったいどこに、「日米物品貿易協定（TAG)」などという怪しげな代物が存在するんですかね⁉

のみならず。

英文の共同宣言には、TAGが日本側のでっち上げにすぎないことを示す決定的な証拠があります。「日米物品貿易協定」なる特定の協定を指す（ことになっている）以上、TAGは固有名詞。ならば英語の正式な表記は、United States-Japan Trade Agreement on Goods というふうに、主要な単語がすべて大文字で始まっていなければなりません。そうであって初めて、「TAG」とイニシャルを並べることが可能になるのです。

しかるに英文の該当箇所は以下の通り。

United States-Japan Trade Agreement on goods

そうです。「Goods」は小文字で始まっているのです。これは「United States-Japan Trade Agreement on Goods」などという固有名詞がそもそも存在しないことを意味します。

固有名詞が存在しないからには、「日米物品貿易協定」なる特定の協定も存在しません。共同宣言の正文は英語なので、「日本側とアメリカ側では見解が違うものと思われる」とか弁明してもムダです。日米首脳会談いらい、わが国ではTAG交渉なるものをめぐって、いろいろな議論がなされましたが、存在しない協定について論じているのですから、それらはすべてナンセンスなのです！

とはいえ日本政府は、なぜ存在しない協定をでっち上げるような真似をしたのでしょう。可能性は以下の二つのどちらかになります。

（1）担当者の英語力が低すぎて、とんでもない誤訳をやらかしていることに気づかなかった。(11)

（2）訳としてデタラメなのは承知していたが、正しく訳してしまうと、アメリカの要求に屈したことがバレバレになるので、存在しない協定を意図的にでっち上げた。

底なしの従属外交

外務省訳が、「including services（サービスを含む）」の箇所について、英語正文になかったカッコをわざわざ追加しているのを思えば、いかんせん後者の疑いが強い。が、担当者の英語力が低すぎただけで、意図的にデタラメな訳をするつもりはなかったのだろうと解釈したところで、問題の本質は変わりません。

自国民を（実質的に）だましてでも、アメリカへの従属を貫こうとする振る舞いをしでかしたことは同じではありませんか。安倍総理がつねづねおっしゃる通り、政治はあくまで結果がすべてなのです。

最後にもう一つ。

共同声明の第四項は、英文ではこうなっています。

The United States and Japan also intend to have negotiations on other trade and investment items following the completion of the discussions of the agreement mentioned above.

私の訳は以下の通り。

日米は、第三項に記した協定（＝物品と、サービスを含めた他の重要分野で、早期の妥結が見込めそうな事柄に関するもの）の交渉がすんだあと、貿易や投資に関するそれ以外の事柄についても交渉を開始する意向である。

ポイントは最後の「意向である」。原文は「intend to」ですから、確定したわけではありません。ところがアメリカ大使館・領事館は、該当箇所をこう訳している。

米国と日本はまた、上記協定の議論が完了した後、貿易および投資に関する他の項目についても交渉を開始する。

こちらの交渉を始めることまで、既成事実のごとく扱われています。

本来なら外務省は、アメリカ大使館・領事館の公表した日本語訳について、「不正確なばかりか、今後の交渉について誤った印象を与えることで、わが国の国益を損なう危険がある」と抗議しなければなりません。そのうえで、「貿易や投資に関するそれ以外の事柄」をめぐる交渉をするかどうかは、まだ決まっていないことを明記した訳に修正させる。国益を守るとは、つまりそういうこと。

しかしアメリカの「極東現地妻」として、何があろうと添い遂げることを身上（しんじょう）とする日本政府に、そんなまっとうなことができるはずはない。なにせ相手側をしのぐ大ウソをついてまで、ご主人様に

媚びたくらいです。(12)

はたせるかな、外務省訳でも当該箇所はこうなっていました。

日米両国はまた、上記の協定の議論の完了の後に、他の貿易・投資の事項についても交渉を行うこととする。

まさに底なしの従属外交。わが国が独立を回復して、二〇二二年で七十年となりますが、日本は今なお、まともな主権国家とは呼べない状態にあるのです。(13)

3　安倍外交に見る「失敗の法則」

「平和」と「平和主義」は、似て非なるもの。

英語でも、前者が「ピース（peace）」なのにたいして、後者は「パシフィズム（pacifism）」。語源的なつながりはありますが別物です。

「社会」と「社会主義」がいかに違うかを考えてみれば、事は一目瞭然でしょう。二十世紀前半のフランスを代表する劇作家であり、外交官でもあったジャン・ジロドゥなど、こう喝破しました。

「平和主義者とは、戦争を阻止するため、常に戦う用意のある人間のことだ」

とはいえ、あらゆる平和主義（者）が、ジロドゥほど毅然としているわけではありません。わけても戦後日本における平和主義は、〈戦争を阻止するためなら常に戦う用意がある〉どころか、〈とにかく戦うことだけはしたくない〉という臆病風丸出しの代物。

戦いをとにかく回避するには、どうしたらいいか？　あるいは、何をしなければいけないか？　お分かりですね。他国との対立が深刻化しないよう、八方美人的な事なかれ主義に徹する必要があるのです。これこそ、戦後日本が長らく取ってきた外交方針。「低姿勢（外交）」と呼ばれてきました。

低姿勢外交、ないし八方美人的な事なかれ主義のもとでは、自国の戦略や権益を積極的に打ち出すことはできません。

けれども外交とは、衝突や紛争にいたることなく、自国の戦略を実現させ、権益を満たすための手段だったはず。低姿勢外交とは、本来の意味における外交の否定であり、「軟弱な外交もどき」としか評しえない代物なのです。

事なかれ主義が終わらない構造

戦後初期であれば、それも仕方なかったでしょう。第二次大戦については「連合国＝正義、枢軸国

＝悪」の図式が成立しています。そしてわが国は、枢軸国の中でも最後まで戦いつづけました。

腰を低くしないことには、国際社会に受け入れてもらえません。一九五五年、自民党が結党の際に発表した「党の政綱」を見ても、外交方針は次のように記されています。

外交の基調を自由民主主義諸国との協力提携に置いて、国際連合への加入を促進するとともに、未締約国との国交回復、特にアジア諸国との善隣友好と賠償問題の早期解決をはかる。(14)

「未締約国」とは、一九五一年のサンフランシスコ平和条約調印に加わらなかった国のこと。代表格は調印を拒否したソ連と、そもそも講和会議に呼ばれなかった中国（中華人民共和国）ですが、前者は安全保障理事会の常任理事国ですから、国交回復を果たさないことには国連に加入できない。向こうは拒否権を行使できるのです。(15)

さらに「アジア諸国との善隣友好」のくだりでは、「賠償問題の早期解決」が謳われる。敗北から十年たっても、戦争の後始末は終わっていなかったのです。しかも当時、わが国はまだ貧しい小国。低姿勢も必然と言わねばなりません。

とはいえ時が経てば、戦争の記憶も薄れてゆくはず。他方、一九七〇年代に入ったころには、日本もいっぱしの経済大国になっていました。

事なかれ主義の低姿勢からも、そろそろ脱却してしかるべきところ。ところが、そうはなりません。

低姿勢外交は、戦後日本型の平和主義と密接に関連しています。しかるに平和主義は、たんなるタテマエにとどまらず、過度の対米従属にたいする歯止めとしても機能しました。アメリカが自国の戦略への同調を求めてきても、「日本には戦争の反省から生まれた平和主義がありますので……」と言えば、退けることができたのです。(16)

裏を返せば、平和主義を捨て去り、対米自立を積極的にめざさないかぎり、低姿勢を脱却することはできません。けれども対米自立は、戦後日本人のアイデンティティを根底からくつがえしてしまいます。「ナショナリズムと突然変異」で論じたとおり、忠誠の対象を自国からアメリカに切り替えることで、敗戦の衝撃を乗り越えようとしたのが、わが国の偽らざる真実ではありませんか。

だいたい戦後の日米関係は、日本が現地妻よろしく、アメリカに付き従うことを前提としています。対米自立などめざしたら「ご主人様」の不興を買う恐れが強い。「外交の基調」まで崩れてしまうのです。

駄目押しというべきか、一九九〇年代あたりから、外交における事なかれ主義を正当化する格好の口実が出回ります。すなわちグローバリズム。今や世界は一つになりつつあるのだから、国境や国籍にこだわる時代は終わった、というアレです。

これが正しければ、国家戦略や自国の権益を積極的に打ち出す時代も終わったはず。「日本式の外交こそ、新たなグローバル・スタンダードになる！」と、胸を張りたくなるところでしょう。

しかし現実には、そうはなりませんでした。「国家」を否定するグローバリズムが広まったせいで、国家間の対立がむしろ先鋭化する傾向を見せつつあるのが、二十一世紀の世界の現実です。

グローバリズムが謳われる時代だからこそ、自国の戦略や権益を積極的に打ち出した外交が必要なのです。にもかかわらず、「国境や国籍にこだわる時代は終わった」とばかり、八方美人を続けたらどうなるか？

国益が損なわれるのは避けられません。二〇一八年後半に安倍総理が展開した外交は、このような「失敗の法則」を浮き彫りにするものでした。

グローバリズム丸出しのキレイゴト

まずは九月十一日から十三日にかけて、ウラジオストックで開催された「東方経済フォーラム」。十二日の全体会合で、総理はこんなスピーチをしています。

ロシアと日本は、今、ロシアの人々に向かって、ひいては世界に対して、確かな証拠を示しつつあります。ロシアと日本が力を合わせる時、ロシアの人々は健康になるのだというエビデンスです。

ロシアの都市は快適になります。ロシアの中小企業はぐっと効率を良くします。ロシアの地下資源は、日本との協力によってなお一層効率よく世界市場に届きます。

日本とロシアには、他の二国間に滅多にない可能性があるというのに、その十二分な開花を阻む障害が依然として残存しています。それこそは皆さん、繰り返します、両国がいまだに平和条約締結に至っていないという事実にほかなりません。（中略）プーチン大統領、もう一度ここで、たくさんの聴衆を証人として、私たちの意思を確かめ合おうではありませんか。今やらないで、いつやるのか、我々がやらないで、他の誰がやるのか、と問いながら、歩んでいきましょう。

平和条約締結に向かう私たちの歩みを、どうか御支援を、皆さん、頂きたいと思います。力強い拍手を、聴衆の皆さんに求めたいと思います。(17)

こう言っては失礼ながら、話者が聴衆に拍手を求めずにいられないスピーチなど、出来がよろしくないに決まっている。

出来の良いスピーチなら、放っておいても拍手が起こるからです。

だとしても、総理は頑張った。

平和条約の締結について、プーチンにタンカを切ったではありませんか。

さすが、外交の安倍！

――と言いたいところですが、ちょっと待て！

このスピーチからは「北方領土問題の解決（すなわち返還）が、平和条約締結の条件である」という基本中の基本が、ほぼ完璧に抜け落ちています。

二〇一六年十二月、プーチンを長門に迎えたときに、北方四島における共同経済活動のための制度整備をめぐる協議開始や、元島民の自由な墓参の実現などを約束したとか、平和条約締結が容易でないことは互いに知り尽くしているといったくだりが盛り込まれている程度。

それどころか、「日本とロシアの国益は一致しない」という当然の認識すら読み取ることができません。

日本とロシアの間に「永続的な安定」が生まれたときの光景について、総理はこう語っているのです。

北極海からベーリング海、北太平洋、日本海は、平和と繁栄の海の幹線道路になることだろう。対立の原因をなした島々は物流の拠点として明るい可能性を見いだし、日露協力の象徴へと転化するだろうし、日本海も恐らく物流のハイウェイとして一変しているだろう。そしてその先には、中国、韓国、モンゴル、そしてインド・太平洋の国へとつながる、大きくて自由で公正なルールに支配された、平和と繁栄、ダイナミズムに満ちた地域が登場するであろう。

グローバリズム丸出しの発想で、あれこれキレイゴトを並べ立てているとしか言いようがありません。

しかるにグローバリズムにおいては、国境や国籍にこだわるのはよろしくなかったはず。

これで領土にこだわれるはずがない。

プーチンはどう応じたか？

安倍外交、かく完敗す

そうです。

ならば二〇一八年の末までに、前提条件なしで平和条約を結ぼうではないかと切り返したのです。

平和条約に基づき、友人としてすべての係争中の問題に関する議論を続けることこそ、解決を容易にするように思えるとのこと。

プーチンの立場からすれば、もっともな話です。

前提条件なしで平和条約を結んでしまえば、領土問題なんて永遠に棚上げできるんですから。

安倍総理は完全に一本取られたわけですが、スピーチの内容を考えれば、これも自己責任というか、致し方ないでしょう。

恥の上塗りというべきか、大勢の聴衆がいる前で、ここまで返り討ちにあったにもかかわらず、総理はその場で反論しようとしなかった。

帰国後、「北方四島の帰属を解決することが平和条約締結の基本であるのは変わらない」なる旨を述べはしましたが、この手の事柄は即座に言い返さなければダメなのです。

十一月十四日、シンガポールでふたたびプーチンと会ったときには、「一九五六年(日ソ)共同宣言を基礎として、平和条約交渉を加速させる」という線まで後退せざるをえませんでした。

けれども同宣言には、平和条約締結後、歯舞と色丹の二島を引き渡すと記されているだけで、国後と択捉については何も触れられていません。

北方領土問題をめぐっては、二島返還以上のことは実質的に期待できなくなってしまったのです。

おまけにプーチンはこれについても、引き渡すことは引き渡すが、島の主権がどちらの国に帰属するかは今後の検討課題だと言い出す始末。

そのせいでしょう、十一月二十二日には河野太郎外相まで、北方領土は日本固有の領土なのかという質問にたいし、「交渉の前なので、政府の考えについて申し上げるのは一切差し控えたい」と述べるにいたりました。

向こうの術中にまんまとハマり、ズルズルと主権を放棄する姿勢を見せるところまで追い込まれた、そう受け取られても仕方ありません。

遺憾ながら、わが国の完敗です。(18)

とはいえ、良くないことに限って繰り返されるのが世の習い。

東方経済フォーラムの全体会合から二週間もたたない九月二十五日、安倍総理はまたもや、とんでもない演説をやらかすのでした。

国連演説の見識を問う

今回の舞台はニューヨーク、国連総会での一般討論演説。

どうぞ。


　思いますに、日本国民は、自国の指導者に対し、自由貿易の旗手として立つことを切望しておりました。なぜなら日本自身、戦後、自由で開放された経済体制の申し子として、貿易の利益に浴し、目覚ましく成長した国だったからです。

　私は、時に国内の激しい議論を乗り越えて、自由貿易の旗を振りました。TPP（環太平洋パートナーシップ）11が成り、日本が国会でいち早くこれを承認できたことは、私にとって無上の喜びです。また世界史に特筆される規模と範囲の、日EU・EPA（経済連携協定）も成立させました。

とはいえ、満足してなどいられません。私は自らにドライブをかけ、更に遠方を目指します。ＷＴＯ（世界貿易機関）へのコミットメントはもちろん、東アジアに巨大な自由貿易圏を生むＲＣＥＰ（東アジア地域包括的経済連携）の交渉に、私は全力を注ぎます。

そして何よりも、米国との新貿易協議、いわゆるＦＦＲを重んじます。(19)

この演説では、総理が「背後」を「せいご」と読んだことが話題になりましたが、そんなものはご愛敬の部類に属します。

引用したくだりは、失礼ながらツッコミどころ満載と言っても過言ではありません。

まずは「日本自身、戦後、自由で開放された経済体制の申し子として、貿易の利益に浴し、目覚ましく成長した国だった」にご注目。

総理の言う「経済体制」とは、第二次大戦後にアメリカ主導で形成された「ブレトン・ウッズ体制」以外にありえません。この体制において貿易秩序の基盤となったのは「関税と貿易に関する一般協定」（ＧＡＴＴ）です。

ただし評論家の中野剛志は、くだんの貿易秩序について以下のように指摘しました。

ＧＡＴＴ体制をざっくり説明すると、こういうことになります。関税を下げたりして、貿易の自由化を進めることは進める。けれども、自由化すると必ず割を食う弱者が出てくる。だから、それにちゃんと対応するよう、例外措置を山ほど認めていました。アンチダンピング課税、多国間繊維協定、輸出自主規制、セーフガード措置などです。

今は、農業のどの産品が聖域か、などが議論になったりしますが、GATT体制下では日本に限らず、どの国だって、農業は自由化の対象から外していました。（中略）

GATT体制で言う自由貿易の対象は工業製品に限定されていたんですよ。サービスの自由化なんて言っていない。各国のルールを統一しましょうという、非関税障壁の撤廃という議論もマイナーでした。一方で資本の移動規制は、きちんとする。つまり、GATT体制での自由貿易は、国家を無視するようなグローバリゼーションとは異質の、実にマイルドで穏健な枠組みだった。(20)

このような貿易のあり方は「埋め込まれた自由主義」と形容されました。自由貿易は自由貿易だが、国家主権の尊重、あるいは政府による制約の許容という枠内に埋め込まれたもの、の意。

わが国が同体制の申し子だとすれば、グローバリズム全盛の現在、「自由貿易の旗手」ではなく、「政府による貿易規制の旗手」として立つことが求められているのです！

ついでに。

日本が最もめざましく成長した時期、一九六〇年代の輸出依存度は、八〜一二％程度で推移しています。

ひきかえ高度成長が終わった一九七〇年代年代後半から、一九八〇年代前半は一二〜一五%前後。一九八〇年代後半から二〇〇〇年代前半までは、ふたたび八〜一二%の域に戻りますが、日本の衰退が目立ってきた二〇〇〇年代半ばより急上昇、一六%を超えることも起こるようになりました。(21)

中野剛志も「戦後日本は、別に貿易立国でも何でもなかった。むしろ、日本の経済は戦後一貫して内需依存型だったんです」と述べています。(22) はてさて、「貿易の恩恵に浴し、目覚ましく成長した」とは、どこの国の話なのでしょう?

さあ、ご主人様にかしずくのだ!

安倍総理は、TPP11の成立と承認が「無上のよろこび」だとも述べていますが、二〇一二年末、民主党から政権を奪還する前の自民党は、TPPに否定的な態度を取っていました。言い換えれば、自由貿易の旗手として立たないことを謳っていたのです。

他方、二〇一〇年代のアジアでは、中国の覇権志向の高まりが大きな問題となっています。しかるに中国は、「東アジアに巨大な自由貿易圏を生む」とされるRCEP（東アジア地域包括的経済連携）の参加国の一つ。RCEP交渉に全力を注ぐという総理の発言は、中国の経済覇権に手を貸す結果ともなりかねません。(23)

なるほど、直前にある「WTO（世界貿易機関）へのコミットメント」うんぬんの箇所は、この点に歯止めをかける意味合いを持っています。日本はアメリカやEUとともに、不公正な貿易を行う国に制裁を科せるよう、WTOの制度を改革しようとしていますが、これは自国の産業に莫大な補助金を出す中国政府の牽制を狙っているからです。

しかしこうなると、アメリカやEUにたいして強く出るのは難しい。とりわけわが国は、アメリカに安全保障を依存したうえ、現地妻よろしく添い遂げることを外交の基調にしています。

総理演説が「そして何よりも、米国との新貿易協議、いわゆるFFRを重んじます」と続くのは、当然のことにすぎません。八方美人として、みんなにいい顔をするとしても、ご主人様にかしずいてみせるのが一番大事なのです。はたせるかな、演説の翌日にあたる九月二十六日、日米両政府は「日米貿易協定(USJTA)」の締結に向けた交渉を始めるという共同声明を発表しました。

名称こそ「USJTA」ですが、内容を見るかぎり、これは自由貿易協定、つまりFTAです。日本は長らく、アメリカによるFTAの要求は拒否すると主張してきたものの、みごとに屈服するにいたりました。

国連総会における総理演説は、その意味で敗北宣言だったと評さねばなりません。自国の戦略や権益を打ち出せないまま、外交を行ったあげく国益を損なうという「失敗の法則」は、しっかり繰り返されたのでした。

USJTA、日本国内では「日米物品貿易協定(TAG)」と呼ばれました。今回の協定はあくまで物品のみに関するものであり、物品・サービス・投資のすべてを対象とするFTAではないと言いたいわけですが、こんな呼称はデタラメにすぎません。共同声明の正文である英語版に、TAGなどという言葉は出てこないのです。(24)

ちなみに日本語版は、外務省によるものまで含めて仮訳。この事実がすべてを語っていないでしょうか。事なかれ主義の外交姿勢を脱却しないかぎり、わが国は国益を守れず、ズルズル落ちぶれてゆく恐れが強いのです。

このような日本外交のあり方は、すでにバレバレになっています。たとえば中国のポータルサイト「新浪」は、二〇一七年十一月十五日、「低姿勢な安倍外交を評価する日本に未来はあるのか」というコラム記事を掲載しました。

中国情報サイト「レコードチャイナ」によれば、内容は以下の通り。

(「新浪」の)記事は、トランプ大統領が訪日した時のゴルフ外交で、安倍首相がバンカーで転んだことについて、トランプ大統領が「感動した」と語ったことを紹介。安倍首相の外交を見てみると、ほかにもプーチン大統領に小走りで近寄ったり、米国の議員に対して上体をかがめ腰を低くして手で案内するなど、「低姿勢が目立つ」と分析した。

その上で記事は、「安倍首相の低姿勢な外交を評価していては日本に希望はない」と主張。トランプ大統領に対して安倍首相は「命令があれば服従する」という姿勢で、反対する態度は少しもなかったと論じた。

プーチン大統領に安倍首相が小走りで近づいたことについては、「日本人は謙虚さの表れと見なしたが、プーチン大統領からは相応の尊重が得られていない」と指摘。結果的に北方領土問題でプーチン大統領に主導権を握られてしまっているとした。(25)

まったくの正論。

この調子じゃ、中国からもナメられているんだろうなあ。

自業自得というか自己責任ですが。

すでに見たとおり、低姿勢外交の根底にあるのは平和主義。他方、平和主義は対米従属と不可分です。

そして対米従属の正当化こそ、戦後日本人のアイデンティティの中核。「戦後」が終わらないかぎり、日本外交は失敗を繰り返す運命にあるのです。

4 大国はヤクザ、小国は娼婦

近年、わが国では「上級国民」という言葉が流行っています。

明確な定義はないようですが、「さまざまな特権を享受できるうえ、一般の国民に負担や犠牲を強いても文句をつけられないエリート層」の意味で使われる場合がほとんど。

一般の国民が「上級国民」に逆らうことはできません。

思えば当然の話。

日本という国そのものが、ある「上級国家」に逆らえないまま、えんえんと従属しているのです。

ずばりアメリカ。

戦後のわが国は、アメリカの「極東現地妻」と呼ばれても仕方のない存在です。

平和主義のせいで、自分の身を守る意思も能力もないまま、アメリカに従属することで存立と安全を確保しているのですから。

ただし日本も、かつては「アメリカにとりあえず従うふりをしつつ、自分の利益をしっかり確保、長期的には対米自立をめざす」という、二段構えの姿勢を見せていました。

現地妻は現地妻ですが、なかなかにしたたかだったのです。

ところが一九八〇年代あたりを境にして、

「ご主人様にとことん尽くすことこそ、私が真に自立する道！」

というワケワカな思い込みに陥る。

くだんの思い込みを、「対米協調路線」とか「日米同盟重視の姿勢」とか申します。

旦那のアメリカにとって、こんな都合のいい話はない。

現地妻たる日本にあれこれ勝手な要求を突きつけ、苦しめておいたうえで、こう言って恩に着せればいいのです。

「オレのワガママに耐えることで、お前は強くなって自立できるんだ！　愛していればこそ、オレはこうするんだよ！　な、ありがたいだろ？」

すると現地妻は、世間様、もとへ国際社会に向けて、旦那との揺るぎない絆をアピールできた気になる……。


「大国はみなヤクザのように振る舞い、小国はみな娼婦のように振る舞う」とは、映画監督スタンリー・キューブリックの名言。

ヤクザと娼婦しかいないわけですから、国際社会は「暗黒街」なんですな。

だとしても、大国の現地妻に徹することを自立の道と錯覚する国が出てくるとは、キューブリックも想像できなかったでしょう。

「東京の誘惑攻撃」とは

戦後平和主義を知らない人々、つまり日本以外の国の人間ほぼすべてにとっては、そういう行動原理を持った国家が存在すること自体がピンとこない様子。

二〇一九年五月、トランプ大統領が令和初の国賓として来日したときのことを例に取りましょう。

ご主人様がおいでになるとあって、わが国政府は盛大にもてなします。

安倍総理がゴルフの相手をしたのはむろんのこと、大相撲の夏場所千秋楽の様子を枡席で観戦してもらい、優勝した朝乃山関に「米国大統領杯」を授与する機会まで設けるというサービスぶり。

しかるにアメリカのNBCニュースは、これについて以下のように伝えました。

Trump awards sumo trophy as Tokyo charm offensive continues (26)
（東京の誘惑攻撃が続く中、トランプ、相撲の優勝者にトロフィーを授与する）

「誘惑攻撃」なる表現にご注目。

安倍総理はトランプを接待しまくることで、自国の権益や戦略を実現させる手に出ているのだろうというのが、NBCの見解なのです。

記事本文からご紹介しましょう。

トランプは（優勝力士に杯を授与するという）栄誉にあずかったが、これは日本の安倍晋三総理が、土曜につづいて日曜も展開した誘惑攻撃の一環だった。
安倍は大統領の大好きな物三つを並べて見せることで、彼を口説きにかかったのだ。
格闘技、チーズバーガー、そしてゴルフ。
相撲外交と呼ぶべきだろう。(27)

チーズバーガーやゴルフが含まれている以上、「相撲外交」なる表現も、トランプが相撲を観戦し、大統領杯を授与したこと（のみ）を指すのではありません。
安倍総理が力士よろしく、トランプに裸同然で組みついて、寄り切ったり投げ飛ばしたりしようとしている。

そういうイメージなのです。

で、記事はこう続く。

日米間の通商対立が深刻化し、自動車関税の可能性がほのめかされる中、安倍はなりふりかまわずトランプの歓心を買おうとしている。

日本は北朝鮮の脅威にもあいかわらず耐えているが、トランプは最近、北朝鮮が短距離ミサイルの発射実験を行ったことについて、どうも気にとめていないようだ。

問題のミサイルは日本を射程に収めているにもかかわらず、である。

なりふりかまわず歓心を買おうとする!

まさに旦那に尽くす現地妻ですが、このあと雲行きが怪しくなってきます。

総理の振る舞いが本当に「誘惑攻撃」や「口説き」であるなら、物事は日本の権益や戦略を満たす方向へと進まねばならない。

でなければ、ただ媚びまくっただけになる。

事態はいかなる顚末を迎えたか?

まずは通商問題。

総理とゴルフを楽しみ、相撲を観戦した五月二十六日、トランプはこうツイートしました。

日本との貿易交渉で、素晴らしい成果が挙がっている。
農業と牛肉が、デカく関わるぞ。

日本で七月の選挙が終わるのを楽しみにしていよう、きっとスゴい数字が出てくるものと期待する！(28)

二十七日、首脳会談が行われたあとの共同記者会見でも、大統領はこう発言しています。

われわれの目標は、対日貿易赤字を減らすことだ。アメリカの輸出品が、不当な妨害にあわず、日本社会に深く根づくよう、貿易上の障壁に加え、すべての障壁を取り払う。(29)

ちなみに会見では、農産物の関税撤廃・引き下げをめぐる質問が出ました。環太平洋パートナーシップ協定（ＴＰＰ）と同水準にまで下げるのが限度というのが日本の立場ですが、この点は変わっていないのかと聞かれたのです。

安倍総理は明確な返答を避け、「閣僚（茂木経済再生相とライトハイザー通商代表）間の協議を加速させようという点でトランプ大統領と意見が一致した」とのみ述べました。すると、大統領が次のように発言。

一点、つけ加えさせてくれ。非常に大事な点だ。ＴＰＰなんてオレには関係ない、いいか？まるで関係ないんだ。オレ以外の誰が何に署名しようが、アメリカにどういう影響があるっていうんだ。知ったことじゃないからな。（中略）われわれはＴＰＰに参加していない。だから他の諸

国の合意した事柄が、アメリカにたいして効力を持つこともないんだ。(30)

貿易協定の不都合なカラクリ

公然とメンツをつぶされちゃうんですね。

なるほど、大国はヤクザです。

最終的にまとまった日米貿易協定では、農産物の市場開放はTPPの水準内にとどまりました。そのかぎりでは、日本は自国の立場を守り抜いたように見えますが、だからと言って「誘惑攻撃」や「相撲外交」が成功したと思うのは早計。

外務省が公表した協定文書を見れば、これはたちどころに明らかとなります。協定文書は全十一条の本文と、二つの附属書からなる三部構成。

「附属書I」には日本側の関税、および関税に関連する規定が記され、「附属書II」にはアメリカの関税、および関税に関連する規定が記されている。協定の第七条は、「この協定の附属書は、この協定の不可分の一部を成す」と定めました。(31)

ところがお立ち会い。第十一条にはこうあるのです。

この協定は、日本語及び英語をひとしく正文とする。ただし、附属書IIは、英語のみを正文とする。

どこの世界に、主要な貿易相手国との通商協定について、全文を自国語で作成しない旨の取り決めを交わす政府があるんですかね？

外務省は附属書Ⅱに関し、仮訳さえ公表していません。日米貿易協定の日本語版ＰＤＦは全一六一ページですが、協定本文は五ページで終わり、以下、一六〇ページまでが附属書Ⅰとなります。そして一六一ページにはただ一行、こんな断り書きが記されているのですよ。

（附属書Ⅱは、英語により作成され、この協定の不可分の一部を成す。）

日本語版ＰＤＦは、途中でぷっつり終わってしまうのです！　政府、ないし外務省は、附属書Ⅱの内容をよほど知られたくないのでしょう。

では、附属書Ⅱの何がそんなに都合が悪いのか。これを見破るのも簡単です。頭隠して何とやら、外務省は協定の英語版ＰＤＦも公表しているのです。(32)

こちらのＰＤＦは全一四一ページ。協定本文は冒頭三ページを占めています。よって残り一三八ページが二つの附属書となるものの、ページの配分は以下の通り。

附属書Ⅰ　四〜一一七ページ（計一一四ページ）
附属書Ⅱ　一一八〜一四一ページ（計二四ページ）

一一四ページ対二四ページ！　附属書Ⅱは、附属書Ⅰの五分の一（二一パーセント）の長さしかないのです。日本側の関税引き下げや撤廃をめぐる取り決めのほうが、アメリカ側のそれに比べ、はるかに多いことは疑いえません。

今回の協定について、安倍総理は「ウィン・ウィン」、つまり日米双方にとって利益をもたらすと主張しました。けれども自動車や自動車部品をめぐるアメリカ側の関税については、撤廃が実現せず、継続協議となっています。この二つは、わが国の対米輸出の四割を占めるにもかかわらず、です。

とりあえずTPP水準内の市場開放にとどまった農産物だって、今後どうなるか分かったものではありません。附属書Ⅰの第B節「日本国の関税に係る約束」の第一款第五項には、こう記されているのです。

アメリカ合衆国は、将来の交渉において、農産品に関する特恵的な待遇を追求する。(33)

「特恵的な待遇」（英語版ではPreferential treatmentと書かれています）とは何か。
ここで参考になるのが、経済産業省が公表している「最恵国待遇（原則）」をめぐる解説です。(34)

最恵国待遇とは、英語ではMost Favored Nation Treatmentと呼ばれるものの、「ある国が特定の他国との通商協定で、一定の（低い）関税率を適用した場合、他のあらゆる国にたいしても、同じ税率を適用しなければならない」とするルールのこと。

「どこかの国だけ特別扱いして、えこひいきするのはダメ」という話です。

ならばアメリカにたいしてだけ、TPP水準を超えた関税撤廃や引き下げをすることはできないはずですが、こんな例外規定があるんですね。

どうぞ。

一般特恵制度（GSP: Generalized System of Preferences）とは、開発途上国の輸出所得の拡大、開発の促進を目的とし、開発途上国に対する関税上の特別措置として、先進国から開発途上国産品に対して、最恵国待遇に基づく関税率より低い関税率が適用される仕組みである。(35)

アメリカは途上国ではないので、この仕組みをそのまま適用することは無理。

ただし「特恵」の概念を利用すれば、TPP水準を超えた関税の撤廃や引き下げを今後行うための大義名分が立つ。

ついでに自由貿易協定、つまりFTAも最恵国待遇の例外とされます。

そして日米貿易協定は、トランプによればFTAだったはず。

ヤクザのご主人様を相手に、現地妻が相撲を取ったところで、組み伏せられ、いいようにされるのがオチなのです。

これで日本を守る気があるのか?

二〇一九年五月の訪日に話を戻しましょう。

通商問題を見るかぎり、相撲外交は大黒星としか思えない結果に終わりましたが、安全保障についてはどうか。

まず北朝鮮問題から行きます。

五月二十七日、首脳会談後に行われた共同記者会見で、総理はこう発言しました。

本日の首脳会談では、最新の北朝鮮情勢を踏まえ、十分な時間をかけて方針の綿密なすり合わせを行いました。日米の立場は完全に一致しています。(36)

外交問題について、総理が「日米の立場は完全に一致」と強調するのは、今に始まったことではありません。

いわば決まり文句にすぎないのですが、問題は首脳会談をめぐって、次のような報道がなされている点。

（トランプは）今月に入って短距離ミサイルを二度発射した北朝鮮については、米朝の間に「大きな敬意が築かれている」と述べ、「北朝鮮に関しては今後、多くの良いことがあるだろう」「われわれの間には大きな進展があった」と強調した。(37)

ついでに前日の二十六日、トランプはこんなツイートも。

北朝鮮は小さな兵器を数回発射した。わが国では一部の連中が騒いだし、他国でも騒いだ者がいるようだが、オレは動じないね。金正恩委員長は約束を守ると信じている。泥沼野郎ジョー・バイデンについて、ＩＱの低いヤツだの何だのと貶したときは、オレも笑みを浮かべたよ。もしかして、金正恩は「仲良くやろう」と遠回しに伝えてきたのかな？(38)

首脳会談後の記者会見でも、北朝鮮の短距離ミサイル発射を気にしないのかと聞かれて「いや、全然。個人的には気にならないね」と答えていました。(39)

要約すれば以下の通り。

（１）トランプは金正恩にたいして深い敬意を持っている。
（２）トランプは最近の北朝鮮のミサイル発射を気にしていない。
（３）北朝鮮について、日米の立場は完全に一致している。

すると論理的に言って、こういう話になります。

（1）安倍総理も金正恩にたいして深い敬意を持っている。
（2）安倍総理も最近の北朝鮮のミサイル発射を気にしていない。

けれども北の短距離ミサイル、アメリカにこそ届きませんが、日本は射程に入っているのです！

北朝鮮については、大陸間弾道ミサイルだけでなく、短距離・中距離ミサイルの脅威も除去しなければならないというのが日本の立場。

トランプがこのことを知らないはずはないでしょう。

にもかかわらず、短距離ミサイルの発射は気にしないと発言した。

北朝鮮が核実験と大陸間弾道ミサイルの発射実験さえしなければ、あとはどうでもいいようなのです。

そして総理は、日米の立場は完全に一致していると述べた。

この旦那、いざというときに現地妻を守る気が本当にあるのでしょうか？

現地妻たる日本も、旦那アメリカの歓心さえ買えれば、いざというときに守ってもらえなくとも構わないらしい。

のみならず。
記者会見の席でトランプは、こんな質問も受けました。

あなたは残忍な独裁者(金正恩)と一緒になって、同じアメリカ人であるジョー・バイデン前副大統領を貶しているように見えます。逆であるべきではないでしょうか。まずいことを言ったと思われることは本当にないのですか?(40)

大統領の返事こちら。

金正恩はジョー・バイデンについて、IQの低いヤツと言ったわけだ。今までのヤツ(バイデン)の言動から見て、たぶんそうだと思うよ。これについては賛成だな。ただしあんたの言うとおり、オレの振る舞いはルール違反だとみんなが思う可能性はある。オレはそんなふうには物事を見ない。あれは個人的発言だよ。金正恩はこちらの気を引きたいのかも知れないし、そうじゃないかも知れない。分かるか、そんなこと? どうだっていいだろう。(41)

安倍総理、この点でも「完全に一致」しているのでしょうか。
だとしたらバイデン大統領が誕生する前、二〇二〇年夏に総理の座を退いたのは、まことに賢明だったと言わねばなりません。

なりふりかまわず媚びを売る者は、遅かれ早かれ面目が丸つぶれになるのです。

ヤクザの情婦は虚心坦懐

総理は記者会見の冒頭発言で、トランプとメラニア夫人が一昨年の訪日の際に続いて、拉致被害者の家族と会ったことに触れ、「拉致問題の一日も早い解決に向け、果断に行動してまいります」とも述べましたが、これはまさに語るに落ちた話。(42)

日米同盟が揺るぎないものであろうが、日米の立場が完全に一致していようが、拉致問題はこの二年間、何も進展しなかった、そう白状したにひとしいのです。

しかも残された札は、金正恩から相手にされておらず、メドの立っていない日朝会談とくる。どうぞ。

次は私自身が金正恩委員長と直接向き合わなければならないとの決意です。条件を付けずに金正恩委員長と会って、率直に、虚心坦懐に話をしたいと考えています。(43)

条件をつけずに？

おいおい、向こうが拉致被害者返還について条件をつけてきたらどうするんだ。

おまけに質疑応答に際して、総理はこう述べているのです。

(首脳会談では)日朝平壌宣言に基づいて、拉致・核・ミサイルといった諸懸案を包括的に解決をして、そして不幸な過去を清算して、(国交)正常化をめざすという方針に変わりはありません。(44)

この調子では、よしんば首脳会談が実現したとしても巨額の経済援助を要求されるのは確実。「不幸な過去」の清算が入っているんですからね。

総理の言う「虚心坦懐」とは、「何のわだかまりもなく、さっぱりして平らな心」(広辞苑の定義)ではなく、「いくら譲歩を強いられても、おとなしく受け入れる心」を意味しているに違いない。

たいしたもんだぜ、日本外交!

最後はイラン情勢です。

安倍総理いわく。

中東地域の平和と安定は日本・米国のみならず、国際社会にとって極めて重要であろうと、こう考えています。その中で、地域の平和と安定に資するために、日本は日本としての責任を果たしていきたい。(中略)今後とも日米で緊密に連携をしながら、この現在のイラン情勢をめぐる緊

張状態を緩和していきたいと思いますし、間違っても武力衝突にいたることがないように努力をしていきたい。(45)

トランプいわく。

ついでにイランを痛めつけるつもりはない。「核兵器は持たない」と言ってくれればいいんだよ。(中略)イランの人々なら大勢知っている。彼らは偉大な国民だ。今の体制のもとで、偉大な国になるチャンスを持っている。イランの体制を変えたいわけじゃない、これはハッキリさせておこう。目的は核兵器開発の阻止なんだ。(46)

と・こ・ろ・が。
うるわしい連帯であります。

この三日前にあたる五月二十四日、アメリカのポンペオ国務長官は、サウジアラビアやアラブ首長国連邦といった諸国に八十億ドルほどの兵器を売却すると発表しました。
中東地域におけるイランの脅威が、アメリカの安全保障に緊急事態をもたらしているため、とのこと。
兵器売却にあたっては、通常、議会の同意が必要ですが、「緊急事態」を持ち出すと、これを省略できるのです。

サウジアラビアって、イランの主要なライバル国なんですよね。

トランプもこの日、イランを牽制するため、千五百名の米軍部隊を新たに中東へ派遣すると発表しました。

そういう国と、日本は揺るぎない同盟（とやら）を結んでいるのですぞ。

あまつさえ、記者会見の冒頭発言で安倍総理いわく。


平和安全法制により、日米は互いに助け合うことのできる同盟となり、その絆は盤石なものとなりました。そして、ドナルドとの非常に親密な個人的信頼関係により、日米同盟の絆はもはや揺るぎようのない、世界で最も緊密な同盟となりました。

令和の新たな時代において、日米は真のグローバルパートナーとして、地域と国際社会の平和と繁栄を主導していきます。(47)


グローバルパートナーと宣言した以上、同盟関係の対象には中東も含まれるはず。

アメリカが中東でイラン相手に軍事行動に出たら、自衛隊も協力することになるんじゃないですかね？

映画監督スタンリー・キューブリックが喝破したとおり、大国はみなヤクザで、小国はみな娼婦。二〇二〇年代、アメリカの極東現地妻たるわが国は、旦那のＤＶに耐えるだけでなく、ヤクザの情婦のごとく振る舞いだすかも知れません。

締めくくりに楽しい話題をひとつ。

安倍総理がトランプへの「誘惑攻撃」を繰り広げた五月二十六日、麻生太郎・副総理兼財務大臣は、新潟県新発田市で行った講演において、両者の関係についてこう語ったそうです。

歴代首相が夢にまで見た日米関係がいま構築されている。諸外国がやっかむほど日本の地位は国際社会で上がっている。(48)

現地妻はこうやって、自分にしか通用しない妄想にひたりつつ、爽快に滅んでゆくのであります。妄想の「妄」が、「亡(ほろ)ぶ女」と書くにいたっては、もはや出来すぎというべきでしょう。(49)

5 「米朝ツイート会見」の大ウソ

二〇一九年六月末に開催されたG20大阪サミットは、二十九日、首脳宣言を出して無事に閉幕しました。

大阪一帯では、警備体制があまりに厳重なせいで、かの山口組と、そこから分裂した神戸山口組の双方が、組員にたいして開催期間中の事務所出勤を控えるよう指示したとか。

ふだんは交代で事務所に詰め、掃除や電話番、来客応対などをするのですが、途中で検問や職務質問にひっかかるリスクが高すぎるから、とのこと。

任侠もサミットには勝てぬ、であります。

ただしフタを開けてみれば、最も注目を集めたのは、二十九日の米中首脳会談と、閉幕後の三十日、板門店で行われた米朝首脳の会見。(50)

後者はサプライズ開催だったこともあって、世界を驚かせました。

議長国であるわが国の安倍総理を脇に追いやり、トランプ大統領がスポットライトを浴びたサミットだったわけです。

いや、大統領は七月二日にこうツイートしてはいますよ。

日本の安倍総理に、おめでとうを言いたい。今回のG20はみごとに運営された素晴らしいものだった。欠けていたものや、間違いは何一つなかった。完璧だ！ 日本人はさぞ総理を誇りに思っているだろう。(51)

しかるにお立ち会い。

トランプは米中会談や米朝首脳会見について、成果を誇示し、相手を褒め称えるツイートをしていますが、日米会談に関するツイートはしていないのです。

紹介したツイートも、要は「引き立て役になってくれてありがとよ、あんたの影が薄くなっちまって悪かったな」と取るべきでしょう。

戦後のわが国は、アメリカの「極東現地妻」と呼ばれるべき存在ですし、近年は政府関係者みずから、そのことを誇りに思っている形跡が濃厚ですから、べつに構わないのかも知れませんが。

出来すぎの公式経緯

ところで今回の米朝会談、トランプのツイートがきっかけになって実現したなどと言われます。

問題のツイートをご紹介しましょう。

六月二十九日の午前七時五十一分に送信されたものです。

中国の習近平主席との会談を含む、いくつかの非常に重要な会合をこなしたあと、私は（文大統領とともに）日本を離れ、韓国に向かう。北朝鮮の金正恩委員長がこのツイートを見ていたら、今回の滞在中、私は南北国境／非武装地帯で彼に会うことになるだろう。たんに握手をして「ハロー！」と言うのさ（どうなるかな？）。(52)

ポンペオ国務長官が、わが国の河野外相に語ったところでは、小一時間で北朝鮮側からレスポンス（反応）があったとのこと。

事態は一気に動き、あれよあれよという間に、トランプと金正恩が板門店で握手した。

以上が、公式に語られる経緯です。(53)

日本には事前の連絡がなく、外務省では情報の確認に追われた様子。

同省の幹部たちも「これだけ重要なトップ会談が、ツイートから始まるというのは、通常の外交では考えられず驚きだ」とか、「アメリカ大使館や国務省にも問い合わせているが、詳細は不明だ。トランプ大統領らしいやり方だが、今回の米朝対話が、北朝鮮の非核化や、拉致問題の解決につながるものなら歓迎したい」といった旨をコメントしたと報じられました。

「世界に誇る日米同盟の絆」を内外に吹聴、何かにつけて自国の立場がアメリカと「完全に一致」し

たと言っては喜ぶ現地妻ニッポンとしては、正直、あまり愉快ではないでしょう。(54)

だとしても、たった一つのツイートをきっかけに、調整がトントン拍子に進んだとすれば、それも仕方ありません。

——と、言いたいところですが。

この経緯、いくら何でも出来すぎではないでしょうか？

米朝間には国交がないのですぞ。

ついでに朝鮮戦争は、一九五三年の休戦から六十五年あまりが経過した現在でも、正式には終結していません。

国際法上、両国はまだ戦争状態にあるのです。

二〇一八年六月、第一回米朝会談によってスタートしたかに見えた対話路線も、二〇一九年二月の第二回会談が物別れに終わっていらい、暗礁に乗り上げた形になっていました。

そしてトランプのツイートが送信されたのは、六月二十九日の午前七時五十一分。

板門店で握手が交わされたのは、翌三十日の午後三時四十五分ごろ。

経過した時間は、約三十二時間にすぎません。

国交がなく、公式には戦争状態にある国同士の首脳の会見が、たかがツイート一つで、何の準備もない状態から瞬時のうちに調整され、三十二時間のうちに実現する。

本当にそんなことがありうるのか？

たとえば六月二十四日、こんな記事が出ていました。

北朝鮮の金正恩朝鮮労働党委員長が、アメリカのドナルド・トランプ大統領から親書を受け取った。北朝鮮の朝鮮中央通信が二十三日、伝えた。

同通信によると、金氏は親書を「素晴らしい」と称賛。「興味深い内容について真剣に検討する」と述べたという。

金氏はまた、トランプ氏の「並外れた勇気」をたたえたとされる。(55)

朝鮮中央通信が記事を掲載した六月二十三日は、会見のちょうど一週間前。

親書の内容は明らかにされていないとのことですが、「興味深い内容について真剣に検討する」とある以上、板門店会見が提案されていたと解釈するのが自然でしょう。

北朝鮮は指導者の体面をえらく重んじる国。

ついでに同国のメディアは、完全に政府のプロパガンダ機関です。

親書の内容をこれから検討しようという段階で、記事が出ると思いますか？

くだんの記事には、執務室で親書を読む金正恩の写真（撮影日は不明）まで添えられていたのですぞ。

裏を返せば、金正恩は二十三日の段階で、親書の内容をめぐる対応を決断していたに違いない。会談開催は、少なくとも一週間前の時点でセッティングされていたということです。

北朝鮮のラブコール

これを側面から裏付ける事実をご紹介しましょう。

すでに述べたとおり、ポンペオ国務長官は河野外相にたいし、トランプのツイートから小一時間で、北朝鮮から反応があったと語りました。

ところがポンペオ発言、じつは十分に正しくありません。

小一時間どころか、わずか三十四分後、六月二十九日の午前八時二十五分の時点で、北朝鮮は反応しているのです。

それもホットラインを通じた極秘連絡などではなく、世界中の誰もが見ることのできる形で！

北朝鮮は「ＤＰＲＫニュースサービス」という英語のツイッターアカウントを持っています。(56)

所在地は平壌で、同国外務省のサイトへのリンクが貼られている。

このDPRKニュースサービスが、トランプのツイートにコメントをつけてリツイートする、いわゆる「引用ツイート」を送信したのですよ。

ならば、引用ツイートの内容はいかなるものか。

どうぞ。


われらの将軍様は、あなたがどこにいるのか気にしている。

何をしているんだろうと思っている。


ねえ、さびしくないかい？

それとも、誰か愛してくれる人が側にいるのかい？(57)

——お前たち、やっぱりデキていたんだな！

そう言いたくなるところですが、落ち着いて考えてみましょう。

こんなツイートが、アカウント担当者の一存で送信されるわけがない。

無断でやったとしたら、本人は公開処刑、家族・親族はそろって収容所送りになってもおかしくないのが、向こうのお国柄です。

日本だって、外務省のツイッターアカウントに「ドナルド、さびしいんだ。会いにきておくれ」なんてツイートが勝手に出たら、担当者の処分は避けられないでしょう。

どう考えても、担当者は正式な許可を得てツイートしたに違いない。

しかし、かくもきわどい内容のツイートについて、三十四分のうちに送信が許可されるということは、何を意味しているでしょうか。


そうです。

許可は事前に出ていたのです。

言い換えれば北朝鮮政府は、七時五十一分にトランプがツイートすると知っていたし、その内容も分かっていた。

すべては大嘘の芝居だったと評さねばなりません。


ちなみにDPRKニュースサービスの引用ツイート、アメリカの歌手ライオネル・リッチーが一九八四年にヒットさせた曲「ハロー」をもじったもの。

もとの歌詞では一行目が「僕はあなたがどこにいるのか気にしている」になっていますが、あとはまるで同じです。

で、この後どう続くかというと……

どうやったら、あなたの心をつかめるか教えておくれ
まるで見当もつかないんだ
だけど、とりあえずこう言わせてほしい
　愛している

ずっと憧れてきた女性への想いを歌った曲ですが、アメリカと北朝鮮、ないしトランプと金正恩の力関係、および体格差を考慮すれば、男女の性別を入れ替えたほうがより適切でしょう。むろん、男同士の恋愛を想定しても構いませんが。

ところでトランプのツイートも、原文だと「ハロー」で終わっています。DPRKニュースサービスは、それに「ハロー」という歌を持ち出して答えた。恋愛をはじめとした私情を交わす歌、相聞歌（そうもんか）さながらのノリではありませんか。週末（二〇一九年六月二十九日は土曜日です）の早朝、三十分ちょっとで思いつくには、風流すぎると思いませんか？

会見の橋渡し役は誰か

よって今回の米朝会談、しばらく前からお膳立てが進んでいた可能性が高い。

そのうえで「トランプのツイートをきっかけに北朝鮮が動き、トントン拍子で調整が進んだ」という芝居を、双方が演じた次第。

だとしても、どうしてそんな芝居を打ったのか。

これにたいする答えは「誰が米朝間の橋渡し役を務めたのか」を考えると見えてきます。

中国の習近平主席は、六月二十日から二十一日にかけて平壌を訪問しているのですよ！(58)

ニューズウィークは、中国の新華社通信や朝鮮中央通信の報道を引用しつつ、訪朝の成果を以下のように伝えています。

(1) 習近平と金正恩は、緊密な戦略的対話を行い、多くの分野において協力を深めることで合意した。同時に、朝鮮半島の非核化協議を堅持すべきだという点で一致した。

(2) 習近平は、「国際情勢がどのように変化しても、中国は朝鮮半島問題の政治的解決と永続的な安定の実現を目指す北朝鮮の努力を断固として支持する」旨を述べた。

(3) さらに習近平は、北朝鮮が米国と対話を行い、対話が成功することを世界は望んでいると述べた。(59)

金正恩がトランプの親書を絶賛し、内容を真剣に検討すると述べたという記事が朝鮮中央通信に出たのは、わずか二日後の二十三日。

このときすでに、中国は通商問題でアメリカとの対立を深めていました。

しかるにG20に合わせて開かれた米中首脳会談で、トランプは中国からの輸入品にたいする追加関税の先送りを表明したばかりか、同国の通信大手、ファーウェイにたいする禁輸措置も大幅に緩和します。

米中の通商対立をめぐる情勢は、アメリカ有利とする見解が一般的なのに、どうしてここまで譲歩したのでしょう？

これについては、中国はアメリカ経済界の大物たちと太いパイプを持つにいたっており、彼らが背後から圧力をかけたという見方があります。

たしかに六月後半、米議会が行ったファーウェイにたいする禁輸措置をめぐる公聴会では、出席した企業や業界団体の圧倒的多数から反対の声が上がったとのこと。

けれどもトランプが「ディール（取引）の達人」を自任する人物なのを思えば、今回の譲歩には別の理由もひそんでいた可能性が高い。

すなわち、通商対立で譲歩しても引き合うだけの見返りがあったから。(60)

G20サミットで主要国の首脳が大阪に集まったタイミングを見計らって、すぐ隣の朝鮮半島で金正恩と電撃的に会い、米朝の対話を再起動させたとなれば、トランプは外交で大きく得点できます。

のみならず、やはり核問題で緊張が高まっているイランとの関係についても、立場を強めることができる。

金正恩は対話に応じたのに、オレとの対話を拒否するハメネイ師は何だ！　とタンカを切れますからね。


しかるにこれを、習近平の立場から見たらどうなるか。

（1）金正恩との橋渡しをしてやれば、トランプに恩を売ることができ、通商対立で譲歩が引き出せる。
（2）G20が大阪で行われるうえ、米朝対話の議題に「朝鮮戦争の正式終結」が含まれているのを踏まえれば、両者が会う場所は朝鮮半島の南北国境、つまり板門店が最もふさわしい。けれどもこれは「トランプが北朝鮮の玄関口まで会いに来た」ことを意味するので、金正恩にとっても外交的勝利となる。すなわち、彼にたいしても恩を売れる。

一石二鳥ではありませんか！

ただし、この計略を成功させるには条件がある。

習近平が黒幕に徹することです。

米朝の橋渡しをしたと知られてしまったら、トランプにたいし「外交で得点したいばかりに通商対立で中国に譲歩したな！」という批判が寄せられるのは避けられない。

ついでに何のお膳立てもないまま、ツイート一つで金正恩との電撃会談を実現させたと世界を信じ込ませることができれば、トランプの得点はいっそう高まる。

したがって習近平も、より大きな恩を売ったことになるのです。

さあ、話が見えてきました。

習近平は米朝双方にたいし、親書という伏線を張らせたうえで（金正恩も六月前半、トランプに親書を送っています）、「ツイートをきっかけとして一気に実現した会談」の芝居を演じるよう、因果を含めたに違いない。(61)

DPRKニュースサービスが、トランプのツイートからわずか三十四分で、ラブコールさながらの引用ツイートを送信したのも、こう考えれば納得がゆく。

「二十九日の朝にトランプが送信するツイートが合図だぞ。それが出たら、みんな打ち合わせた通りに動くんだ。いいな！」

国交のない国の首脳同士が、わずか三十二時間のうちに握手するという「ミッション・インポッシブル」の背後には、こんな段取りがあったのではないでしょうか。

トランプのツイートの文面も、そう考えると意味深長。書き出しはこうなっていたのです。

中国の習近平主席との会談を含む、いくつかの非常に重要な会合をこなしたあと、私は（文大統領とともに）日本を離れ、韓国に向かう。

してみると、二十九日の米中首脳会談でも、金正恩と会うための最終的な打ち合わせがなされたのかも知れませんよ。

日本はみごとに蚊帳の外

以上すべては推論です。

のみならず、この推論が正しいとすれば、習近平が黒幕だったという証拠は今後も出てきません。

関係者がシラを切りつづけないかぎり、芝居をやった意味がなくなるからです。

けれども、何の準備もなされていなかったにもかかわらず、ツイート一つでトントン拍子に話が進み、あっという間に首脳会談が実現したなどという、おとぎ話さながらの公式説明に比べれば、こちらのシナリオのほうが説得力に富むでしょう。

た・だ・し。

その場合、トランプはG20サミットのために来日した時点で、すでに金正恩と会う計画を進めていたことになる。(62)

サミット議長国にして、アメリカの「極東現地妻」たる日本政府、あるいは安倍総理にたいしても、事前の説明があってしかるべきところ。

そう思いますよね?

事態の推移を見るかぎり、説明があったとは信じがたい。

外務省は後追いで情報の確認に追われたあげく、「通常の外交では考えられず驚き」だの、「詳細は不明だ。トランプ大統領らしいやり方だ」だのと、うろたえたコメントに終始する始末。

それどころかトランプは、日米安保条約にたいする不満まで表明、揺さぶりをかけてきたのです。

みごとなまでの蚊帳の外。

向こうにとってわが国など、しょせんその程度の存在にすぎないのですが、関連して見落とせない点がある。

韓国の文在寅大統領は、これをいつ知らされたか。

板門店で会う以上、文大統領にまで話を伏せておくことはできません。

トランプを案内しなければならないからです。

要は「仲介者」の役を振ってもらったわけで、習近平はまたもや恩を売っているのですが、問題はG20サミットで、安倍総理が文大統領をかなり冷淡に扱ったこと。

韓国を嫌ってやまないわが国の保守派には「ザマーミロ」と溜飲を下げた人も多かったようですが、かりにその時点で、文在寅が米朝会談について知っていたとしたらどうなるか。

可能性は濃厚です。

というか、ほぼ確実。

サミット開催二日前の六月二十六日、文大統領は「三回目の首脳会談に関して（米朝）双方は対話している」と述べ、水面下での協議の存在を認めたのですぞ。(63)

すると安倍総理は、自分こそが仲間はずれにされていることを知らないまま、大物気取りで文在寅を仲間はずれにしてみせたことに。

習近平とトランプは、二人して総理に「おめでたいピエロ」の役を振ったのではないでしょうか。これで「日本の安倍総理に、おめでとうを言いたい」とくるのですから、哀しきものは現地妻であります。(64)

とはいえ、そこまでバカにされても仕方ないのかも知れない。

G20サミット終了直後の七月四日、わが国では参議院選挙が公示されました。(65)

安倍総理は福島市で第一声を挙げましたが、そこには以下の内容が含まれていたのです。

私は今まで何回も（日米）首脳会談を行い、ゴルフばっかりやっているという非難もありました。でも、世界で一番忙しい米国大統領の時間を独占でき、いろんなことも言えます。平和安全法制を成立させ、日米同盟を（日米両国が）助け合うことのできる同盟になり、同盟の絆を強くした。私とトランプ氏の信頼関係の下、日米同盟の絆はかつてないほど強固なものとなった。(66)

踏まれても蹴られても、ヤクザな旦那に捧げる現地妻の思いは一途、そう表さねばならないでしょう。

6　必殺！　米朝指導者ヨイショ合戦

ドナルド・トランプ大統領は二〇一八年六月十五日、政権寄りで知られるメディア、FOXニュースの番組『FOX・アンド・フレンズ』のインタビューを受けました。

トランプは六月十二日、シンガポールで初の米朝首脳会談を行ったばかりでしたが、「金正恩をホワイトハウスに招く可能性は高まったのか？」と聞かれて、次のように答えます。

うん、ありうるね。オレとしては異存はない。可能性は十分だと思うよ。

なあ、あいつは国の元首なんだぜ。分かるだろう、強力な支配者だ。これについては、誰にも誤解の余地なんてありゃしない。

あいつが口を開けば、みんな直立不動で聞き入る。オレにもそうしてもらいたいものだね。(67)

おっと、自分も金正恩のような独裁者になりたいということか？

もっともトランプ、「オレにもそうしてもらいたいものだね」と言ったとき、背後のホワイトハウスを指さしています。[68]

政権スタッフに直立不動で話を聞いてもらいたいだけであって、一般国民は無関係だと解釈できないこともない。

ただしホワイトハウスは大統領公邸。

「オレがあそこで何か言ったら、全国民に直立不動で聞いてもらいたい」という意味に受け取るのが自然でしょう。

トランプはその後、「冗談だったんだよ、シャレが分からないようじゃ困るな」と弁明。[69]

けれどもフロイトに言わせれば、冗談にこそホンネが出るとか。

「オレが何か言ったら、みんな直立不動で聞いてもらいたい」発言が冗談だったとしても、トランプがそのような願望を抱いていないことにはなりません。

大真面目に言うと批判されるから、とりあえず冗談めかしてみただけかも知れないではありませんか。

はたせるかな、六月二十二日にはこんな動画がツイートされました。

PROPAGAND-OFF! Fox News vs. North Korean State TV

（プロパガンダ対決！　ＦＯＸニュースVS朝鮮中央テレビ）(70)

米朝会談をめぐるＦＯＸニュースの報道と、朝鮮中央テレビの報道をカットバックさせたものです。
北朝鮮側のキャスターは、国家的な重大事になるとチマチョゴリ姿で登場する看板女性アナウンサー、李春姫（リチュニ）。
四十年以上のキャリアを持つ大ベテランとのこと。
たいするＦＯＸニュースは、複数のキャスターやコメンテーターの発言をつないであるのですが……

いや、すごいぞ！
どうぞ。

ＦＯＸニュース
トランプ大統領がシンガポールから凱旋します。
今までのどんな大統領も、このような会談を試みるだけのビジョンや勇気を持ってはいませんでした。彼らが夢想だにしなかったことを、トランプはやりとげたのです。

朝鮮中央テレビ

尊敬する偉大な指導者同志様の、知性と勇気あふれるリーダーシップにより、世界は輝かしい平和の達成を目の当たりにしました。これは人類にとって素晴らしい瞬間です。(71)

FOXニュース
ほんの数日前、トランプは外交の新時代を拓きました。

朝鮮中央テレビ
尊敬する指導者同志様は、外交に新たな勝利の時代をもたらしたのです。

FOXニュース
多くのアナリストや事情通は、米朝会談の成功などまったくありえないと思っていました。

朝鮮中央テレビ
このような瞬間が訪れると、誰が想像できたでしょうか？

FOXニュース
内政であれ、貿易であれ、外交であれ、トランプは百戦百勝だ。国際政治における彼の存在感は、かつてなく大きくなった。(72)

朝鮮中央テレビ
世界が認める政治手腕を持った偉大なる政治家、われらが指導者同志様は、万人の崇拝する英雄です！

FOXニュース

トランプの本能的なカンは、われわれのものとは違う。
だがたいていの場合、つまり九九％ぐらいの確率で、彼のカンはわれわれよりも優れている。

朝鮮中央テレビ

わが国は、世界が尊敬する傑出した政治家を指導者にいただいています。
こんな偉人に導かれる幸福は、まさに一生ものです！

で、最後にＦＯＸの女性キャスターが出てくる。
動画の冒頭に出てきた李春姫は、ピンクのチマチョゴリを着ていましたが、このキャスターの服もピンクです。
いわく。

トランプの天才は、凡人の理解なんて超えているの。彼は恐れってものを知らないのよ！

おいおい、完全に入れ替え可能じゃないか！

朝鮮中央テレビと違い、FOXニュースは国営放送というわけではありません。

ただし「自由、民主主義、法の支配などの普遍的価値観を分かち合った同盟国」ということになっている国と、「今後も圧力をかけ続けるべき無法の独裁国家」ということになっている国の報道が、これだけよく似ているのは、一体、何を意味するのでしょうか？


アメリカのロック・ミュージシャン、リトル・スティーブンは「俺は愛国者」という曲を書いたことがあります。

一九八四年、「ロックパラスト」というドイツの音楽番組でこの曲をライブ演奏した際、彼は前奏にあわせてこう語りました。


近ごろ、ヤバい動きが起きている。アメリカでは何かが進行しているんだ。『新しい愛国心』とか言われるようだが、全然そうは見えない。俺の目には盲目的な自国優先主義としか見えないね。

そんなものは間違っているし、愛国心とはまるで別物だ。

テレビで伝えられることや、政府の主張を何でも鵜呑みにするのが愛国心じゃない。それでよしとするヤツは、良き愛国者じゃないぜ。

良き愛国者であるとは、誰が言うことにも疑問を抱いて問いかけるってことだ。いつでも、どこでも、そうしなきゃならない。祖国があるべき姿を保っているか、たえず確かめるのさ。

国際社会の一員であるのをやめるなんてことも意味しない。まして、どの党派を支持するかなんてこととは無関係だ。愛国とは、党派じゃなくて真実に忠誠を誓うことだよ。良くないことが起きていると思ったら、変えてゆくのが俺たちの務めなんだ。

　政治はべつに怖いものじゃない。自由と人権と民主主義、それが全てだ。正義の政治とはそういうものさ。みんな、正義を信じているだろう？　俺たちと一緒に歌ってくれ。(73)


リトル・スティーブンの提示した基準で判断するかぎり、FOXニュースも朝鮮中央テレビも、同じくらい良き愛国心から遠いと言わねばなりません。


二〇一〇年代のわが国にも、安倍総理をヨイショすることが完全に自己目的化したとしか思えない人々が、少なからず見られました。

「安倍さんが日本再生を達成してくれる！」とはやし立てたわけですが、実際には低迷と衰退が続いたのはご存じのとおり。

　愛国とは党派ではなく真実に忠誠を誓うこと、この基本に立ち返らないかぎり、わが国が勢いを取り戻すことはないでしょう。

第三部

崩れゆく経済と社会

1 戦後史最後の政治的選択

二〇一九年七月二十一日に行われた参議院選挙は、自民党と公明党の与党が改選議席の過半数を獲得して勝利を収めました。

ただし憲法改正に前向きな姿勢を示す、いわゆる改憲勢力の議席数は、発議に必要な三分の二を割り込むことに。

わが国の野党は、五五年体制のころから、憲法改正を阻止するだけの議席を保つことを最大の目標としてきましたが、それは達成されたわけです。(1)

とはいえこの結果、考えてみればスゴいことではないでしょうか。

二〇一九年に入り、経済指標は軒並み悪くなっていました。

実質賃金は五ヶ月連続で前年同月を下回ります。(2)

景気動向指数も思わしくない。(3)

とかく成果を強調したがる政府の景気判断すら下方修正。(4)

しかも十月には消費増税が控えていた。

八%を一〇%に引き上げるというと「二%増」という感じですが、これはあくまで税率の話。

一〇を八で割ったら一・二五です。

税金自体は今までより二五%増えるのです！(5)

与党は敗北か、少なくとも大苦戦してしかるべきところ。

六月ぐらいまでは「消費増税の凍結を宣言したうえで、ダブル選挙にでも打って出ないことには、与党、わけても自民党は負けるのではないか」という観測がありました。

しかし安倍晋三総理は消費増税を撤回せず、衆院も解散しないまま選挙に臨む。

それでなお、勝利を収めたのです。


二〇一二年に政権を取り返していらい、自民党は国政選挙で六連勝。

野党のみなさんには申し訳ないものの、もはや何をやっても勝てるという感じではありませんか。

与党の選挙結果を検証する

二〇一九年参院選における自民の獲得議席は五七。

公明は一四議席なので、あわせて七一。

改選過半数は六三議席なので、余裕でクリアーしました。

両党の非改選議席数は七〇（自民五六＋公明一四）ですから、合計一四一議席と、参院全体の過半数（一二三議席）も軽々とクリアー。

ただし日本維新の会の議席が一〇にとどまったので、改憲勢力の改選議席数は合計八一となります。

改憲勢力の非改選議席数は七九（自民五六、公明一四、維新六、無所属三）なので、参議院全体の三分の二以上（一六四議席）を確保するには八五議席必要だったのですが、四議席割り込んだ次第。

自民の獲得議席数五七は、改選前（六六）より九議席減となっています。

二〇一三年ほどには勝てなかったわけですが、これは六年前が勝ちすぎだったというべきでしょう。

論より証拠、自民の非改選議席数、つまり二〇一六年の参院選で当選した者は五六。

二〇一九年のほうが一議席多いのです。

選出される議席の数も三つ増えたので、二〇一六年を上回る勝利とは言えませんが、ただでさえ良くない景気がいっそう悪化しそうな中、増税を掲げて選挙に挑み、前回と並ぶ結果を出したのですから、十分立派な数字でしょう。

ちなみに参院の過半数ラインが一二三議席なのにたいし、自民党の総議席数は一一三。

公明党なしには過半数に達しないのですが、これにしたところで「失点」とは形容できません。平成以後の参議院において、自民が単独で過半数を獲得できたのは、二〇一六年〜二〇一九年の三年間のみなのです。

昭和期の自民党は、ほとんど毎回、単独で参院の過半数を確保できていましたので、そこまでの域に達していないのは事実。(6)

しかし、そんなことを言い出したら、平成の日本そのものが、昭和期に遠く及んでいません。いかなる国も、みずからのレベルに見合った与党しか持てないのであります。

ニッポンの驚くべき民意

それはさておき、選挙は国民が政治について評価を下す機会。

「民意を示す」というやつです。

与党が勝利した場合、現在の政治は支持されていると見なさねばなりません。

最近の選挙では投票率の低さがしばしば問題視され、「これで民意が示されたことになるのか」と疑問を呈する人もいますが、投票しないのも民意のうち。

「ことさら政治について評価を下すつもりはないので、どんな選挙結果であっても受け入れる」という意思が表明されているのです。
よって二〇一九年参院選では、「自民党政権（安倍内閣）による現在の政治を支持する」という民意が示されたわけですが……
これは具体的に何を意味するのか。

まずは消費税の増税、それも景気が悪くなりつつある中での増税が支持されたことになる。となればデフレ脱却はいよいよ難しくなりますから、国民はいっそうの貧困化や、格差のさらなる拡大も支持しています。

のみならず、以下の各点についても、支持の民意が示されたと見るべきでしょう。

外国人労働者（＝移民）受け入れ
年金支給開始年齢の引き上げ
水道事業の部分民営化
ＩＲ（カジノを中心とする統合型リゾート）誘致
農業や漁業への外資参入の促進
インバウンド（外国人観光客誘致）による各種トラブルの増加
通商交渉におけるアメリカへのさらなる譲歩

韓国へのヒステリックな強硬姿勢
日朝首脳会談の無条件開催
北方領土返還交渉の実質放棄
統計数字をめぐる不正
都合の悪いことは何であれ、暴言を吐いて逆ギレするか、あるいは否認してごまかせばいいと構える態度

大した民意ではありませんか！

まさに何をやっても支持されるのです。

参院選の結果を受けた自民党の二階俊博幹事長が、「こんにちまでの安倍内閣や自民党政治を認めてもらい、国民の力をいただいた。感謝にたえない」と述べ、党則を変えてでも安倍総理の総裁任期を延長することに肯定的な姿勢を見せたのも、当然と評さねばなりません。(7)

自民党の党則は、総裁任期を「連続三期、九年まで」と定めています。

安倍晋三は二〇一二年の九月に総裁となりましたので、二〇二一年の十月以後も総裁でありつづけるには、党則を変えねばならないのです。

けれども「連続三期、九年まで」という党則自体、二〇一七年三月に、それまでの「連続二期、六年」までを改正して成立したもの。(8)

むろん、安倍総裁の任期延長を可能にするためでしょう。

「何をしても支持される」状態が続くかぎり、終身で総裁をやってほしい！

二階幹事長が内心、そんなホンネを抱いていたとしても、何ら不思議はありません。

何をやっても支持されるのであれば、自民党はいつまでも選挙に勝ち続け、政権を担当できるのです。

その場合、「自民党総裁＝総理大臣」の等式が成立するため、安倍晋三は終身で総理を務めることに。

安倍総理は二〇二〇年八月、体調悪化を理由に退陣しましたので、四期目への総裁任期延長は幻に終わりました。

ただし二〇一九年十一月には、第一次内閣を含めた通算在任日数で憲政史上最長を達成、退陣表明の数日前には、第二次内閣以後の連続在任日数でも最長に。

表明直後には支持率が急上昇、政権末期としては異例の高さを記録します。

今後、カムバックを求める声が高まることは十分ありうるでしょう。

二〇一六年、ドナルド・トランプが大統領選挙に勝利したとき、同国の映画監督マイケル・ムーアは「おやすみ、アメリカ。君たちは史上最後の大統領を選んだのだ」と述べました。(9)

トランプ政権のもと、アメリカの民主主義は決定的に変質するだろうから、彼で最後だという次第。

二〇一二年、わが国の有権者も、戦後史における最後の総理を選んだのかも知れません。安倍晋三のカムバックが起こらなくとも、野党の不人気ぶりを思えば、「民主党政権を倒し、自民党を政権に返り咲かせる」というのが、戦後史最後の政治的選択だった可能性は高い。

しかし内政と外交の両面で、国家や国民の利益を守ることができずにいる政権を、かくも手放しで支持したら最後、国が没落するのは不可避。

一体、なぜこうなったのでしょう？

平和主義と政府不信

これを理解するカギは、日本国憲法の前文にあります。

冒頭の一文をどうぞ。

（日本国民は）われらとわれらの子孫のために、諸国民との協和による成果と、わが国全土にわたって自由のもたらす恵沢を確保し、政府の行為によって再び戦争の惨禍が起ることのないようにすることを決意し、ここに主権が国民に存することを宣言し、この憲法を確定する。

憲法の確定にあたり、日本人は「再び戦争の惨禍が起ることのないよう」にするため、「政府の行為」を制限すると決意したわけです。

だとしても、ここで言う政府とは、どこの国の政府でしょうか？

日本政府です。

アメリカ政府でもなければ、イギリス政府でも、ロシア政府でも、中国政府でもありません。

他国の政府の行為にたいして日本国民が制限を加えるのは不可能なので、当たり前の話。

けれども国家と国民を守るために、必要に応じて武力を行使する（これは武力による威嚇を含みます）のは、政府が果たすべき根本的な役割の一つ。

これを禁じようと思ったら、政府の行為についても、相当広範囲にわたって制限を加えねばならない。

言い換えれば、政府を信用してはいけなくなるのです。

日本国憲法は、よく「平和憲法」と呼ばれますが、「政府不信憲法」と呼ぶほうが正しい。

平和主義の中には、「平和を守るためなら、いつでも戦う覚悟を持たねばならない」というものもあるからです。

自国政府にたいする不信を中核に据えているのが、戦後日本型の平和主義の際立った特色である、そう形容することもできるでしょう。

そして平和主義こそ戦後日本の基本である以上、これは「政府不信」が戦後日本人のアイデンティティの基盤をなすことを意味します。

政府不信の論理的帰結

このような政府不信は、いかなる発想にたどりつくか？

次の四点にまとめられます。

（A）財政均衡主義

戦争の際には、どんな政府も戦時国債を発行し、積極財政に徹します。つまりは戦費を調達するために借金するのです。

借金のできない政府は、戦費調達に絶対的な限界があるため、戦争に打って出ることもできなくなる。

ゆえに「歳出は歳入とつねに均衡していなければならない」という原則を確立しておけば、「政府の行為によって再び戦争の惨禍が起る」可能性を封じ込めることができます。

わが国は一九四七年に制定された財政法の第四条で、公債発行をはじめ、政府が負債を抱えることを原則禁止しました。

大蔵省（現・財務省）主計局法規課長として、財政法の直接的な起案者となった平井平治も、第四条について「憲法の戦争放棄の規定を裏書き保証せんとするものとも言いうる」と述べています。(10)

ただし平井課長の発言には、意味深長な含みが隠されていた可能性が高い。

「憲法の戦争放棄の規定を裏書き保証」するために財政均衡主義を導入し、政府負債を原則禁止するのであれば、平和主義の原則が守られているかぎり、政府は負債を抱えてもいい（＝積極財政も許される）ことになるではありませんか。(11)

現にわが国は予算について「一般会計は収支を均衡させるが、特別会計はその限りではない」というカラクリのもと、アメリカの資金援助や、世界銀行からの低金利融資を受けることで、復興や発展を達成したのです。(12)

とはいえ戦後日本型平和主義の本質が政府不信であるかぎり、時代の経過によってこの理念が定着すればするほど、財政均衡主義をめぐる解釈も厳しくなるのは避けられません。

同時に日本が発展してゆくにつれ、国外からの援助や融資は打ち切られますので、自前で国債を発行するしかなくなる。

一般会計も均衡しなくなるのです。

財政均衡主義のもと、これに対処するにはどうすればいいか？

打てる手は三つしかありません。

緊縮財政に徹するか、増税するか、緊縮財政に徹しつつ増税するかです。

一九九〇年代、とくに後半いらいの財政政策が、キレイにこの路線を踏まえているのは言うまでもないでしょう。

(B) グローバリズムと対米従属

自国の政府を信用しない以上、戦後日本において、ナショナリズムや愛国心は良くないものと見なされます。

憲法前文の冒頭で謳われた日本国民の決意に「諸国民との協和による成果」を確保することが含まれているのは、関連して意味深長。

さらには「(日本国民は) 平和を愛する諸国民の公正と信義に信頼して、われらの安全と生存を保持しようと決意した」ともあります。


「国境や国籍にこだわる時代は過ぎ去りました」とは、二〇一三年、安倍総理がニューヨーク証券取引所で行ったスピーチの一節ですが、戦後日本は最初からグローバリズム志向が強いのです。

国境や国籍はおろか、「いずれの国家も、自国のことのみに専念して他国を無視してはならない」(13)とする発想に従えば、国益にこだわることすら時代遅れ。

だとしても自国政府のかわりに「諸国民の公正と信義」を信用することで、存立の基盤を確保しようとする発想は、さすがにちと苦しい。

政府は具体的に存在しますが、「公正と信義」は抽象概念にすぎないからです。

「自国政府にかわって信用できる政府」がほしくなるのが自然な心情。


だから戦後日本人（の大多数）は対米従属を受け入れたのですよ！

悪しき日本政府を打ち倒したあと、自由と民主主義を教えてくれたうえ、寛大な援助までしてくれたアメリカ様にならって、信用してついて行きますという次第。

グローバリズムと対米従属は、この点で表裏一体なのであります。

（C）新自由主義
政府は自治体ともども、国民にたいし、さまざまな行政サービスを提供する存在。

国防に始まり、治安の維持、各種インフラの整備、医療や年金などの社会保障と、例はいくらでも挙げられます。

ところが戦後日本では「政府不信」が、国民のアイデンティティの基盤をなしている。


ついでに財政均衡主義において、政府の歳出はなるべく少ないほうが良い。

債務を抱えている時はとくにそうです。

戦後日本人が、政府からのサービスを当てにするのは、はたして筋の通ったことでしょうか？

答えがノーなのは明らかですね。

そんなに政府が信用できないのなら、あれこれ頼ったりせず、すべてを自己責任で引き受けるのがまっとうな態度というもの。

行政サービスについても、削減するか、民営化するかのどちらかになるでしょう。

これは小さな政府のもとで、市場原理を徹底させることを理想とする新自由主義の発想とキレイに重なります。

高度経済成長が終わり、政府債務がふくらみ始めた一九七〇年代後半あたりから、わが国で新自由主義に基づく改革路線が提唱され、後になればなるほど勢いを強めていったのも、必然の帰結ではないでしょうか。

（D）政治へのシニシズム

前項でも述べたとおり、そもそも信用していない相手にたいして善行を求めるのは、論理的に筋が通りません。

すなわち戦後日本においては、政府、ないし政治家に期待すること自体が間違いとなります。

しかるにこの発想を突き詰めたらどうなるか？

ピンポーン！

政府や政治家が、国民を裏切るような真似をしたところで、怒るにはあたりません。

いや、目くじら立てて怒るほうがヤボ。

どのみち信用していなかったはずなんですから。

政府の行為に制限を加えることを目的としていた政府不信は、こうして政府の行為にたいする、ほとんど無条件の容認へといたります。

まさに両極端は相通ず。

さて、二〇一九年参院選に話を戻しましょう。

選挙結果は必然だった！

内政であれ外交であれ、国家や国民の利益を守っているとは評しがたいのが、安倍内閣、ないし二〇一〇年代の自民党政治。

ところが「政府不信こそ戦後日本人のアイデンティティ」という前提に立つとき、これは否定されるべきことではなくなる。

先にリストアップした安倍内閣の政策や特徴は、驚くなかれ、(A) 財政均衡主義、(B) グローバリズムと対米従属、(C)新自由主義、(D)政治へのシニシズムのどれかによって、ほとんどすべて肯定、ないし正当化できてしまうのです!

具体的に行きましょう。

(A)財政均衡主義によって肯定・正当化されるもの

消費税増税

年金支給開始年齢の引き上げ

(B)グローバリズムと対米従属によって肯定・正当化されるもの

外国人労働者受け入れ

IR誘致

農業や漁業への外資参入の促進

インバウンドによる各種トラブルの増加

通商交渉におけるアメリカへのさらなる譲歩

日朝首脳会談の無条件開催

北方領土返還交渉の実質放棄

(C)新自由主義によって肯定・正当化されるもの

年金支給開始年齢の引き上げ
水道事業の部分民営化

（D）政治へのシニシズムによって肯定・正当化されるもの
統計数字をめぐる不正
都合の悪いことは何であれ、暴言を吐いて逆ギレするか、あるいは否認してごまかせばいいと構える態度

なんと安倍内閣、ないし自民党政権は、しっかり成果を挙げていることに。国民から認められ、支持されるのも納得できます。選挙結果はまさに必然だったのです。


最後に残った「韓国へのヒステリックな強硬姿勢」にしたところで、支持される理由は簡単に説明がつく。

自分たちの利益を損なうような政治を、政府不信ゆえに肯定・正当化しなければならないとなれば、どうしたってストレスがたまります。

そのストレスを、隣国への感情的な反発をつのらせる形で発散しているのに違いない。

要は八つ当たりですが、韓国もわが国に八つ当たりを繰り返していますので、これはお互いさまで

しょう。

喧嘩というやつ、たいていは似たもの同士の間で生じるのであります。

野党はなぜ支持されないか

野党（とりわけ左翼系の野党。以下同じ）が支持されない理由も、今までの考察によって解き明かせる。

憲法改正について否定的なことが示すように、これら野党は、与党、わけても自民党以上に平和主義を信奉しています。

ならば政府不信も強くて当たり前。

はたせるかな、野党も財政均衡主義に肯定的です。

五五年体制において、長らく野党第一党だった社会党（現・社民党）など、政府が負債を抱えることを原則として禁じた財政法第四条について、憲法九条と並ぶ平和主義の縛りと位置づけたくらい。

ナショナリズム否定の傾向も顕著で、ゆえにグローバリズムとも相性がよろしい。

と・こ・ろ・が。

対米従属となると、野党は一転して否定的になる。

アメリカの世界戦略に巻き込まれ、憲法九条の理想が損なわれるという理屈です。
しかしその場合、わが国の存立のよりどころは「諸国民の公正と信義」以外にない。
野党の平和主義が、非現実的な観念論と批判されてきたのには、正当な根拠があるのです。

のみならず。

政府不信を掲げたら最後、新自由主義だって肯定せざるをえなくなるのに、社会保障系の行政サービス、ことに弱者救済の性格を持ったものとなると、充実を叫ぶのが野党の定番。
与党に比べて、非現実的なうえに矛盾しているのです。

支持されないのも道理ではありませんか。

財政均衡主義をめぐる姿勢については、二〇二〇年代に入り、コロナ禍による経済被害を受けて多少変わったようにも見えますが、これだっていつまで続くか分かりません。
この発想の基盤である戦後平和主義を、野党が脱却しようとした形跡は見られないからです。

一九九三年と二〇〇九年に起きた政権交代が、そろって自滅的失敗に終わったことも、関連して付記しておきましょう。

戦後は続くよ、どこまでも

「戦後レジーム（体制）からの脱却」などというスローガンを唱えた過去があるせいか、安倍総理は「戦後を否定したがる人物」のイメージが強い。

が、これは誤解にすぎません。

総理の人気を支えているのは、戦後平和主義の際立った特色にして、戦後日本人のアイデンティティともいうべき「政府不信」そのもの。

安倍晋三こそ、わが国にふさわしい政治指導者の完成形なのです。

これは安倍総理の悲願とされる憲法改正が、見果てぬ夢のまま終わることも暗示します。

た・だ・し。

日本国憲法の世界観こそ、戦後の政府不信の原点。

総理の人気の原点も、じつは憲法なのです。

それを変えようとするなど、自分の支持基盤をみずから突き崩すにひとしい。

わが国の民意にしたところで、そんなことは望んでいないはず。

安倍内閣が「何をやっても勝てる」ほど安定した支持を誇りつつ、参院選で改憲勢力が三分の二を維持できなかったのも道理ではありませんか。

総理のことを「わが国にふさわしい政治指導者の完成形」と見なせばこそ、有権者はそれだけの議席を与えなかったのです。

なるほど、反対する野党勢力を切り崩すことができれば、改憲論議が進展する可能性もなくはない。コロナ禍の長期化で、閉塞感や苛立ちをつのらせた国民が「とにかく現状に風穴を開けるんだ」とばかり、改憲を支持する姿勢を強める可能性もあるでしょう。

しかし今までの分析を踏まえれば、そうなったとしても、改憲内容をめぐる議論はまとまらないか、戦後脱却とは無縁の方向、「戦後レジーム」を強化する方向へと進んでゆくに違いない。

憲法改正は本来、戦後を脱却するための切り札だったのですから本末転倒です。

その意味で、憲法改正は見果てぬ夢なのです。

改憲が実現したとしても、そうなのです。

戦後は続くよ、どこまでも。

令和初の国政選挙は、そんなメッセージを残したのでした。

2 消費増税と「日本の自殺」

二〇一九年十月、消費税の税率が一〇%に引き上げられました。

問題の引き上げは、もともと二〇一五年の十月に行われる予定でしたが、安倍総理の判断によって二度にわたり延期されたもの。

これを根拠に「二度あることは三度ある、また延期されるだろう」と主張する人もいましたが、そうはなりませんでした。

「三度目の正直」、ないし「仏の顔も三度」だったわけです。(14)

ならば、一〇%への増税は正しかったのか?

これを評価するうえでのポイントは明快です。税率の引き上げが、わが国の経世済民(国の存立と繁栄を確保すること)に貢献するかどうか。

増税は普通、国民に喜ばれる政策ではありません。けれども経世済民に貢献するのであれば、反対を恐れずに実行するのが政治の責任というものでしょう。逆に経世済民に反するのなら、予定されていようと引き上げてはいけないのです。

こう考えるとき、消費増税には無視できないデメリットが存在する。具体的には次の二つ。

（1）消費税率の引き上げは、何かを買う側にしてみれば、物価の強制的な値上げにひとしい。よって消費が減少、経済の冷え込みが生じる。

（2）大型間接税である消費税は、低所得層にもまんべんなく課税される。このため余裕のない層ほど負担の度合いが重くなり、格差の拡大につながる。

わが国は、長年にわたってデフレ不況が続いているうえ、格差の拡大が深刻な社会問題になっています。二〇二〇年いらいのコロナ禍により、この傾向はますます強まりました。

消費増税は、当の状況を是正するどころか悪化させてしまいます。税率引き上げが物価の強制的な値上げにひとしいといっても、デフレが解消されるわけではありません。それは買う側にとっての話にすぎず、売る側の利益が増えるわけではないからです。値段が高くなったぶん買い控えが起きて、売り上げが落ちるだけ。

なぜ増税が受け入れられるのか

論より証拠、わが国がデフレ不況に突入したのは、消費税が五％に引き上げられた一九九七年。これは同年に発生したアジア通貨危機も響いていますが、税率引き上げが無関係であったはずはない。

国民の所得も、この時期を境に下降線をたどりはじめました。二〇一六年の実質賃金指数は、一九九七年を一〇〇とすると、なんと八九・七。(15)世帯あたりの平均所得も、一九九四年から一九九六年にかけて六六〇万円前後に達したのち（ピークは一九九四年の六六四万円）、一九九八年が六五五万円、二〇〇〇年が六一七万円と下がりだす。二〇一三年など五二九万円。その後、わずかに持ち直し、二〇一八年は五五二万円となりましたが、ピーク時に比べると一〇〇万円以上も低いのです！(16)

二〇一四年に行われた税率八％への引き上げが、安倍内閣の経済政策、通称「アベノミクス」の勢いを削いでしまったこともしばしば指摘されます。おまけに二〇一九年からは、働き方改革による残業規制の施行が始まりました。

コロナ禍のせいで二〇二〇年から二〇二一年に延期されたオリンピック・パラリンピック大会も、インバウンドで景気を刺激するどころか、相当な経済的損失、いわゆる「負のレガシー」を残しかねないありさま。前回のオリンピック大会が終わったあとも、わが国は不況に見舞われ、政府が戦後初の赤字国債を発行しましたが、高度成長期でもそうだったのですから、今回はさらに大変でしょう。

これらの問題を上回るだけの巨大なメリットがなければ、消費増税は肯定できません。ならば、そのメリット（とされているもの）は何なのか？

決まって挙げられるのが、「社会保障を全世代型に転換するための財源確保」。二〇一八年十月、一〇％引き上げを予定通り実施すると総理が表明した際にも引き合いに出されました。

わが国では少子化や高齢化が進行していますし、政府の負債をこれ以上増やすべきではないとする風潮が支配的。そんな中、社会保障の財源を確保するには、消費税の強化以外にないというわけです。

さしずめ、景気悪化か社会保障かの二者択一。これが正しければ、一〇％引き上げもやむをえないでしょう。

しかし、くだんの主張は説得力を持つものではありません。理由は以下の通り。

(1)現在のわが国で、政府の負債が増えることを恐れる必要はない。日本国債はすべて円建てで発行されているうえ、ほとんどが国内で消化されているので、財政破綻は起きようがないのである。しかも金利が低いため、債務増加によるインフレの懸念も存在しない。
(2)社会保障の財源を増税でまかなわねばならないとしても、それが消費税の強化という形を取らねばならない必然性はない。所得税や法人税の税率を引き上げる手もありうる。

にもかかわらず、わが国では消費増税について「心情的にはイヤだが必要なこと」という受け止め方が一般的。

我慢強さを通り越して、マゾヒズムと形容したくなる姿勢ですが、これはなぜなのでしょう。

財政破綻など起こりえないことが、まだ多くの国民に知られていない？

なるほど、それはあります。ただし同時に注目すべきは、低所得層ほど負担が重くなる消費税と違い、所得税は累進性、つまり所得が多いほど税率が上がる特徴を持つこと。

余裕のある層ほど、負担が重くなるのです。法人税にしても、累進性こそ存在しないものの、中小企業などでは所得金額の一部に軽減税率が適用される。

所得税や法人税ではなく、消費税の強化によって社会保障の財源を確保しようとする姿勢の根底には「高所得層や企業の負担が増えるくらいなら、低所得層にツケを回し、社会的格差を拡大させたほうがマシ」という発想がひそんでいるのです！

「勝ち組」に属する人々にとり、この発想は共感を呼ぶものでしょう。けれども格差拡大に歯止めがかからなければ、社会全体が不安定になる。遅かれ早かれ、影響は勝ち組にも及びます。

上記の発想、決して賢明なものとは言いがたいのです。ところが今や、勝ち組に属していない人々すら、これを受け入れてしまった気配が濃厚。

ふたたび、なぜなのでしょう？

答えを知るためには、消費税の歴史を、年代をさかのぼる形で振り返らねばなりません。カッコ内は内閣名です。

二〇一九　一〇％への引き上げ実施（安倍）

二〇一四　八％への引き上げ実施（安倍）
二〇一二　八％、および一〇％への引き上げ決定（野田）
一九九七　五％への引き上げ実施（橋本）
一九九四　五％への引き上げ決定（村山）
一九八九　三％で導入（竹下）
一九八八　三％で導入決定（竹下）

一九七五年に起きた「エリートの反逆」

導入決定から税率一〇％まで、三十年を超える道のり。もっとも一九八八年が、すべての始まりではありません。その前にも、こんな歴史があるのです。

一九八七　大型間接税「売上税」（五％）の導入計画が挫折（中曽根）
一九七九　「一般消費税」（五％）の導入が打ち出されたものの、総選挙で勝利が得られず挫折（大平）

消費税導入を実現させた竹下総理は、中曽根・大平の両総理のもとで大蔵大臣（現在の財務大臣）を務めました。その意味でも消費税の始まりは、一九七九年と見なすのが適切です。(17)

しかし本当の始まりは、さらに四年前の一九七五年。当時の日本は、一九七三年に生じた第一次石油危機によって、一九五〇年代後半から続いていた高度成長が終わり、戦後の繁栄もこれまでかと、衰退と没落の予感に怯えていました。

そんな中、「グループ一九八四年」を名乗る政治学者の集団が、『文藝春秋』一九七五年二月号に、「日本の自殺」という大論文を発表します。この論文、政財界を中心に大きな反響を呼び、翌年にはPHP研究所より単行本として刊行されました。

経団連の会長だった土光敏夫など、内容にいたく感心、論文のコピーを周囲に配ったうえ、『文藝春秋』の編集長にたいし、筆者（たち）に会いたいと紹介を頼んだとか。その後、一九八四年にはPHP文庫に収められ、二〇一二年にも文春新書より復刊されました。(18)

ならば、「日本の自殺」とはどんな論文だったのか？

簡単に言えば、「今や日本人は、政府や自治体にたいし、タダでサービス（わけても社会保障）を要求する自堕落な甘ったれになった。こんなことでは財政が危ないし、だいたい社会的活力が低下する。行き着く先は国家の自滅だ！」と警告したのです。堕落を引き起こしたとされる要因は以下の通り。

（1）戦後日本の支配的風潮だった平等志向
（2）それに起因する福祉国家志向

（3）高度成長で豊かになった結果、安楽な生活に慣れたこと

だったら日本再生は、「社会保障などのサービスはタダではない」という点を再認識させることから始まります。

コストを徴収するのですから、これは当然、増税につながる。けれども問題は、どの税を強化するか。

「日本の自殺」の論理によれば、戦後日本（人）の堕落をもたらしたのは平等志向。すなわち再生への活路は、エリート主義的な自由志向に見出されねばなりません。

よって累進性を持つ所得税の強化はアウト。だいたい当時、所得税の最高税率は七五％に達していました（現在は四五％）。これだけ高いと、いっそう引き上げるわけにもゆかないでしょう。

同様、高度成長が終わったあとの国の活路を見出そうとしているのですから、法人税の引き上げを主張するのも無理。

大型間接税の導入以外に手はありません。あらゆる層にまんべんなく課税されるので、国民の甘えを抑え込み、自立の精神を持たせるうえでも最適のはず。

そうです。

「日本の自殺」の論理に従うかぎり、**社会的格差の拡大をもたらすような税の導入こそ、道義的に正しいことであり、望ましい世直しだ**ということになるのです！

グループ一九八四年の学者たちは、戦後日本にたいして「エリートの反逆」を企てたのです。この出来事こそ、「社会保障の財源確保のために消費増税が必要」という主張が広まるきっかけとなったのでした。

間接税強化で自立心を！

一九七〇年代の日本は、政党や自治体が、福祉をはじめとする社会保障の拡大や無料化を競って進めたがるなど、平等志向が行きすぎた面がありました。この場合、「勝ち組」にあたる人々が割を食うことになりますので、放っておけば社会的活力はたしかに低下しかねません。

「エリートの反逆」が起きたのにも、相応の根拠というか、必然性があったのです。しかし困ったことに、グループ一九八四年の主張は『負け組』の人々が割を食うようにするのは、甘えを克服して自立心を持たせる効果を持つ点で、彼ら自身のためにもなる」という含みを持っていました。

税を取ることが、取られる側の人格的成長につながるのですから、政府にとって、こんな都合のいい理屈はありません。はたせるかな、同グループの学者たちは、そろって自民党のブレーンとなりました。

さてクイズです。彼らが最も活躍した内閣はどの内閣でしょう?

ピンポーン! 大平内閣と中曽根内閣です。消費税導入への道は、こうやって敷き詰められていったのです。

「日本の自殺」に感銘を受けた土光敏夫も、一九八〇年代初頭、「第二臨時行政調査会」(第二臨調)の会長に就任、今で言う「(構造)改革路線」のさきがけとなります。消費税実現に大きな役割を果たした経済学者の加藤寛も、第二臨調のメンバーでした。グループ一九八四年のメンバーではなかったものの、意見の合うブレーン同士として、交流があったのは間違いありません。

一九八〇年代末、竹下内閣のもとで実現した消費税は、「一九七五年に起きた『エリートの反逆』が、十五年近い歳月と、四人の総理を経て、政府の方針となったもの」だったのです。(19)

ところがこの十五年の間に、世界では大きな変化が起こります。新自由主義と呼ばれる理念がアメリカやイギリスで台頭、各国に広まったのです。

「日本の自殺」は、平等志向が過剰になっていた一九七〇年代の日本のあり方にたいする反逆を企てたものでした。社会が安定して発展するためには、自由と平等、双方の要素が必要ですから、この場合は自由志向を強化すべきだということになります。

ここまでは妥当な話。ところが一九九〇年代になると、新自由主義の影響もあって、今度は「自由志向をどんどん強めてゆくのが正しい」という風潮になりました。自由と平等の間でバランスを取ることが大事なのに、逆の方向へと過剰に行ってしまったのです。

自殺を逃れようとした果ての自殺

ならば「自由なら良いわけではない、平等の重要性を見直そう」という発想が出てこなければなりません。しかし十五年かけて形成された自由志向の流れを、修正することはできませんでした。

平成日本は、新自由主義とグローバリズムを旗印に、構造改革路線を突き進みます。これは消費税が強化されてゆく過程でもあったのですが、結果はどうだったか？

そうです。格差拡大と貧困化の進行です。「低迷を続けたあげくの衰退」こそ、平成日本のいつわらざる実情だったと評さねばなりません。

グループ一九八四年ふうに言えば、わが国は自殺を逃れようとして、別の形の自殺を選んでしまったのです。二〇一九年に行われた消費税の一〇％引き上げ、およびコロナ禍による経済への打撃が、この流れを促進することは確実。それどころか、コロナ対策による政府の歳出増加を埋め合わせるためとして、新たな税の導入までが主張される始末です。(20)

本来なら新税導入どころか、消費税のあり方を見直そうとする動きが高まらねばなりません。期間を限定するかどうかは別として、税率を八％、ひいては五％に引き下げるのです。しかるにそのような動きは、少なくとも現在のところ、なかなか高まりを見せない。

先に述べたとおり、この理由としてまず挙げられるのは、「現在の日本においては、政府債務が増加しようと財政破綻は起こりようがない」点が十分知られていないこと。戦後日本に顕著な政府不信が、財政均衡主義を強める点も見逃せません。(21)

大平総理が「一般消費税」導入をめざしたのも、財政均衡にこだわったせいでした。政府は一九七五年、景気対策のため赤字国債の本格的な発行に踏み切りましたが、大蔵大臣だった大平さんはこれに危機感を抱いたのです。

財政破綻のリスクがなくとも、政府債務が増加すればインフレが起こりやすくなるので、この危機感にも全く根拠がないとは言えません。現に第一次石油危機の前後には、「狂乱物価」と呼ばれるインフレが生じています。その再燃を恐れた可能性はあるでしょう。

ただし大平内閣が誕生した一九七八年末には、財政赤字の拡大とは裏腹に、インフレは落ち着いていました。消費税が導入された一九八〇年代後半など、国の基礎的財政収支、プライマリーバランスも黒字。一九九一年～一九九三年にいたっては、赤字国債すら発行されていないのです。(22)

財政破綻への不安、ないし財政均衡主義だけで、すべてを説明することはできません。となると「間接税の強化は、国民の甘えを抑え、自立心を持たせる点で道義的にも正しい」という、あの発想が影響力を保っていると考えねばならない。

二〇二〇年、安倍晋三の退陣を受けて総理になった菅義偉は、「自助・共助・公助」をモットーとする人物でした。まずは自分で努力し、次に周囲で助け合い、それでもダメなときにやっと政治が動くという次第。

ずばり「甘えていないで自立しろ」ではありませんか。安全保障についてアメリカに依存している国の指導者が言うのですから、何ともご立派な話ながら、これでは自立をめざしたつもりで衰退の深みにズブズブはまり、ついには自滅するのがオチ。

日本再生のために必要なのは、消費増税をストイックに耐えることではありません。この税がいかなる歴史的背景のもとに導入され、強化されていったかを振り返り、「社会の安定のための自由と平等のバランス」について、認識を新たにすることです。

これがなされないかぎり、税率をいくら引き上げようと、物事は決して良くならない！　そう断言しておきましょう。

3　義務教育の「義務」とは何か

わが国の義務教育が揺らいでいます。

学校に行かない、ないし行きたくない子どもが増えているのです。

文部科学省の推定によれば、不登校、すなわち年間に三十日以上学校を欠席する中学生の数は、全国で約一一万人（二〇一七年度）。

ところが、これは氷山の一角にすぎない模様。

二〇一八年十二月、日本財団が発表した調査結果によれば、これ以外に「不登校傾向」にある生徒が、全国で約三三万人いると推定されるのです。(23)

三三万人といえば、全中学生（約三二五万人）の一〇％にあたる数字。

これに不登校まで加えると、比率は一三・三％となります。

中学生の七人から八人に一人は、不登校か、その傾向があるのです！

ならば「不登校傾向」とはいかなるものか？

財団による定義は以下の通り。

（1）不登校二型　一週間以上、連続して学校に行かないことがある生徒。

（2）教室外登校　学校には行くものの、校門、保健室、校長室、図書室などにいて教室に行かない状態が、月二〜三回以上か、連続一週間以上生じる生徒。

（3）部分登校　基本的には教室にいるものの、給食だけが目的とか、遅刻・早退が多かったり（一ヶ月に五日以上）、一日に何度も保健室に行ったりするなどして、あまり授業に参加しない生徒。

（4）仮面登校A　基本的には教室にいるものの、他の生徒とは違うことをしていて授業に参加しない状態が、月二〜三回以上か、連続一週間以上生じる生徒。
（5）仮面登校B　基本的には教室にいるし、とりあえず授業に参加もしているが、学校がつらい、学校がイヤだ、学校に通いたくないと内心で感じている生徒。

不登校の原因をさぐる

とはいえ、どうしてこれほど多くの中学生が、学校に行きたがらないのか。

まず注目されるのは、一三・三％という不登校（不登校傾向も含む）の数字が、子どもの貧困率とほぼ同じこと。

こちらは二〇一八年で一三・五％です。(24)

案の定、不登校と貧困には関連性が見出せる。

日本財団の調査によれば、親が就学援助費を受給している者の比率は、普通に登校する生徒では八％ですが、不登校の生徒では二九・三％。

不登校傾向の生徒でも、不登校二型は一九・九％ですし、一番低い仮面登校Bですら一五・二％と、二倍近い数字になっています。

親が生活保護を受けている者の比率は、普通に登校する生徒だと〇・四％なのにたいし、不登校の生徒では七・五％。

不登校二型では六・七％、教室外登校・部分登校・仮面登校Aで二・八％となっていました。(25)

両方に当てはまる家庭もあると思いますので、単純に数字を足すわけにはゆかないものの、不登校（傾向）の生徒に貧しい家庭の子が多いのは明らかでしょう。

しかし、もっと注目すべきはここから。

不登校（傾向）の生徒に見られる最大の特徴は、貧困ではないのです。

親に離婚歴がある者の比率は、不登校の生徒で三九・四％。以下、不登校二型で三一・三％、教室外登校・部分登校・仮面登校Aで二六・六％、仮面登校Bで一五・六％となります。

親自身が不登校だった者の比率は、不登校の生徒で三四・三％、不登校二型で二四・一％、教室外登校・部分登校・仮面登校Aで一九・六％、仮面登校Bでも六・四％。

普通に登校する生徒の場合、親に離婚歴のある者は一三・三％、親自身が不登校だった者は四・五％でした。

してみると、親が家庭をうまく築けなかったり、学校にたいして否定的な態度を取ったりすることのほうが、不登校の原因としては大きいことに。

さらに学校に行きたくない理由の上位三つは次の通り。

不登校の生徒
一位　朝、起きられない
二位　疲れる
三位　学校に行こうとすると、体調が悪くなる

不登校二型の生徒
一位　疲れる
二位　朝、起きられない
三位　自分でもよくわからない

教室外登校・部分登校・仮面登校Aの生徒
一位　疲れる
二位　朝、起きられない
三位　授業がよくわからない・ついていけない

仮面登校Bの生徒

一位　疲れる
二位　朝、起きられない
三位　学校に行く意味がわからない

この結果は何を示しているのか？

「学校疲れ」はなぜ起きたか

そうです。

中学生たちは、勉強がイヤだとか、いじめられるとかいった理由で学校に行かなくなるというより、身体が学校を拒否している状態にあると評さねばなりません。

学校に行こうとしただけで疲れてしまう感じですね。

「自分でもよくわからない」「学校に行く意味がわからない」「授業がよくわからない・ついていけない」といった答えにも、精神的な疲労感がうかがわれる。

三つすべてに「わからない」というフレーズが出てきますが、分からないことを無理に考えようとすれば、頭が疲れるのは自明の理。

不登校（傾向）の子どもは、学校に関連したことで、頭や身体を使うのがおっくうなのです。

とはいえ、どうしてそんな学校がおっくうなのか?

ここで想起されるべきは、物事にたいして取り組むだけの価値を見出せず、「いくらやってもムダ」と失望したとき、人は疲れをおぼえて、おっくうになること。(26)

子どもたちは学校に失望したあげく、わざわざ行くだけの価値を見出すことができずにいるのではないでしょうか。

となれば、必然的に登校するのがおっくうになる。

不登校(傾向)が増えて当たり前です。


さしずめ「学校疲れ」ですが、義務教育の本質を考えるとき、これは必然の帰結にすぎません。

日本国憲法の第二十六条二項には、

「すべて国民は、法律の定めるところにより、その保護する子女に普通教育を受けさせる義務を負う。義務教育は、これを無償とする」

と記されています。

しかしこの「義務」、いったい誰、あるいは何にたいする義務でしょうか?

個々の国民が「その保護する子女」、つまり子どもにたいして義務を負っているとは考えられません。

第二十六条二項は、国民が「その保護する子女に普通教育を受けさせる義務」を負うと述べているのであって、「普通教育を受けさせる義務」を当の子女に負うと述べてはいないからです。

ついでにこの条文は、憲法の第三章「国民の権利及び義務」(第十条〜第四十条)の一項目。他の項目では、請願権、思想・良心の自由、学問の自由、勤労の権利義務、財産権、裁判を受ける権利などが定められています。

これらの権利や義務が、国家にたいするものなのは明らかでしょう。

すなわち義務教育の「義務」も、国家にたいするもの。国の発展・繁栄のために、子女を勉強させ、能力を伸ばす義務を、国民は国家にたいして負っているのです。

戦前の日本で、教育の理想や目的を天皇が謳った「教育勅語」があったのも納得のゆくところ。しかるに戦後のわが国は、国家への強い不信を特徴とする、独自の平和主義のうえに成り立っています。

勉強は国の発展や繁栄のために果たすべき義務だ、などという発想が受け入れられるはずはありません。

それでも一九七〇年代ぐらいまでは、勉強は豊かになるための効率的な手段だと構えることで、この点をカバーできました。

家庭が貧しくても、学校に行って頑張れば、いい大学や会社に入って出世できるというアレです。

しかし今や、学校の成績が親の所得によって大きく左右されるのは常識。

学校に行く意味が分からなくて当たり前ではないでしょうか？


また教育勅語に「父母に孝に、兄弟に友に、夫婦相和し」の一節があるとおり、「国の発展・繁栄のために勉強して優秀にならねばならない」という発想は、「国の発展・繁栄のために家庭円満を心がけねばならない」という発想と重なり合う。

家庭は社会の基本的な単位である以上、いくら勉強して個人レベルで優秀になっても、家庭が崩壊状態というのでは、社会は安定せず、国の発展・繁栄もありえません。

だからこそ昔から「修身整家治国平天下」なる表現があるのです。

天下を取るには、まず自分が立派な行いをできるようになり（修身）、次に家庭を整え（整家）、続いて国家の経世済民を達成する（治国）という手順を踏まねばならないという意味。

ところが戦後日本型の平和主義は、「家」についても、封建的・抑圧的だという理由で否定してしまいました。

親に離婚歴や不登校の過去がある生徒が、不登校（傾向）になりやすいのも、こう考えればよく分かる。

離婚は「整家」の否定ですし、不登校の過去は「(学校を通じた)修身」の否定ではありませんか。学校に行こうなんて気になるわけがない！

「勉強は豊かになるための手段」という発想を崩壊させたのは、新自由主義的な構造改革によって引き起こされた、社会全体の貧困化と格差の拡大。

片や新自由主義は、経済にたいする政府（つまり国家）の関与を否定したがる点で、平和主義と相性が良い。

平和主義は教育崩壊への道、そう評さねばならないでしょう。

外国人と義務教育

わが国の義務教育が直面している問題は、これだけではありません。

グローバル化の進展により、現在の日本には、少なからぬ数の外国人が居住しているのです。(27)

日本財団の調査でも、不登校の生徒のうち、親が外国籍（元外国籍を含む）の子はすでに五％。自分自身が外国籍という子は五・一％、日本語を母国語としない子も三・六％に達しています。

しかも入管法の改正により、二〇一九年からは外国人労働力の受け入れがいっそう本格化する。

これら労働力の中で、「特定技能二号」に認定された人は、家族を呼ぶこともできるし、永住を含めた長期滞在も認められます。

早い話が移民。

自民党は二〇〇八年の時点で、向こう五十年以内に移民を一千万人受け入れる「移民一千万人計画」を検討していましたが、この計画、みごとに実現するのではないでしょうか。(28)

移民が増えれば、就学年齢にあたる外国人の子どもも増える。

しっかり対応してゆかねばならないものの、現状はかなりお寒い。

二〇二〇年三月、文部科学省は「外国人の子供の就学状況等調査結果(確定値)」を発表しました。(29)

全国規模の調査としては初めてで、二〇一九年の五月〜六月、各市町村（特別区を含む）の教育委員会を通じて行われたそうですが、該当する子ども約一二万四千人のうち、一八%にあたる約二万二千人が、不就学か、学校に通っているかどうか確認できない「就学不明」状態にあったのです！(30)

ここで挙げられた子どもの数は、各自治体の住民基本台帳に登録されているもの。

登録されていなければ、そもそもカウントされませんから、実数はさらに多いかも知れません。

自治体によっては、基本台帳に登録されていない子どもでも、学校に在籍していれば「就学」としてカウントする場合があるとのことですが、登録されておらず、かつ就学していない子どもについて、ちゃんとカウントできているはずはないのです。

不就学、ないし就学不明の子どもにたいして、就学状況を把握したり、就学を促進したりするため、どのような取り組みをおこなっているかという質問にたいしても、「とくに実施していない」という回答が六五・四%にのぼりました。

どうしてこうなるのか?

二〇一九年九月、調査結果の速報値が発表された段階で、毎日新聞は次のように指摘しています。

日本は義務教育なのに、「就学不明」が二万人以上にのぼるのはなぜか。日本では、憲法二十六条で国民に対し、子供に小中学校の教育を受けさせることを義務づけている。このため、長期欠席の子供は「不登校」となり、安否を確認できないと、「居所不明児」として、教育委員会の調査対象になる。これに対し、外国籍の保護者は「国民」ではなく、子供を小中学校に通わせる義務から外れている。そのため、外国籍の子供たちへの対応は自治体にゆだねられ、安否が確認されず、放置されるケースがあるようだ。(31)

説得力のある指摘です。

というのも毎日新聞、二〇一八年の九月~十一月にかけて、義務教育を受ける年齢の外国籍の子どもが多い自治体(上位百ヶ所)を対象として、同趣旨のアンケート調査を行っているのですよ。(32)

結果は約一万六千人が就学不明というもの。

外国籍の子どもが多いところにしぼった調査なのを思えば、「全国で二万二千人が就学不明」とする文部科学省の調査結果とも符合しますが、注目すべきは自治体によって、把握のレベルがまるで違うこと。


就学年齢にあたる外国籍の子どもの数が、全国で最も多いのは横浜市。

約四八〇〇人ですが、就学不明の子どもはその三割、約一四〇〇人にのぼりました。

二位の大阪市でも、同じく三割の一三〇七人。

東京都江戸川区にいたっては、半数の一〇三〇人が不明となっています。

逆に五位の静岡県浜松市は、該当する児童が二〇三四人いるにもかかわらず、就学不明の子どもは二人。

六位の埼玉県川口市でも、一六八〇人の児童のうち、就学不明は六人です。

ほぼ完璧に調べてある。


対応が委ねられており、調査する気がなければ調査しなくてもいいから、これだけの差が出てしまうのです。

事実、就学状況を把握していない自治体の多くは、理由について「外国籍の場合、日本人と違い子どもを小中学校に通わせる義務がないため確認していない」と説明している。

外国人の子どもの就学に関する文科省のスタンスにしても、

〈行く義務はないが、国際人権規約に「教育を受ける権利」が定められているので、本人が希望すれば来てもいい〉

という主旨のものになっています。(33)

政府の巨大な現実逃避

わが国に定住、さらには永住する外国人の数が、今後も増えてゆくであろうことを思えば、由々しき事態と評さねばなりません。

当の状況のもと、「日本」という国のアイデンティティを維持しようと思えば、そのような外国人の子女、つまり移民の子どもにたいし、教育を通じて国民としての意識を持たせる必要がある。

移民によってつくられた国であるアメリカでは、星条旗に向かって忠誠を誓う「プレッジ・オブ・アリージャンス」という儀礼が、学校でもよく行われます。

旗に顔を向けて立ち、左胸(=心臓)の上に右手を置いて、国旗と国家への忠誠を宣言するのですが、これに類することをやらねばならないのです。

ところが戦後のわが国では、例の平和主義のせいで、「国家への忠誠」という概念自体が危険なものと見なされている。

義務教育の「義務」とは国家にたいするものという点すら、ちゃんと認識されていないのが実情ではありませんか。

日本人の子どもにすら「国民」としての意識を持たせようとしていない。

移民の子どもに日本への忠誠を誓わせるなど、文科省には思いもよらないでしょう。

それどころか政府は、入管法改正によって入ってくる外国人について、移民ではないという姿勢を取り続けている。

永住を含めた長期滞在が可能になるにもかかわらず、です。

「通常の居住地以外の国に移動し、少なくとも十二ヶ月間当該国に居住する者」というのが、移民に関する国際的な定義。

外国人労働力は、これをきっちり満たします。

なのになぜ、移民ではないと言い張るのか？

本当のことを認めると都合が悪いから、無理やり移民ではないことにしている、そう受け取られても抗弁できた義理ではありません。

「移民」が入ってくるわけではないとすれば、「移民流入に伴う問題」も起こるはずがない。

よって、それらの問題に対処する必要もないという理屈になります。

現実から目をそむけたまま、国家解体への道を歩む次第。

ちなみに現在では、コロナ禍の影響もあって、新しいタイプの不登校生徒が増えているとのこと。冒頭で紹介した日本財団の調査では、学校に行きたくない理由として「学校に行く意味がわからない」という答えがありましたが、一歩進んで「学校には行く必要がないから行かない」と考えるにいたったらしい。

精神科医の山下悠毅は、理由を次のように推測します。

緊急事態宣言の発令で学校が急に休みとなり、登校が再開したかと思えば、異なるクラスや学年の感染により再び休校となる。しかし、家族や友人が誰もが健康であり、「コロナはただの風邪」なんて話す大人までいる。その結果、一部の子どもは、「学校は休んでも問題はないのでは」と疑い始めているのです。(34)

けれども本論で述べたとおり、国家不信の傾向が強い戦後日本においては、義務教育という概念がそもそも意味をなさない。

山下医師も、引用した箇所に続けて「義務教育という、ある種の洗脳が解けてしまった」とコメントしますが、コロナが到来するまでもなく、くだんの洗脳はとうに形骸化し、効力を失っていたのです。

緊急事態宣言による休校など、きっかけにすぎません。

戦後日本の平和主義の本質が「国家への不信」であることを認識し、そこから脱却しないかぎり、この流れは止められないでしょう。
国家百年の計たる教育、とくに義務教育が揺らいでいるのは、国そのものが揺らいでいる兆しなのです。

4　児童虐待の運命的構造

ジョン・F・ケネディの名言に、こんなものがあります。

To have a child is to give hostage to fate.

（子どもを持つとは、運命に人質を与えるということだ）

じつはこれ、イギリスの哲学者フランシス・ベーコンの言葉「妻子を持つ者は、運命に人質を与えたことになる」（He that hath wife and children hath given hostages to fortune）を踏まえたものである可能性が高いのですが、ここではケネディにならって、子どもに焦点を当てましょう。

子どもは未来に生きる。

けれども未来のあり方は、現在の世代の努力によってある程度はコントロールできるとはいえ、最終的には運命に任せるしかないもの。

『君主論』で知られるニコロ・マキャベリも、国家の命運について論じる際、「ヴィルトゥ（徳、および徳に裏打ちされた人間的力量）」と並んで、「フォルトゥナ（運命）」の概念を重視しました。

フォルトゥナは人間の力を超えており、最終的には打ち勝つことのできないものですが、それにできるかぎり立ち向かうとすることに、人間の自由と尊厳がある。

その際、必要とされる力量がヴィルトゥ。

君主たるもの、国民が幸せに生きられるよう、ヴィルトゥを持って運命に挑まねばなりません。

同様、子どもを持つ者は誰であれ、「この子が幸せに生きられるかどうかは、最終的には運命次第だ」という真実を受け入れざるをえない。

ケネディはこれをとらえて「運命に人質を与える」と述べたのですが、子どもが幸せに生きられるよう、運命にできるかぎり立ち向かわなければ、親である資格はないのです。

裏を返せば、いかなる親も、自分がヴィルトゥをどれくらい持ち合わせているのか、子どもからつねに問われていることになるでしょう。

政府の虐待対策は適切か

二〇一九年一月二十四日、千葉県野田市の小学生・栗原心愛（みあ）さんが、父親の虐待で亡くなる事件が起きました。

事件は大きな社会的反響を呼び、児童虐待の問題が関心を集めます。

児童相談所や教育委員会の対応が不適切だったこともあって、二月八日には政府が関係閣僚会議を開くにいたりました。

安倍総理は会議の席で、以下のように発言。

> 子供たちを守る砦となるべき、学校、教育委員会、児童相談所や周りの大人たちが、心愛さんの悲痛なSOSの声を受け止めてあげることができなかった、幼い命を守れなかったことは悔やんでも悔やみきれない思いです。
>
> 痛ましい虐待事件を繰り返してはならない。(中略)子どもの命を守ることを最優先に、あらゆる手段を尽くし、やれることは全てやるという強い決意で、児童虐待の根絶に向けて、引き続き検討し、総力を挙げて取り組んでください。(35)

こうして、以下の対策が打ち出されます。

・児童相談所が在宅で指導しているすべての虐待事案に関し、一ヶ月以内に子どもの安全を確認する。

・全国の公立小中学校と教育委員会は、虐待が疑われる事案について、やはり一か月かけて点検する。保護者が虐待を認めなかったり、転居を繰り返して関係機関との関わりを避けたりするときは、ためらうことなく一時保護や立ち入り調査を行う。

さらに虐待(の疑い)をめぐる通報や、虐待関連の資料については「通告元は一切明かさない、資料は一切見せない」というルールをつくるとのこと。

保護者が威圧的な要求などを行う場合には、学校や教委が児相や警察と連携して対処することもルール化するそうです。

十歳の少女が、虐待を受けた果てに死んでしまうというのは、何とも痛ましい話。

しかも、わが国での児童虐待件数(全国児童相談所における虐待相談対応件数)は、二〇一二年度から二〇一九年度にいたる八年間で、六万七千件から十九万四千件へと、三倍近くになっています。(36)

統計を取り始めた一九九〇年度から、ひたすら増加の一途。

安倍総理ならずとも、あらゆる手段を尽くして根絶する！　と言いたくなるところでしょう。

ただし感情論で政策を決めていいかどうかは別の話。

ここで打ち出された対策は、重大な問題をはらんでいるのです。

密告を正当化することの危険性

政府の方針は、虐待（の疑い）をめぐる通告について、出所を一切明かさず、資料も一切見せないと定めている。

おまけに保護者が威圧的に振る舞う場合には、児童相談所だけでなく、警察とも連携して対処するらしい。

出所が明かされない通告とは、要するに密告です。

すなわちこの方針、

「虐待（の疑い）について密告があったら最後、根拠を何ら明かさず、子どもを保護者から引き離してよい。保護者が強く抗議したら、警察を使って実力で追い払う」

ということになる。

気にくわない相手にたいする攻撃手段として、「あの家では子どもを虐待しているのではないか」と密告する人々が続出しても不思議ではない。

アメリカでは離婚が泥沼化したときなど、「あの夫（または妻）は子どもを虐待していた！」と主張して、自分の立場を有利にしようと画策することが、当たり前に行われているのですぞ。

海外の例など持ち出すまでもない。

警察庁の生活安全局少年課が二〇二一年三月に発表した報告書「令和2年における少年非行、児童虐待及び子供の性被害の状況」によれば、二〇二〇年、「心理的虐待を受けているのではないか」との通告があった児童の数（通告児童数）は七万八三八五人。

データの存在する二〇〇六年より、一貫して増えています。(37)

ならば「心理的虐待をした」という理由で検挙された件数はどうか。

基本的には増加傾向ですが、前年より減ったことも三回ある。

二〇一四年（一一人、前年比五人減）、二〇一八年（三五人、同九人減）、二〇二〇年（四六人、同四人減）です。

これらの年の通告児童数はと言うと、二〇一四年が一万七一五八人（前年比四八一四人増）、二〇一八年が五万七四三四人（同一万九九五人増）。

二〇二〇年の数字は、すでに述べたとおり七万八千人あまりですが、これも前年比七六六四人増です。(38)

検挙件数が通告児童数に比べて圧倒的に少ないのは、心理的虐待ではなかなか検挙にいたらないということもあるでしょう。

けれども通告児童数が一貫して増えているのに、検挙件数は目立って減少することもあるとなると、それだけではすまされない。

空振りの通告も増えているに違いありません。

当の空振り通告が、善意にもとづく勘違いばかりだったと考えるのは、いかんせん人が好すぎるのではないでしょうか？

「虐待の疑いをめぐる通告に関しては、通告元を開示する前に、それによって通告者に危害が及ぶ恐れがないかどうか検討し、場合によっては非開示とする。虐待の関連資料の扱いについても同様である。ただし非開示の通告、および資料については、内容が正確であるかどうか、ことさら入念に精査しなければならない」

少なくとも、この程度には慎重な姿勢を取るべきだと思われます。

「愛情による人心掌握」への道

いっそう問題なのが、保護者が虐待を認めなかったり、転居を繰り返して関係機関との関わりを避けたりするときは、ためらうことなく一時保護や立ち入り調査を行うという方針。

これは憲法に違反する恐れが強い。

日本国憲法の第二十二条には、居住の自由や移転の自由が定められていますし、第三十五条には、国民は誰であれ、正当な理由に基づく令状がないかぎり、その住居について侵入や捜索を受けない権利を持つと記されているのです。

児童虐待根絶のためなら密告も正当化されるし、根拠を示すことなく住居に立ち入り、子どもを親から引き離していい、この発想は正しいか？

そこまで強硬にやらなければ救えない命もあるでしょう。

ただし国民の自由や権利をここまで無視して構わないとなると、深刻な問題が生じます。

通告元を明かす必要がなく、資料も見せなくてよいというのであれば、本当に通告があったかどうかも分からない。

捏造も容易なはずではありませんか。

権威主義国や全体主義国の政府は、まさにこの手を使って、自分たちに反対する人々を抑圧してきました。

家族、とりわけ子どもを人質に取ってしまうことで、相手を屈服させ、従わせる次第。

旧ソ連ではこれを「愛情による人心掌握」と呼んだそうです。

政府関係者が、栗原心愛さんの事件を政治的に利用したがっているとは思いませんよ。

主観的には児童虐待を根絶したい一心なのでしょう。

しかし、いくら正義感に基づいた行動であろうと、悪用されるリスクが十分に想定されるルールを、その点についてロクに考慮することなく決めてしまうのは、政治のあり方として賢いとは言えない。早い話がヴィルトゥ不足。

社会には正義が必要なものの、正義感に酔ってしまうとロクなことがないのです。

児童虐待は可能なかぎり阻止すべきですが、それは国民の自由をできるだけ保障する形でなされなければならない。

行政が強硬な対応に出るまでもなく、そもそも虐待が起きないというのが、一番いいに決まっているんですからね。

そのためにはどうすべきか。

児童福祉司をめぐる不都合な真実

すでに二〇一八年、政府は児童福祉司の数を、二〇二二年度までに二千人あまり増員する方針を決めています。

二〇一七年度の人数は全国で三二四〇人ですから、これを約五二六〇人にするという話。(39)

しかしこれも、以下の理由で十分ではありません。

三千二百人が五千二百人になったところで、増加率は五年で六〇%。

ひきかえ厚労省の調査によると、全国児童相談所における虐待相談対応件数は、八年で約三倍、つまり二〇〇%増!

東京など、二〇〇九年から二〇一九年までの十年間で六倍以上に増えています。(40)

児童福祉司一人あたりの負担が軽減されることはなく、子どもにたいするきめ細かいフォローはできません。

ついでに政府が増やすと決めれば、現実に増えるほど話は甘くない。

東京都の児童福祉司は、二〇一八年度の段階で二四四人と、国の配置基準より九八人も少なかったのです。(41)

こんなありさまでは、いくら「人数を増やせ!」と叫んで基準を引き上げようと、担い手不足が深刻になるばかりで、掛け声倒れに終わるのは目に見えている。

おまけに頭数さえそろえればよいわけではない。

児童福祉司は地方公務員なので、別部署への異動も多いし、ストレスに耐えかねて退職する人もいる。

厚労省のデータを見ても、二〇一八年四月時点で、勤務年数が五年以上の児童福祉司は全体の約四〇%、十年以上となると約一六%しかいません。(42)

この仕事は経験の積み重ねが重要で、「五〜十年の経験を積んでようやく一人前」とも言われるにもかかわらず、です。(43)

要約すれば、こういう話。

(1) 児童福祉司の数が、政府の方針通りに増える可能性は低い。

(2) 数が増えたとしても、児童虐待件数の増加にはとうてい追いつかないし、半人前の福祉司が多くなるだけ。

「あらゆる手段を尽くし、やれることは全てやる」と大言壮語するのは簡単ですが、手段も乏しければ、やれることも少ないのが実情であります。

しかも児童虐待の最善の解決法は、虐待が起きないようにすること。福祉司を増やすというのは、虐待の発生自体は防げないことを前提にしており、後手に回った発想にすぎません。

国連の「子供の権利委員会」も、二〇一九年二月七日、政府にたいして児童虐待への対応強化を勧告しました。

同委員会のサンドバルグ委員は、栗原心愛さんの虐待死について、「起きてはならない残念な事件だった。誰か大人が反応すべきだった」と述べたそうですが、くだんの勧告にしても、虐待の実態調査や、子どもが被害を訴えやすいシステムの構築、加害者への厳格な刑事責任追及など、対症療法的な提言にとどまっています。(44)

大人は社会に虐待されている

ならば、より抜本的な解決策はないか？

あります。

積極財政によってデフレ不況から脱却すること。

そのためには、緊縮財政の根拠となっている財政均衡主義を否定しなければなりません。

「何だって？　経済政策が、虐待防止とどう関係しているんだ!?」

こう言いたくなった方は、冒頭で紹介したジョン・F・ケネディの言葉をめぐる話を思い出して下さい。

To have a child is to give hostage to fate.

（子どもを持つとは、運命に人質を与えるということだ）

運命は人間の力を超えたもの。

だとしても、運命にできるかぎり立ち向かうことにこそ、人間の自由や尊厳があります。

ニコロ・マキャベリは、そのために必要とされる力量を「ヴィルトゥ（徳、および徳に裏打ちされた人間的力量）」と呼びました。


言い換えれば「運命の人質」たる子どもは、親（保護者）をはじめとする大人にたいして、どれくらいヴィルトゥを持っているか、たえず問いかける存在。

しかるに過去三十年間、わが国のたどった運命は、低迷と衰退、そして全体的な貧困化！

「自分のヴィルトゥのなさを、子どもが暗黙のうちに非難している」と、後ろめたさを感じる人が増えて当然ではありませんか。

国家規模で低迷と衰退が進んでいるのですから、現在の親は一世代前と比べて、子どもにいろいろしてやれずにいる人が大半のはず。

収入が減ったり、あげくは失業したりして、生活が困窮していればなおさらです。


厚生労働省が児童虐待の統計を取り始めた一九九〇年が、バブル経済の崩壊した年にあたるのは、その点で象徴的。

しかも近年の日本では、「貧しくなるのは本人の努力不足」「負け組になるのは自己責任」といった、新自由主義的発想が幅を利かせています。

努力不足も自己責任も、要は「十分なヴィルトゥがない」ということですから、後ろめたさはいっそうつのることになるでしょう。

関連して紹介したいのが、児童虐待についての著書もあるルポライター・杉山春さんの発言。栗原心愛さんの虐待死事件と関連して、杉山さんはこう述べています。

日本の社会は特に男性たちに対して、存在を否定するようなマイナスの突き上げが強く、DVも虐待も顕在化しています。恥や屈辱といった感情を抑え込めず、自分の正しさを証明しようとすることで、暴力をふるい、困窮をし、転居、転職、転校を繰り返すようなケースは今後さらに増えるのではないでしょうか。このままでは子どもなど家族の中でも一番弱いところに被害が出てしまうと危惧しています。これらの事件は社会の縮図のように感じます。(45)

貧困化と並び、わが国ではブラック企業も台頭して久しい。

少なからぬ大人が、安い報酬でこき使われるという形で、社会から虐待されているのです。「お前なんか負け組のカスだ」とばかり、マイナスの突き上げを日々くらっている。

そんな男性が、ヴィルトゥ不足の意識に苦しんだあげく、配偶者や子どもに八つ当たりすることで、どうにか溜飲を下げようとする振る舞いこそ、DVや児童虐待だという次第。

警察庁のデータを見ても、児童虐待をするのはまずもって男性です。

二〇二〇年に虐待で検挙された者二一八二名のうち、実父は九九五名にのぼったのにたいし、実母は五八八名でした。

比率にすれば、六三％対三七％。

これに養父母、継父・継母、内縁の父母なども加えると、男性検挙者の総数は一五五八名に達する一方、女性検挙者の総数は六二四名にとどまります。

なんと七一％対二九％！(46)

心愛さんの父親である栗原勇一郎容疑者も、逮捕後「親としてのしつけで、悪いことをしたとは思っていない」なる旨を供述しました。

ヴィルトゥには「徳」という意味もありますから、娘が死んでなお、自分のヴィルトゥを強調しているのです。

杉山さんの表現にならえば、勇一郎容疑者の中には、よほど強い「恥や屈辱の感情」がひそんでいるのではないでしょうか。

平和主義は子殺しへの道

となると児童虐待にたいする本質的な対策は、「大人（とりわけ男性）が誇りを持って生きられるようにする」ということになります。

自分に誇りが持てなければ、どうしても子どもからヴィルトゥ不足を非難されているように感じてしまう。

しかも「運命の人質」である以上、子どもはある意味、運命の側に立つ存在。

——こいつは運命の手先になって、オレを苦しめようとしているんだ！

そこまで思い詰めたとき、虐待が始まるのです。

虐待に走る親にとり、子どもを痛めつけることは、自分を苦しめる運命にたいするせめてもの反撃だと言わねばなりません。

これぞ、児童虐待の運命的構造。

児童福祉司を増やしたり、立ち入り調査や一時保護をやりやすくしたりするぐらいのことで、この構造が解消されるはずはありません。

必要なのは、大人の男性にたいするマイナスの突き上げをなくし、運命に立ち向かう自信を持たせること。

だからこそ、積極財政によるデフレ不況からの脱却が求められるのです。

それは衰退・没落という運命に立ち向かうヴィルトゥを、日本の大人が持っていると示す意味合いを持つ。

景気回復によって貧困化にブレーキがかかれば、個々の親にしても自己肯定感が強まります。

誇りを持って生きられるはずなのですが、ここで障害となるのが戦後日本の平和主義。


わが国の平和主義は、戦争をする能力を政府から取り去ることにこだわるあまり、国債の発行を原則として禁じる、厳格な財政均衡主義の立場を取っています。

戦争の際には、どんな政府も国債を発行することで戦費を調達しますから、財政均衡主義の縛りをかけておけば、戦争遂行が財政的に不可能となる。


けれども財政均衡主義のもとで、政府が負債を抱え込んだら最後、行き着く先は緊縮財政と増税。

現在のデフレ不況は、その意味で平和主義の産物にほかなりません。

そして児童虐待の深刻化も、デフレ不況と関連しているのですから、平和主義は子殺しへの道でもあるのです！


ついでに財政均衡主義のもとでは、政府の負債は次の世代へのツケと見なされる。

いわゆる「国の借金」というヤツです。


借金を背負わせるのは、褒められた話ではない。

ならばわれわれは、世代が交代する前に、政府の負債をなくしておく道義的な責任を負っていることになります。

しかしこれには、二つの方法があるんですね。

（1）緊縮財政や増税に徹し、それによって生じる経済の冷え込み、つまり貧困化に耐える。

（2）引き継ぐ者のいない負債は消滅するので、次の世代が存在しないようにする。

お分かりでしょうか。

後者の方法を選んだ場合、子どもを虐待して殺すことこそ、子どもにたいする道義的な責任を果たすことになるのです！

栗原勇一郎容疑者が、娘を死なせたことについて悪いと思っていないのも、納得のゆく話ではありませんか。

だいたい新自由主義的な発想に従えば、虐待されるのは子どもの努力不足で、死ぬのも自己責任という話にだってなりかねない。

その意味で児童虐待は「家庭内新自由主義」とも規定できます。

ところが新自由主義は、政府の役割をできるだけ小さくしようとする点で、戦後平和主義と相性が良いとくる。

平和主義やめますか？
それとも、子どもを殺しますか？

われわれが直面しているのは、そのような究極の選択だと言っても過言ではありません。
日本はまさに存亡のかかった正念場を迎えているのです。

5　嘘と夢のはざまで

「私は嘘は申しません」とは池田勇人総理が、一九六〇年十一月の総選挙に際し、自民党のテレビコマーシャルで語った名台詞。(47)
同年前半、わが国では日米安保条約の改定をめぐって激しい反対運動が巻き起こり、岸信介内閣が退陣に追い込まれましたが、自民党はこの選挙に大勝利を収めます。

他方、池田総理とくれば、国民の所得水準を十年間で二倍以上にするという「所得倍増計画」を提唱した人物。

目標はみごと達成され、わが国は経済大国への道を歩みます。

まさしく「私は嘘は申しません」だった次第。


ひきかえ現在、日本は長期にわたるデフレ不況に苦しんでいる。

所得倍増どころか、多くの人々の所得がズルズルと減少する始末。(48)

なのに政府は、あいかわらず「経済再生」だの「日本復活」だのを唱えている。


政治家、とくに国の指導者が嘘をついているのではないか？

そんな疑念が生まれるのは必然のなりゆきでしょう。

けれども二〇一〇年代は、安倍晋三総理が憲政史上最長の在任期間を記録した時代でもある。

多くの国民から長期にわたって支持されたのです。(49)


これをどう理解すればいいのか。

たとえば藤井聡は次のように主張します。


　今、我が国を含めた多くの国家リーダー達が、「狡猾」とはかけ離れたかたちで単に現実から否認し逃避するために様々な「ウソ」を積み重ね、それを通して自滅への道をまっしぐらに進みつつあるのだ。そして恐るべきことに安倍・トランプがそうであるように、彼らはその「ウソ」にも拘わらず大きな国民的支持を得ている。つまり国家リーダーのみならず、各国の平均的国民が、束の間の「気持ちよさ」を求めるかのように、現実を否認し逃避する道を選び始めている。(50)

このような状態を、私は「爽快」と規定します。よって引用箇所の最後は「国家リーダーのみならず、各国の平均的国民が、どんどん爽快になりつつある」と言い直すこともできる。(51)

厄介なことに、「嘘は良くない」「現実を直視せよ」などと主張するだけでは、爽快は解消されません。藤井の文章からも、これはハッキリ読み取れます。

ポイントを列挙しておきましょう。

(1)安倍総理やトランプは「『狡猾』とはかけ離れたかたちで単に現実から否認し逃避するために様々な『ウソ』を積み重ね(ている)」というが、狡猾な形で嘘をつくのは構わないのか。政治において、狡猾な嘘と、そうでない嘘はどのように区別されるのか。

(2)「それを通して自滅への道をまっしぐらに進みつつある」の箇所では、「(狡猾でない)嘘をつくせいで自滅への道を進む」という因果関係が想定されているものの、この想定はどこまで正しいか。自滅にいたる経路が確立され、抜け出せなくなっているせいで、指導者が嘘に逃げ込むしかなくなった可能性も大いに考えられる。

（3）「束の間の『気持ちよさ』を求めるかのように」の箇所は、嘘によって得られる爽快感など長続きするはずがないことを前提とする。しかし現実を否認して逃避したがる心情が十分に強い場合、人々は客観的な状況が悪化すればするほど、嘘に「気持ちよさ」を見出そうとするだろう。裏を返せば、問題の「気持ちよさ」は束の間のものどころか、時とともに強まるかも知れない。

（4）「現実」と「現実認識」を区別することは、往々にして不可能である。ゆえにある社会において、指導者と国民が手を取り合って現実逃避の道を選んだとき、彼らがそれを「逃避」と自覚するかどうかは疑わしい。真の現実逃避は「自分は現実を直視している」という錯覚のもとになされるのだ。

（5）「現実の否認や逃避を選ぶ民意」をくつがえすのは、どうしたら可能なのか。民主主義体制において、民意の否定はつねに難しい。しかも（4）で述べたとおり、当の民意が逃避を自覚することも期待しえない。嘘によって得られる爽快感に持続性があるとすれば、自分たちが現実的かつ賢明な選択をしたつもりでいてもおかしくないではないか。

現実の否認や逃避に走る指導者や国民について、その欺瞞や幼児性を指摘するのも、相応の意義を持っています。ただし自滅の道に本当に歯止めをかけたいのなら、政治と嘘の関係について、より深く掘り下げなければなりません。

心にまことを持った嘘

『広辞苑』を引くと、「嘘」には三つの語義があります。まずは「真実でないこと。また、そのことば。いつわり」。次に「正しくないこと」があり、最後に「適当でないこと」が出てくる。

普通に考えれば、ここからは「真実でなければ正しくなく、したがって適当でない」とする解釈が導き出されます。しかるに「何が真実か」が事実認識の問題、つまり客観的に検証しうる事柄なのにたいし、「何が正しいか」は、事実認識の問題でもありうるが、価値観、ないし倫理観の問題でもありうる。「2＋2＝4という答えは正しい」なら前者で、「彼は正しい対応をした」なら後者です。

つまり「正しくない＝真実でない」とは必ずしも言えない。「何が適当か」にいたっては、完全に価値観の問題でしょう。論より証拠、このような意味で「嘘」が使われた例として、『広辞苑』は「今やめるのは嘘だ」を挙げています。

これが「今、やめるのは真実でない」ことを意味するはずはありません。「今、やめるのは倫理に反する」ともニュアンスが違う。「今、やめるのは適切な振る舞いではない」という判断を表明しているのです。世の中、倫理的に間違っていようとやらねばならないことだって存在しうるではありませんか。

「真実でない＝正しくない＝適当でない」の等式は、つねに成立するものではありません。わけても政治と嘘について考える際には、異なる解釈が必要となります。

「真実でないこと」「正しくないこと」「適当でないこと」は、重なり合ってこそいるもののイコールではなく、「真実でないが正しいこと」や「正しくないが適当なこと」も存在するというふうに、発想を切り替えねばならないのです。ならば当然、「真実だが正しくないこと」「正しいが適当でないこと」も存在するでしょう。

関連して想起されるべきは、詩人のT・S・エリオットが、「四つの四重奏」で歌った一節です。

行け、行け、行け、鳥は言った。
人間はそう多くの現実に耐えられるものではない。(52)

作家のシャーリー・ジャクソンなど、長編『たたり』の冒頭で、いっそう直裁にこう述べました。

どんな生き物であろうと、絶対的な現実のもとに置かれたら最後、正気を長く保ちつづけることはできない。ひばりやキリギリスとて夢を見る、そう主張する者すらいる。(53)

政治の目的は、つねに経世済民です。ふたたび『広辞苑』によれば、これは「世の中を治め、人民の苦しみを救うこと」であり、国の存立や繁栄を確保し、人々が豊かで幸せに暮らせるようにすることと解されます。

けれども人間がそう多くの現実に耐えられず、絶対的な現実のもとでは発狂するとしたら、経世済民にしたところで、安全保障や経済的繁栄を維持するだけでは十分ではありません。なんと、人々を現実から適度に遮断することも必要となるのです！

むろん現実から遮断した結果、安全保障や経済成長が維持できなくなっては元も子もない。優れた政治とは、現実への対処に支障をきたさない形で、人々を現実から遮断できる政治なのです。藤井聡なら「狡猾な嘘」と呼ぶかも知れませんが、「賢明な嘘」と呼んだほうが的確でしょう。

「賢明な嘘」とは具体的にいかなるものか？　ここで紹介したいのが、演出家の浅利慶太が一九六〇年に発表した「芝居について」という一文です。

> 劇作家とは嘘を大変うまく使ってまことを説くことの出来る生真面目な人でなければならない。劇作家の嘘、芝居の嘘を、嘘と知りつつ、つい乗せられて心を許し、感動をおぼえる。ちょうど嘘を知りつつ、ドン・ファンの口説(くどき)に乗せられてゆく女性のような状態に観客を誘いこむ。芝居のこつとはそれである。
>
> ところで僕は申し上げたい。本物のドン・ファンというものは、心にまことを持っているものである。まことをこめずに口先だけで女性を口説こうとするのは二流のドン・ファンにすぎない。

まずまことを持つことが大切である。(54)

浅利の言う「まこと」とは、人生の真実を指します。しかしこれを、「国の存立や繁栄をめぐる現実的な認識や方法論」に置き換えて下さい。その場合、「嘘を大変うまく使ってまことを説く」は、劇作家ならぬ政治指導者の条件に早変わりします。

この場合、「嘘と知りつつ、つい乗せられて心を許し、感動をおぼえる」「嘘を知りつつ、ドン・ファンの口説に乗せられてゆく」は、当該の指導者を支持する国民の心理を言い表したものになる。人間、そう多くの現実には耐えられないのだから、無理からぬ話でしょう。

嘘をつくからには、つき方が上手くなければなりません。だが、それだけでは十分ではない。心にまことがないまま、口先だけで女性を口説こうとするのは二流のドン・ファンにすぎないのです。国民を現実から適度に遮断しつつ、そのことによって現実世界における国の存立や繁栄を達成する、これこそ一流の指導者の条件。とはいえ現実世界における存立や繁栄が達成されるのであれば、遮断に用いられる口説を「嘘」と片づけてしまうこと自体、適切とは言えなくなります。

お分かりでしょうか？

このような嘘は「夢」と呼ばれるのです。

政治においては、人々が将来に希望を持てるような「物語」を提示する必要性がよく強調されます。

一流の指導者とは、現実世界を舞台に、嘘、ないし夢を駆使して経世済民のまことを説くことのできる劇作家でなければなりません。浅利慶太が演劇活動のかたわら、大平正芳、中曽根康弘など歴代総理のブレーンを務めたのも、必然の帰結と言えるでしょう。

夢が嘘より悪くなるとき

戦後日本は、敗戦を「終戦」と呼び、占領軍を「進駐軍」、または「駐留軍」と呼ぶところから出発しました。前者は一九四五年八月十四日、昭和天皇が「終戦の詔書」を発布したことに由来するもの。この朗読をラジオで流したのが翌日正午の「玉音放送」ですが、日本と連合国の戦争（状態）は、実際には一九五二年四月二十七日まで続いています。

一九四五年八月にわが国が「終戦」を迎えたというのは、事実認識として間違っているのです。後者にいたっては、占領の現実から目をそらすための純然たるデタラメと批判されても、抗弁できた義理ではないでしょう。

とはいえ人々を現実から適度に遮断するのも経世済民のうちとすれば、これらの嘘を断罪してよいかどうかは微妙となります。シャーリー・ジャクソンではないものの、敗北と占領という絶対的な現実をストレートに突きつけたら最後、日本人は国民規模で正気を失ったかも知れません。

敗戦をめぐる嘘が賢明だったかどうか、それを判断する基準は以下の二つ。

（1）そこに「日本再生のまこと」があったか。
（2）前項のまことが、復興の達成という形で現実化されたかどうか。

（1）をめぐる評価は、（2）を検証することを通じてしかなしえません。政治は結果がすべて。いくら主観的に「日本再生のまこと」を持ち合わせていようと、復興が達成されなければ話にならないのです。

一九四〇年代末ごろから、わが国の復興は軌道に乗りました。これは冷戦の激化によってアメリカが占領政策を転換したことや、一九五〇年に朝鮮戦争が勃発したことに後押しされたもの。つまりは外的要因のおかげという側面が強いのですが、結果がちゃんと出たことは否定できません。

そして政治は結果がすべて。「終戦」や「進駐軍」も、敗北に打ちひしがれた国民を口説くための賢明な嘘、すなわち「夢」だったと評価すべきでしょう。これらの夢が反米感情をやわらげていればこそ、占領政策の転換や朝鮮戦争といった外的要因の効果も大きくなったのです。(55)

一九五〇年代前半、独立回復（＝本当の意味での終戦）と前後して、新しい嘘が登場します。アメリカに従属することこそ、日本が国際社会で自立する道であり、ゆえにナショナリズムの肯定にもつながるという主張です。

新たな嘘の根底にあるのが「日本発展のまこと」なのは明らかでしょう。そしてこれも、高度経済成長の実現という形で現実化されました。「対米従属＝ナショナリズム肯定」も、嘘ならぬ夢と呼ぶに値します。

高度成長の重要な立役者たる池田勇人が「私は嘘は申しません」と語ったのも、こうなると何とも意味深長。浅利慶太にならえば、池田総理は「対米従属＝ナショナリズム肯定」の夢のもと、「日本発展のまこと」を胸に、所得倍増というさらなる嘘、もとへ夢で国民を口説いた本物のドン・ファンだったのです。(56)

のみならず、「対米従属＝ナショナリズム肯定」の夢については、あくまで一時的な方便であり、ゆくゆくは否定するというシナリオが想定されていた形跡がうかがえます。一九五五年、自民党が結党にあたって発表した「党の政綱」の第六項は、自衛軍備の充実によって「駐留外国軍隊の撤退に備える」と謳いました。

「駐留外国軍隊」とは、在日米軍のことでしかありえない。政綱は日米安保条約の終了を視野に入れていたのです。一九六〇年の安保条約改定では、条約の終了条件が改められ、一九七〇年以後は日本側の一存で終わらせることができると定められました。(57)

問題は一九六〇年代を通じて、「日本発展のまこと」がみごとなまでに達成されたこと。

「対米従属＝ナショナリズム肯定」の夢があまりに現実化してしまったため、わが国の政治指導者は、それがもともと嘘にすぎなかったことに直面できなくなってゆきました。ドン・ファン本人が、みずからの口説に乗せられてしまったのです。

一九七〇年代後半になると、「アメリカと一体化することこそ、日本が国際社会で活躍する道」という、第三の嘘が登場します。これに伴って、一九八〇年代初頭あたりから「日米同盟」なる表現が使われるようになり、従来の「日米安保体制」に取って代わりました。ちなみに従属を深めることには、新自由主義的な構造改革やグローバル化の推進、つまり社会のアメリカ化も含まれます。[58]

この嘘の根底にも、一九七〇年代半ばに生じた高度経済成長の終焉を乗り越え、いっそうの発展をめざしたいというまことがあったのは疑いえません。そして一九八〇年代、くだんのまことは現実化するかに見えました。

けれども一九九〇年代以後、日本は混迷と没落の時代を迎えます。まことが現実化しなくなったのです。結果を出せていない以上、これは「心にまことを持っているかどうか」を評価することが不可能、ないし無意味になったことにひとしい。

「対米一体化＝国際社会での活躍」という夢、もとへ嘘だけが残ってしまったわけです。ところがこの嘘の背後には、戦後のわが国がたどってきた経路が横たわっているので、おいそれとくつがえすことはできません。

指導者がまことを投げ捨て、現実の否認と逃避だけを目的とした嘘を口先で並べるようになるのも、自然のなりゆきではありませんか。そして国民も、現実に直面して正気を失うよりはと、当の嘘を受け入れる次第。

時代が行き詰まるとき、指導者は嘘をつくにもかかわらず支持されるのではなく、嘘をつくからこそ支持されるのです。アメリカのロック・ミュージシャン、ブルース・スプリングスティーンの曲「ザ・リバー」の一節にならえば、「叶わなかった夢は嘘なのか、もっと悪いものなのか?」というところ。(59)

このような状態で、経世済民が達成されることはありません。だが現実否認が人々の救いになっているとすれば、「嘘より悪いもの」にすがっているとしても、「否認や逃避をやめて現実を直視せよ」というだけでは解決にならない。

人々が信じたくなるような新しい嘘を、心にまことをこめてつくりあげ、その現実化をめざすほか、未来への展望を切り拓く方法はないのです。

第四部
世界観をめぐる逆説

1　ポピュリズム・オブ・ザ・デッド

二〇一〇年代後半の世界では、ポピュリズムの台頭がしばしば取り沙汰されました。アメリカでのトランプ大統領当選、イギリスのEU離脱、ヨーロッパ各国におけるナショナリズム（とりわけ移民反対）の高まりは、どれもポピュリズムの表れと位置づけられています。わが国でも、急進的な改革を進めたがる政治勢力をめぐって、同様の指摘がなされました。

ポピュリズムはそのまま訳せば「人民主義」「大衆主義」となるものの、「衆愚政治」「大衆迎合主義」など、否定的なニュアンスをこめて訳されることも多い。

現にこの言葉の反対概念は「エリーティズム」（エリート主義）なのです。これはエリート、すなわち「選ばれた優秀な人物」を尊重して、彼らによる統治や指導を望ましいと見なす立場。

ならばポピュリズムは、選ばれてもおらず、優秀でもない民衆を尊重する立場と規定できるでしょう。けれども、そんな者たちに統治や指導ができるはずはない。自分の都合で、ヒステリックな主張を並べ立てるのが関の山ではありませんか。

この視点に立つかぎり、ポピュリズムとは「大衆の反逆」を煽る立場ということになります。冒頭で挙げた事例に関しても、「物事をちゃんと理解しないまま、とにかく不満をつのらせた民衆と、それを利用して権力を握ろうとするデマゴーグ的な政治屋（いわゆるポピュリスト）が、世の中を引っかき回し、無用の混乱をもたらしている」とする見解が寄せられました。

一七九〇年、フランス革命を批判した際に、エドマンド・バークが用いた表現を借りれば、さしずめこんなところでしょう。

二四〇〇万人の意志は、二〇万人の意志よりも優先されるべきだという議論がある（訳注：二四〇〇万人は、このころのフランスで平民が占めた人口の概算。また二〇万人は、同じく聖職者と貴族の人口の概算）。冷静に考えれば、これもバカげた話だ。多数の人々の意志や利害は、しばしば大きく相反する。人々が悪しき選択をなす際には、その度合いもいっそう極端なものとなろう。

民衆の行動は、世論によって必ず支持される。世論とは民衆の意見なのだから、これは当然であろう。完璧な民主主義こそ、もっとも恥知らずな政治形態なのだ。そして恥知らずということは、とんでもないことを平然としでかすことを意味する。

やりすぎのせいで罰せられるのではないかと恐れる者はいない。いや、民衆はそんな不安を抱く必要がないのだ。刑罰とは本質的に、民衆全体を保護するための見せしめとしての性格を持つ。

裏を返せば、民衆全体を罰することなど誰にもできない。

だからこそ「民意はつねに正しい」という発想を許容してはならないのである。好き勝手に権力を行使してはいけない点では、君主も民衆も同じだ。しかも民衆の横暴は、君主の横暴と比べても、社会に大きなダメージを与える。(1)

ポピュリズムと民主主義

「完璧な民主主義こそ、もっとも恥知らずな政治形態」というくだりが示すように、バークは民主主義そのものに否定的。これを受け入れるのであれば、彼の主張は筋が通っています。

ただし二十世紀以後の世界では、民主主義こそを望ましい政治形態と見なす発想が確立されています。かの北朝鮮すら、人権抑圧の横行する独裁国家という内実を棚に上げて、「民主主義人民共和国」を名乗っているのです。

にもかかわらず、「人民主義」「大衆主義」とも訳される言葉が、今なお「とんでもないことを平然としでかす恥知らずな政治」なる意味合いしか持ち得ないとすれば、それはそれで由々しい話。ポピュリズムにおいて、悪しき選択や横暴なやりすぎが生じやすいのは事実ですが、だからといって民衆の不満に正当な根拠がないことにはならないのです。

トランプ当選やイギリスのEU離脱、ヨーロッパでのナショナリズムの高まりにしても、背景には各国のエリートによるグローバリズムの推進がありました。民衆の生活は、これによって圧迫される場合が多いものの、エリートは逆に利益を得るため、彼らの苦しみになかなか取り合おうとしません。この点にたいする不満が、反グローバリズムの形をとって爆発したのです。

わが国においても、長期のデフレ不況による国民の貧困化が、ポピュリズム的な心情を煽っているのは確実でしょう。ただし欧米と違って、民衆の不満は、グローバリズム的な改革を推し進める勢力の支持に向かいがち。

この背景には、自分の国、および自国政府を不信の対象とするという、戦後日本型の平和主義があります。ゆえにグローバリズムが、エリートに利益をもたらすのではなく、「既得権益層」を否定するものであるかのように見なされる次第。不満に正当な根拠があったとしても、民衆が良い選択をするとは限らないのです。(2)

ポピュリズムについて、われわれはどう評価すべきなのか？　この言葉を「デモクラシー」、つまり民主主義と比較すると、理解の糸口が見えてきます。

Democracy と表記すれば明らかなとおり、これは「民衆」「大衆」「人民」を意味するギリシャ語 *demos* と、「政体」「政治」を意味する *cracy* が結合したもの。民衆の意志を尊重するだけでなく、民衆が統治に関与するような政治システムを望ましいものとして肯定するのがデモクラシーの本質です。

かつて西部邁が、デモクラシーは「民主主義」ではなく「民衆政」と訳されるべきだと主張したのも無理からぬ話でしょう。

ひきかえ「ポピュリズム」には、望ましい政治システムのあり方を規定する要素が見られません。Populismとは「民衆」を意味するラテン語*populus*に、「主義」「特徴」を意味する*ism*を結合させたもの。民衆第一を標榜するかぎり、政治システムがデモクラシーでなくても構わないのです。

北朝鮮のごとく、デモクラシーを謳いながらオートクラシー（独裁政治）を行うのは、いかんせんツジツマが合わない。タテマエとして掲げた「クラシー」（政治システム）と、実際のクラシーとが両立しえないためです。しかしポピュリズムを謳うオートクラシーは、必ずしも矛盾しているわけではありません。

民主主義的な政治システムのもとで民衆の不満が高まった場合、彼らは強権的・権威主義的なリーダーの出現を望むようになりやすい。民主主義では民衆第一を達成できなかった以上、当然の話でしょう。

「ひたすら民衆に尽くす独裁者」は、デモクラシーの基準では許されませんが、ポピュリズムの基準では容認される。いや、歓迎されることも珍しくありません。古代ローマで「民衆派」、つまりポピュリストと見なされた者には、終身独裁官を務めたユリウス・カエサル（＝ジュリアス・シーザー）や、初代皇帝のカエサル・アウグストゥスも含まれていました。(3)

ポピュリズムを謳うシオクラシー（神政政治）やアリストクラシー（貴族政治）、はてはプルートクラシー（富裕層による政治）といったものも想定できます。ちなみにポピュリズム的な姿勢のもと、デモクラシーからプルートクラシー、ひいてはオートクラシーへの移行を夢見たのが、トランプ政権の内実だったと言えるでしょう。

ゾンビに社会が構築できるか

ポピュリズムは民衆第一という「イズム」こそ持っていますが、当のイズムを実現する「クラシー」についてのビジョンを持ちません。これは「民衆をないがしろにするエリート」への反発こそ、ポピュリズムの重要なよりどころであることを示すもの。

ただしこれは、既存のシステムをひっくり返してエリートを打倒、権力を手にした瞬間にこそ、ポピュリズムが最大の危機を迎えることを意味します。民衆第一の政治システムを、みずから築くチャンスが訪れるわけですが、「このシステムを選べば大丈夫」という正解は存在しません。

具体的な政治システム、すなわちクラシーが何であれ、為政者は為政者であるかぎりエリート。民衆をないがしろにする危険はつねにつきまとうのです。強権的・権威主義的であればなおのことでしょう。

ならば遅かれ早かれ、「ポピュリズムによって成立したシステムに反発するポピュリズム」が生まれることに。民衆第一の政治システムについて正解が存在しない以上、このプロセスは永遠に繰り返されます。

エリートと民衆を比べれば、多数派を占めるのはむろん後者。民衆が心底、エリートに反発したとき、ポピュリズムは阻止しえない勢いを持ちます。けれどもポピュリズムは、クラシーをめぐるビジョンがないまま、もっぱらエリートへの反発を基盤とするため、既存のシステムをひっくり返すことはできても、新しいシステムを安定的に構築することは望めません。

このような特徴から想起されるのは、ホラー映画に登場する生ける死者、いわゆるゾンビです。ゾンビを扱った作品は一九三〇年代からつくられているものの、アメリカの監督ジョージ・A・ロメロは一九六八年、デビュー作『ナイト・オブ・ザ・リビングデッド』で、ゾンビ映画に社会の崩壊をめぐる寓話としての意味を持たせました。

ロメロは以後、二〇〇九年までに計六本のゾンビ映画を発表、このジャンルの巨匠と目されます。われわれが現在、ゾンビについて思い浮かべる特徴は、すべて彼の「死者」シリーズに由来しているのです。

くだんの特徴を、ここで列挙しておきましょう。

(1)ゾンビは本来、ブードゥー教の呪術によって甦った死者を意味するものの、呪術とは無関係に甦ってくる。原因は不明であることが多い。

(2)ゾンビは愚鈍であり、動きものろいので、数が少なければ大して危険ではない。ただしどんどん数が増えるため、じきに人間のほうが圧倒されてしまう。

(3)ゾンビは人間を食べたいという本能的欲求に駆られている。またゾンビに嚙まれた者は、遅かれ早かれ死んでしまい、ゾンビとなって甦ってくる。
(4)よって、ゾンビにたいする根本的な撃退法は存在しない。できることと言えば、安全な場所にたてこもるか、ゾンビがやってこられないような遠隔地(たとえば孤島)に避難する程度である。

ゾンビを「民衆」、人間を「エリート」に置き換えるとき、上記の特徴(とくに2〜4)とポピュリズムとの共通性は明らかでしょう。少数派の運動にとどまっているかぎり、ポピュリズムはエリートにとって大した脅威ではありません。けれども支持者がふくれあがり、多数派となったら最後、根本的な対処法はなくなってしまいます。

逆にゾンビも、ポピュリズムにおける民衆同様、生きている人間を圧倒したあと、どうするかというビジョンを持っていません。現在の社会を崩壊させることはできても、新しい社会を構築することはできないのです。

こう考えるとき「死者」シリーズは、ポピュリズムにどう対処すべきかをめぐる映画的シミュレーションという性格を持ちます。一作目『ナイト・オブ・ザ・リビングデッド』(生ける死者たちの夜)では、ゾンビに襲われた七名の人間が、人里離れた一軒家に逃げこみ、生きのびようとするさまが描かれました。

しかるにドラマのポイントは、これら七名がいかに協力できず、いがみ合ってばかりいるかに置かれています。すなわち社会的な連帯や統合は、ゾンビの登場を待たずして失われていたのです。

連帯や統合が失われたからこそ、ゾンビが現れたと解釈することすらできます。映画はヒロインとなる女性バーバラが、父の墓参りのため、兄のジョニーが運転する車で霊園を訪れる場面から始まりますが、ジョニーは「父さんのことなど、顔さえ忘れてしまったのに、なんで三時間もかけて行く必要があるのか」とぼやきつづけました。

また中盤以後は、軍隊や警察、さらには自警団がゾンビを殺して回る場面が挿入されるものの、その様子はベトナム戦争におけるゲリラ掃討や、当時頻発していた人種暴動を想起させます。映画のつくられた一九六八年は、黒人運動の指導者であるキング牧師や、ロバート・ケネディ上院議員が暗殺されるなど、アメリカ社会が大きく揺らいだ年だったのです。(4)

映画の最後、軍・警察・自警団は、ゾンビを制圧することに成功します。しかしその際、例の一軒家で唯一生き残った黒人青年ベンも、ゾンビと間違えられて射殺され、ガソリンで焼かれてしまいました。ベンの肌の色と、彼がゾンビと見なされたことに、関連がないはずはないでしょう。

そして死者は国を制する

一九七八年の二作目『死者の夜明け』(邦題『ゾンビ』)になると、ポピュリズム、もとへゾンビを制圧するなどまったく望めなくなります。ここでは社会秩序が崩壊する中、四人の男女がヘリコプターに乗って、郊外のショッピングモールへと逃げ込みました。

モールの入口をすべて塞ぎ、ゾンビが入れないようにした四人は、物資を独り占めする快感に酔います。ゾンビは「持たざる者」であり、彼ら四人が「持てる者」なのです。しかし日が経ち、世界が元に戻らないと悟るや、虚しさがこみあげてくる。

社会システムが崩れ去ったとき、豊かさにもステータスはありません。そんなとき、混乱を生きのびてきた暴走族の一団が、ゾンビともどもモールに乱入します。たてこもっていた四人のうち二人は死ぬものの、残り二人はヘリで脱出、あてもなく飛び去るのでした。


カナダの評論家ロビン・ウッドは、この結末について、絶望的なはずなのに高揚感をもたらすと指摘します。劇中、ゾンビがモールめざしてやってくるのは、そこに人間がいると知っているからではなく、生前のおぼろな記憶が「あそこに行けば素敵な思いができる」とほのめかすからだと説明されました。

ならば人間（＝エリート）の側が、豊かさへのこだわりを捨てないかぎり、生き残る道はありません。ヘリでモールを脱出する幕切れは、このような「価値観の転換」を象徴しているがゆえに高揚感をもたらすのです。次の作品では、価値観の転換によるゾンビとの共存の可能性が追求されるだろう、どんな結果になるか興味深い、ウッドは分析をそう締めくくりました。(5)

ゾンビをポピュリズム（に走った民衆）の比喩と見なすとき、これは「エリートが新たな政治システムを構築することで、民衆の不満を解消し、社会的な連帯・統合を回復させる」ことにあたります。

ポピュリズムに欠けている「クラシー」をめぐるビジョンを提示することによって、民衆と和解するという表現もできるでしょう。

けれども以後の「死者」シリーズは、そんな和解の可能性を否定する方向に進みます。一九八五年の三作目『死者の日』（邦題『死霊のえじき』）では、ゾンビを逃れて地下の軍事基地にたてこもった軍人と科学者の対立が描かれました。

科学者たちはゾンビとコミュニケーションを図ることで、食人をやめさせられないか探求するものの、軍人たちは狂気の沙汰だと取り合いません。やがて科学者の一人が、研究用に飼育していたゾンビにたいし、死んだ兵士の肉を与えていたことが判明、軍人グループは激怒します。そして最後には無数のゾンビが基地になだれこみ、すべてがご破算になってしまうのです。

二〇〇五年の四作目『ランド・オブ・ザ・デッド』（死者の国）にいたるや、ロメロ監督は事実上、ゾンビの側に肩入れします。ここではカウフマンという男が、ゾンビが入れないよう城塞化した都市で独裁支配を行うのですが、彼の贅沢な暮らしは、ゾンビが徘徊する外部地域から略奪してきた物資によってまかなわれていました。

カウフマンの人物像は、当時のアメリカ国務長官ドナルド・ラムズフェルドがモデルとされるものの、ドナルド・トランプのイメージを重ねるのも容易でしょう。都市の中心部には巨大な超高層ビルがあり、カウフマンはそこを根城にしているのです。

彼の独裁は、物資の略奪に怒ったゾンビが大挙して都市に押し寄せることで崩壊します。けれどもゾンビは愚鈍なのですから、カウフマンの支配を打倒しても、より良い社会は生まれてきません。「死者」シリーズは「現在のエリートが強欲で、民衆のことなど気にしない以上、ポピュリズムが高まるのは不可避だが、それが何かの解決をもたらすことはない」という、完全な八方塞がりの結論に達したのです。このせいでしょう、残りの二作、二〇〇七年の『ダイアリー・オブ・ザ・デッド』(死者の日記)と、二〇〇九年の『サバイバル・オブ・ザ・デッド』(生き残る死者たち)は、すっかりテンションが落ちてしまい、内容的にも形骸化してしまいました。

そしてこれは、われわれにとっても他人事ではありません。ポピュリズムに有効に対処する処方箋は、未だ見つかっていないのです。これを突き抜けられないかぎり、われわれも遠からず「未来への展望がないまま、死者が国を制する」状況に直面させられることでしょう。

2 二〇一〇年代末、世界はみな疲れている

年の瀬になると発表される「今年の漢字」ですが、二〇一八年は「災」が選ばれました。(6)
主催団体である日本漢字能力検定協会は、これについて以下のようにコメントします。

北海道・大阪・島根での地震、西日本豪雨、大型台風到来、記録的猛暑など、日本各地で起き

た大規模な自然「災」害により、多くの人が被「災」した。自助共助による防「災」・減「災」意識も高まり、スーパーボランティアの活躍にも注目が集まった。新元号となる来年に向けて、多くの人が「災」害を忘れないと心に刻んだ年。(7)

じつは「災」、二〇〇四年にも「今年の漢字」に選ばれています。

日本漢字能力検定協会のサイトには、一九九五年以後の「今年の漢字」一覧も出ているものの、「災」よりも頻度の高い字となると、二〇〇〇年、二〇一二年、二〇一六年に選ばれた「金」しかありません。(8)

どうも平成は、カネと災いが強く意識された時代のようですが……

二〇一八年の漢字は「災」よりも、こちらのほうが良かったように思います。

つまり「疲」。

『学研漢和大辞典』によると、「疲」は「しゃんと直立できず、ぐったりと曲がってしまう」ことを意味する字。

だから「くたびれる」というわけですが、「しゃんと直立できず、ぐったりと曲がってしまう」を、つねに物理的な状態として解釈する必要はありません。

人は失望によっても疲れる

物事がいくら頑張っても思い通りにならず、失敗に終わってしまうのも、「しゃんと直立できず、ぐったりと曲がってしまう」ことのバリエーション。

論より証拠、そういうとき人は疲れをおぼえます。

つまりは徒労感。

「こんなこと、やりつづけてもムダだ」と失望して、意欲がなくなってしまうわけです。

当の状態は「億劫（おっくう）」とも呼ばれるものの、こちらはもともと、「きわめて長い時間」「永遠」を意味する仏教用語。

思い通りの結果を出すには億劫（この場合は「おっこう」と読みます）の期間がかかりそうなので、「おっくう」になる次第なのです。

けれども「永遠に頑張らないかぎり思い通りにならない」とは、「いくら頑張っても思い通りにならない」のと同じこと。

疲れたとき、人がとかくおっくうになるのは、語源的にも自然な話と言えるでしょう。

では、お立ち会い。

国や社会のあり方について、「こうすれば発展や繁栄が達成できるはずだ」と目された路線や方法論が、いくら実践しても思い通りの結果を出さず、むしろ弊害を多々もたらしたら、どうなるか？

お分かりですね。
われわれはそのような路線や方法論に疲れます。
となれば、おっくうになるのは自明の理。

いくら頑張っても結果が出ない路線など、バカらしくてやっていられるか！
いい加減、もっとマシな路線に切り替えろ！
そんな心境になって当たり前でしょう。

グローバリズム疲れの台頭

二十一世紀の世界で、人々を最も疲れさせた路線と言えば、新自由主義的な性格を強く持ったグローバリズム（以下「新自由主義型グローバリズム」とします）を挙げねばなりません。(9)
この理念、モノ・カネ・ヒトの国際的な移動をどんどん進めることで、地球規模の平和と繁栄を約束するものと謳われました。

しかし現実には、自由貿易の徹底によって国内産業が打撃を受けたり、巨額のカネが国境を越えて飛び交うことで金融システムが不安定になったり、安価な労働力となる移民の急増によって賃金が上がらなくなったりと、弊害が次々に表面化。

国境を越えた経済活動をうながすべく、政府による規制の緩和や、公共サービスの縮小・削減などの構造改革も進みました。

これらの改革は、市場原理の徹底、すなわち社会的な弱肉強食を正当化することで、貧富の格差を拡大させる。


少数の富裕層を別とすれば、グローバリズムは繁栄どころか、生活基盤の脆弱化と貧困化をもたらしたと評さねばなりません。

おまけに移民が増えていったら、文化・習慣・言語・伝統など、国や社会の根幹をなす部分まで根本から変わってしまう。

いったん変わったら最後、元に戻すことは不可能です。

これで疲れなかったら、そちらのほうが不思議。

二〇一〇年代後半には、グローバリズムに反発する動きが世界各地で目立つようになりました。

まずはイギリスが二〇一六年六月、国民投票でＥＵからの離脱を決定。

いわゆるブレグジットです。

アメリカでも同年十一月、「グローバリズムではなくナショナリズム」「アメリカ・ファースト」を唱えるドナルド・トランプが、大方の予想をくつがえして大統領に選ばれました。

つづいて二〇一七年、EUの中心的存在であるドイツで、移民や難民に寛容な政策を取ってきたアンゲラ・メルケル首相が、総選挙での大幅な議席減をきっかけに求心力を失う。二〇一八年の地方選挙でも連敗を喫したメルケルは、首相こそ二〇二一年の任期満了まで務めるとしたものの、与党・キリスト教民主同盟の党首の座を退くにいたりました。

ナショナリズムは直立できるか

ドイツと並んでEUの牽引役を果たしてきたフランスでも、二〇一八年十一月、エマニュエル・マクロン大統領にたいする大規模な抗議デモ、いわゆる「黄色いベスト運動」が始まる。(10)デモの引き金となったのは、マクロン政権が地球温暖化対策の一環として燃料税を引き上げようとしたことですが、根底には新自由主義型グローバリズムを旨とする同政権にたいする一般国民、わけても地方の人々の不満がありました。

近年、彼らの暮らしは苦しくなる一方。将来の地球環境どころか、月々の支払いに悩まされていたのです。

いい加減、グローバリズムには疲れた！

これからはナショナリズムの時代だ!!

そう言いたくなっても不思議ではありません。


けれどもグローバリズムが「しゃんと直立できず、ぐったりと曲がってしまう」ことは、ナショナリズムなら直立できることを何ら保証しない。

否、二十世紀前半の世界では、二度の大戦のせいもあって、深刻なナショナリズム疲れが生じていたのです。(11)


ここから生まれたのが「国家を超えた枠組みによって、平和を維持し、繁栄を達成する」というグローバリズムの発想。

第二次大戦の終結直前、一九四五年四月に国際連合の創立会議が開かれ、同年十月末、正式に設立される運びとなったのは偶然ではありません。

EUを生んだ欧州統合の気運も、やはり第二次大戦直後から始まっています。


もっとも戦後しばらくは、いわゆる自由主義諸国の間でも、政府（地方自治体を含む）による公共サービスの充実を重視する福祉国家志向の風潮が強かった。

政府とはそれぞれの国の行政を担う存在ですから、この風潮はグローバリズムと相容れません。

福祉国家志向は、ナショナリズムの砦でもあったのです。

ところが一九七〇年代、第四次中東戦争によって生じた石油危機を引き金として、自由主義諸国は経済成長の低迷に悩まされる。

公共サービスの充実も、このせいでイメージが変わります。

「国民への手厚い保障」ではなく、「政府の債務を増大させるお荷物」のように見られはじめた。

福祉国家志向疲れとも言うべきものが生じたのです。

その結果、政府のサービスを削りたがる新自由主義が、成長や発展の切り札のごとく見なされるようになる。

福祉国家志向は、第二次大戦後の世界におけるナショナリズムの砦だったわけですから、新自由主義は当然、グローバリズムと結びつきます。

市場原理のもと、国境を越えた経済活動を展開すればするほど、地球規模で平和と繁栄が達成され、みんなが幸せに暮らせるという、あの発想が生まれたのです。

こうして新自由主義型グローバリズムが台頭、一九九〇年前後に生じた社会主義諸国の体制崩壊ともあいまって、世界を席巻したというのが、二十世紀末から現在にいたる経緯。

ナショナリズムが思い通りの結果をもたらさなかったからこそ、世界はグローバリズムを選んだのですよ！

グローバリズムもまた、思い通りの結果をもたらさなかったからといって、「これからはナショナリズムだ」という意気込みが長続きするでしょうか？

グローバリズムとナショナリズム、どちらもおっくうになったあげく、なりゆきでズルズル流されてゆくというほうが、よほど起こりそうではありませんか。

反グローバリズムの動きが目立ったイギリス、アメリカ、ドイツについて、この点を検証してみましょう。

ブレグジットの紆余曲折と顚末

まずはイギリス。

二〇一六年、同国は国民投票によってEU離脱を決めたわけですが、テリーザ・メイ内閣が二年あまりかけて離脱協定案をまとめるや、当の閣内から反対意見が続出します。

どうにか閣議決定にこそこぎつけたものの、議会の承認を得る見込みはまるで立たない。

与党・保守党からも相当な数の造反議員が出かねないとあって、二〇一八年十二月十日、メイ首相は採決自体を延期するハメに追い込まれました。

なんとこれ、採決の前日。

EUとさらに協議したうえ、一月に採決したものの、反対四三二票、賛成二〇二票の歴史的大差で否決！

内閣が倒れてもおかしくないところ。

ところが採決延期後に行われた保守党内の信任投票で、メイ首相は信任されるんですね。

労働党のジェレミー・コービン党首も、首相への不信任決議案を議会に提出しましたが、これは内閣全体ではなく、首相個人のみを対象としたもの。

そのせいで法的拘束力がなく、可決されたとしても辞任の必要はないのですが、こちらも否決されます。

メイ路線にはみな疲れているものの、路線転換もおっくうでやりたくない、そうとしか解釈できません。

泥沼は続きます。

二〇一九年三月十二日、離脱協定案はふたたび議会で採決されましたが、例によって否決。

三月二十九日に予定されていた離脱は、これを受けて四月、ないし五月まで延期されます。(12)

その二十九日、協定案は議会で三度目の否決をくらう。

四月十日、EUは離脱期限を十月三十一日まで再延期。

メイ首相は六月末までの延期を要望したのですが、そんな短期間ではどうにもならないと判断されたのです。(13)

五月二十四日、メイは一連の混乱の責任を取って辞任を表明。

「メイが五月に退陣を決める」というダジャレのようなオチになりました。

これを受けて七月、新首相に選ばれたのがボリス・ジョンソン。

彼は九月六日、「離脱期限をさらに延期しないと国民に約束できるか」と問われて、「約束できる。さらに延期するくらいなら、そこらの下水溝で野垂れ死にするほうがマシだ」と公言します。(14)

けれども十月二十八日、期限は二〇二〇年一月三十一日まで延期されてしまう。

にもかかわらず、野垂れ死にしなかったのがジョンソンのすごいところ。

総選挙に打って出たあげく圧勝を収めたのです。

二〇二〇年一月、離脱協定案がやっと議会で承認され、同年二月一日の午前零時をもって、イギリスはEU離脱を果たしました。(15)

離脱に伴う移行期間も同年末に終了、二〇二一年一月一日をもって、ブレグジットは名実ともに達成されたのですが……(16)

わずか一ヶ月後の二月一日、EU離脱一周年の日に、イギリスは何をしたか。
TPP11、つまり「環太平洋パートナーシップに関する包括的及び先進的な協定」への参加を申請したのです！(17)
むろんこの協定、新自由主義型グローバリズムの性格を強く持っている。
イギリスは反グローバリズムを旗印にEUを抜けたあげく、グローバリズムにハマる道を選んだのでありました。

ずっと不人気だったトランプ

次はアメリカ。

二〇一八年の中間選挙は、共和党のドナルド・トランプ政権にとって、じつに微妙な結果となりました。

下院選では、民主党が議席を増やして過半数獲得。

上院選では、共和党が議席を増やして過半数維持。

州知事選では、民主党の知事が増えたものの共和党が過半数維持。

どちらかが過半数を取ったかで見れば、共和党の勝ち越し（二勝一敗）になっているものの、州知事選では後退していますし、上院で勝った背景には、そもそも改選される議員の数が少なかったことがある。

改選を迎えた三五議席のうち、共和党の議席はわずか九、残り二六は民主党（同党と統一会派を組んでいる無所属二名を含む）だったのです。

勝ち越したといっても、共和党の優位は脆弱なものにすぎない。

そして二〇二〇年の上院選では、改選を迎える三三議席のうち、二一までが共和党。

さて、選挙結果はどうなったか？

下院選では、共和党が議席を増やしたものの民主党が過半数維持。

上院選では、民主党が議席を増やして実質的な過半数獲得。(18)

州知事選では、共和党の知事が一人増えて過半数維持。

今度は民主党の勝ち越し（二勝一敗）となりましたが、下院では後退したうえ、上院での過半数もギリギリ。

二〇一八年の共和党と同じで、かろうじて優位に立ったというところです。

大統領選では、民主党のジョー・バイデンがトランプを破って当選。

トランプの敗因としては、コロナ対策がうまく行かなかったことがよく挙げられます。

彼のスローガンが「アメリカ・ファースト」だったことを思えば、これはなかなか象徴的。

今回のパンデミックには、グローバリズムの副作用という側面があるのです。モノやヒトが国境を越えて、どんどん移動するようになれば、病原体もそれだけ迅速に広まってゆく。

裏を返せば、世界全体で感染を抑え込まないかぎり、国内における感染も本当には終わりません。国境を越えた移動の規制や、入国時の検疫強化など、ナショナリズム的な対応も必要となるものの、それだけでは解決しないのです。(19)

「グローバリズムではなくナショナリズム」と唱えたトランプが、コロナ対策に失敗したのは、その意味で必然と評しても過言ではないのですが……(20)

ここでお立ち会い。

世論調査の分析などで知られるアメリカのサイト『ファイブ・サーティ・エイト』のデータを見ると、トランプの支持率は在任期間中、一貫して五〇%を切っていたのです！

第二次大戦後の大統領で、ここまで支持が低かったのは彼ひとり。(21)

ファイブ・サーティ・エイトのデータは、大統領の支持率について全米規模で行われるすべての世論調査の結果を集め、調査方法の精度、サンプルの数、頻度などを考慮して加重平均したもの。
　こうして算出された支持率よりも、調査結果が系統的に高かったり低かったりするものについては、党派性が強いと判断、さらに調整するとのことですから、信頼性は非常に高いと見るべきでしょう。
　逆に不支持率は、大統領就任直後の二〇一七年二月いらい、ほとんど一貫して五〇%以上。割り込んだとしても、四九%とか四八%でした。
　四年の任期を通じて支持率が不支持率を上回ったのは、なんと最初の二週間のみ![22]
　反グローバリズムの気運は、トランプ当選の直後から形骸化しはじめていた、そう考えるべきでしょう。[23]
　二〇二〇年大統領選のあとなど、選挙に不正があったと主張する支持者が、ワシントンの連邦議会を襲撃する始末。
　ナショナリズムを標榜しつつ、自国の政治体制の正当性を否定するようでは、「アメリカ・ファースト」も何もあったものではない。
　もっともバイデンもグローバリズムを打ち出しているわけではなく、就任演説では国民の結束を訴えるなど、ナショナリズム的な姿勢を見せています。[24]
　トランプ流の反グローバリズムが馬脚をあらわしたからといって、グローバリズム回帰が起きたわけではありません。

つけくわえれば、バイデンの支持率も五〇％台前半と、あまりパッとしないスタートを切りました。二〇二一年八月十五日、米軍撤退の迫るアフガニスタンで、反政府勢力タリバンが首都カブールを制圧するや五〇％を割り込み、同月末には不支持率のほうが上回るにいたっています。(25)

民主党優位の脆弱さとあわせ、「トランプ路線には疲れたが、路線転換もおっくう」という民意がうかがえるではありませんか。

ミニメルケルからニューメルケルへ

そしてドイツ。

与党・キリスト教民主同盟の党首を長らく務めたアンゲラ・メルケル首相は、移民問題をきっかけに支持を失い、首相こそ二〇二一年の任期満了まで務めるものの、二〇一八年十二月の党首選には出馬しないと表明しました。

ならばメルケル路線を強く否定する人物が、新たな党首に選ばれそうなもの。

党首選にはメルケルの長年のライバルで、保守派と目されるフリードリヒ・メルツが立候補。世論調査でも、国民の多くがメルツの党首就任を望んでいたそうです。(26)

けれどもフタを開けてみれば、選ばれたのはメルツではなく、「ミニメルケル」の異名を持つアンネグレート・クランプ=カレンバウアー。

イニシャルに由来する「ＡＫＫ」という愛称もあるそうですが、当然、メルケルの側近です。

だがクランプ=カレンバウアー、党首として結果を出せなかった。

二〇一九年五月の欧州議会選挙では、キリスト教民主同盟と、連立相手である社会民主党がそろって議席を減らすことに。(27)

しかも結果が判明した直後、ミニメルケルはヤバい失言をしてしまう。

欧州議会選挙では、七十名もの著名ユーチューバーが、キリスト教民主同盟への批判に回ったのですが、よほど口惜しかったのか、選挙期間中はオンラインメディアに規制を設ける必要があると述べたのです。

おいおい、言論統制か？

ドイツのツイッターはみごとに炎上、クランプ=カレンバウアーを批判するハッシュタグがトレンドの上位を占めました。(28)

二〇二〇年二月には、旧東ドイツのテューリンゲン州で、キリスト教民主同盟の党支部が中央の指示を無視、右派政党「ドイツのための選択」と連携する始末。

面目をつぶされたクランプ=カレンバウアーは二月十日、年内に辞任すると表明しました。(29)

いよいよフリードリヒ・メルツの出番か？

ところがどっこい。

二〇二一年一月に行われた党首選では、中道派のアルミン・ラシェットが、メルツを破って当選。ラシェット新党首、二〇一五年にはメルケルの難民政策を支持しましたし、リベラルな政策やEU重視の方針など、メルケル路線の継承を掲げています。(30)

キリスト教民主同盟、メルケルに疲れたあげく「ミニメルケル」を選び、それにも疲れると「ニューメルケル」を選んだことに。

事情はどこの国も同じのようです。

二〇二一年九月に行われたドイツ連邦議会選挙で、キリスト教民主同盟は四九議席（統一会派を組んでいる「キリスト教社会同盟」と合わせれば五〇議席）を失い、第一党から転落しました。かわりに社会民主党が第一党となったものの、こちらの首相候補オーラフ・ショルツは、二〇一八年いらいの第四次メルケル内閣で、連邦副首相と財務大臣を兼任した人物。

じつはショルツ、首相候補であるにもかかわらず、社会民主党の党首ではないのですが、彼がメルケルの次の首相になるとすれば、それはさしずめ「安倍晋三が退陣したあと、麻生太郎が次期総理になる」ようなものではないでしょうか。

社会民主党、二〇一九年の欧州議会選挙では「ユーロ圏共通予算」にも賛成していました。各加盟国の枠を超え、ユーロを通貨とする地域全体で単一の財政政策を行おうという次第。キリスト教民主同盟は反対でしたので、今回の選挙結果、「(EU) グローバリズムの勝利」とも呼ぶべき意味合いを持つことになります。

ナショナリズムを前面に打ち出し、二〇一七年の前回選挙で大躍進した「ドイツのための選択」も、やはり欧州統合に懐疑的な「左翼党」など、三〇議席を減らします。

一一議席を減らして第三党から第五党へ。

逆にグローバリズム色の強い「同盟90/緑の党」(この党もユーロ圏共通予算に賛成していました)は、五一議席を増やして第六党から第三党に躍進。

メルケル時代の終わりは、メルケル路線への回帰とともに訪れたかのごとくなのです。

日本に見る「疲れの三すくみ」

ならば、わが国はどうか。

私の見るところ、三つの巨大な疲れが同時に生じています。

(1) ナショナリズムや愛国心を強く否定し、非現実的・観念的な理想論にひたりたがる戦後平和主義への疲れ。

(2)戦後平和主義のもとで、どうにか現実的な安全保障や経済発展を達成しようとしたあげく、対米従属から抜け出せなくなった自民党路線への疲れ。この路線のせいで、同党はナショナリズムを唱えながら、新自由主義型グローバリズムにどっぷり染まる矛盾に陥った。
(3)自民党政治の否定をめざしつつ、戦後平和主義を脱却できずにいるばかりに、いつまでも失敗を繰り返す左翼系野党(ないし反自民路線)への疲れ。(31)

注目したいのは、「疲れの三すくみ」とも呼ぶべき状況が、何を引き起こしたか。

お分かりですね。

安倍内閣の長期政権化です。


二〇一二年、民主党政権が三年ちょっとで倒れ、安倍晋三が総理の座へと返り咲いたのは、保守層を中心に生じていた戦後平和主義疲れが、国民の間に高まった「反自民路線疲れ」と結びついたことによるもの。

民主党政権が迷走を繰り返したためですが、そもそもなぜ同政権は誕生したのか。

二〇〇〇年代、とりわけ後半を通じて、自民党路線への疲れが高まっていたからです!

第二次以後の安倍内閣は、「自民党路線には疲れたが、反自民路線にはもっと疲れた」という、おっくうさの産物だったと評さねばなりません。

なるほど、みんながみんな、おっくうさから安倍内閣を支持したわけではないでしょう。

——安倍さんなら戦後平和主義のみならず、従来の自民党路線からも脱却して、日本復活の新路線を敷いてくれる！　バンザイ！

保守層の中に、そう夢見た人々がいたのは間違いありません。内閣のコアな支持基盤です。

しかし、当然ながらそんな話にはならない。

かつては「戦後レジーム（体制）からの脱却」を唱えた安倍総理ですが、第二次内閣以後、このスローガンを掲げることはなくなりました。国民のおっくうさに支えられて生まれた政権が、そんなおっくうなことをするはずがないのです。

「戦前を肯定するナショナリスト」という総理のイメージとは裏腹に、第二次以後の安倍内閣は新自由主義型グローバリズムの路線を突き進みました。TPP11、日欧EPA、種子法廃止、水道法改正、漁業法改正、入管法改正、日米貿易協定、すべてそうではありませんか。(32)

そのせいでしょう、二〇一〇年代も終わりに近づいたころには、「安倍内閣疲れ」が国民の間に広がってゆきます。

誰にもまして疲れ切っているように見えたのは、安倍総理を熱心に支持した保守層。期待をみごとに裏切られたのですから、無理もありません。

とはいえ、それは脇に置きます。

ポイントは安倍内閣疲れの広まりにもかかわらず、政権への不支持が高まらなかったこと。

二〇二〇年八月、みずから退陣しなければ、安倍は今でも総理を務めていた可能性が高いのです。

なぜでしょう？


そうです。

安倍内閣には疲れたとしても、他党への政権交代はおろか、自民党政権のもとでの内閣交代ですら、もっと疲れそうでおっくうだからです！

世論調査において、同総理、ないし内閣が「他に良い人がいない」「これまでの内閣より良い」といった理由で、かなり高い支持を得てきたのも、納得のゆく話ではありませんか。「今さら代えるのはおっくうだ」とすれば、いっそう的確と思われます。


安倍退陣を受けて総理となった菅義偉は、前内閣の政策を継承すると謳いました。

菅内閣は支持を得られず、一年で退陣に追い込まれたものの、これが安倍路線からの脱却につながるかどうかは微妙なところ。

「疲れの三すくみ」をもたらした戦後平和主義、自民党路線、および反自民路線は、どれ一つとして未だ否定されていないのです。

わが国は二〇二〇年代も、「ナショナリズムを唱えながら、新自由主義型グローバリズムに邁進する」路線を歩む可能性が高い。

ただし新自由主義型グローバリズムは、ナショナリズムを強く否定する特徴を持っていますから、この路線がいつまでも続くことはありえません。人々が疲れておっくうになっていようと、みずからの矛盾によって崩壊するときが、遅かれ早かれやってきます。(33)


そのとき、どうするのか。

これこそ日本の正念場になります。疲れを乗り越え、新たな路線を見出すのか、路線崩壊によっていよいよ疲れ果て、没落の道をたどるのか、選択の時が来るからです。

選択の結果は、国の命運を決定的に左右することになるでしょう。そして正しい判断を下すことができるかどうかは、「疲れの三すくみ」の背後にひそむ三つの要因、とりわけ問題の根源たる戦後平和主義を脱却できるかどうかにかかっているのです。

3　香港騒乱が突きつけたもの

香港の民主化運動は、二〇二〇年六月、中国が「香港国家安全法」(中華人民共和国香港特別行政区国家安全維持法)を制定したことで封じ込まれました。

同法の制定により、「香港は一夜にして別世界になってしまった」とも言われるほど。(34)

つづいて二〇二一年三月には、香港の議会である「立法会」の選挙制度が改正されます。中国当局はこの改正について、『愛国者』だけが香港の政治に関われるようにすることが目的」という旨を説明しました。(35)

愛国者とは、北京政府を支持する「親中派」のことですから、民主派をいっそう抑え込むのが狙いなのは明らか。

とはいえ別世界になってしまう直前、香港はどんな状態にあったのか？

こういうことは、えてして忘れ去られます。

振り返ってみましょう。

香港で何が起きていたか？

二〇一九年、香港は荒れました。

マスクをしたデモ隊と警官隊が衝突、催涙ガスが使われたり、投石や放火が行われたりといった光景が、毎日のようにニュースで報じられていたのです。

発端となったのは、香港特別行政区政府が二月に「逃亡犯条例」の改正を提案したこと。

これにたいする反対運動が大きく盛り上がりました。

警察が強硬な態度で鎮圧しようとしたことが、火に油を注ぐ結果に。

行政長官の林鄭月娥（英語名キャリー・ラム）は六月十五日、改正案の審議の無期延期を発表、翌十六日には政情不安を引き起こしたことについて謝罪しました。

この延期によって、逃亡犯条例改正はとりあえず頓挫した形になったものの、反対派は収まらず、改正案の完全撤廃と林鄭長官の辞任を求めてデモを拡大させます。

条例改正の何がそんなにヤバかったのか。

ニューズウィークが簡潔にまとめています。


今回の改正案が成立すれば、香港住人だけでなく、香港に住んだり渡航した外国人や中国人までもが、中国側からの要請があれば本土に引き渡されることになる。(36)

というのも……

（条例改正案は）現在ケースバイケースで対応している刑事容疑者の身柄引き渡し手続きを簡略

化し、香港が身柄引き渡し条約を結んでいる二十カ国以外にも対象を広げるという内容だ。

改正案は、香港から中国本土や台湾、マカオへの身柄引き渡しも初めて明示的に認めている。(37)

引き渡し要請があれば、すぐに応じるわけではなく、法廷での審理によって最終決定するそうですが、「送中」される可能性がぐっと高まるのは確実。

行政府の言い分はこちらです。

(1)これによって、香港は中国本土の犯罪者の「駆け込み寺」でなくなる。
(2)引き渡しの対象は重い犯罪に限定するなど、要件を厳しくした。
(3)政治的・宗教的な訴追に直面していたり、拷問を受ける恐れがあったりする場合、引き渡しを阻止する「安全弁」がある。
(4)死刑に処せられる恐れがある容疑者も引き渡さない。(38)

けれども中国においては、政治的自由が制限されているうえ、反体制派への抑圧・弾圧も珍しくない。

そのような抑圧・弾圧を行う場合、「お前は政府を批判したな！　逮捕だ！」と、ストレートに言うとは限りません。

何らかの犯罪をやらかしたことにして、別件逮捕する手だってある。

逃亡犯条例の改正が成立し、かつ乱用された場合、中国政府から目をつけられた人物は、香港に居住・滞在するどころか、飛行機の乗り換えで立ち寄っただけでも、中国送りになるかも知れないのです。

二〇一四年に起きた反政府デモ「雨傘運動」の中心人物の一人で、わが国では「民主の女神」などとも呼ばれる女子大生、周庭（しゅうてい）（英語名アグネス・チョウ）いわく。

今回の改正案は日本人の皆さんにも無関係ではないと思います。
皆さんが将来香港に来たり、観光したりする機会があると思います。
香港に来たら中国に引き渡されるかもしれないというのは、沢山の日本人も不安に思っていると思います。(39)

ちなみに逃亡犯条例改正、香港人が台湾で殺人事件を起こしたあと、香港に逃げ戻ったことを契機に持ち上がりましたが、周庭によればこれは表向きで、香港への支配を強めたい北京政府の指示でやっているとの話。

本当の理由は殺人犯の引き渡しではない、とみんなが思っている。
中国が好きじゃない人、中国に反対する人、人権を求める人、そして中国で商売をしたり、中国情報を持っている人に対して何か目的があるのではないか。私たちのような活動家だけではな

く、中国の官僚と深い関係のある、中国で商売をやっている香港人や外国人をターゲットにするのでは、と思います。(40)

問題の根底にひそむトリレンマ

改正案が成立した場合、中国政府は刑事容疑者の身柄引き渡しだけでなく、資産凍結や差し押さえも要請できるようになるとのことですから、説得力のある主張です。

ただし香港の事態を「自由や民主主義を守ろうとする若者VS独裁志向の北京政府」という図式のみでとらえるのは、十分に正確ではありません。

周庭と同じく、雨傘運動で中心的な役割を果たした人物に、黄之鋒（英語名ジョシュア・ウォン）という青年がいます。

逃亡犯条例改正にも強く反対していますが、黄之鋒、二〇一七年の時点ではこんな主張をしていたのですよ。

ハッキリさせておこう。香港の人々は北京政府に抵抗しようとしているのではない。中国が（返還の際の）約束通り、普通選挙で指導者を選ぶ自由をわれわれに与え、「高度の自治」を許容するよう求めているだけなのだ。(41)

この発言が「自由や民主主義を守ろうとする若者VS独裁志向の北京政府」の図式に照らして、どこかズレているのは明らかでしょう。「北京政府に抵抗しようとしているのではない」のですから。

香港政府や北京を不必要に刺激しないよう、あえて抑えた表現にしたという可能性も考えられる。しかし経済学者デヴィッド・カントーニは、ロンドン・スクール・オブ・エコノミクスの経営学部ブログに発表した記事（大学院生デヴィッド・Y・ヤン、経営学者ノーム・ユクトマンと共同執筆）の中で、より複雑な真相を提起しています。

いわく。
北京政府が香港に望むのは以下の三点である。

（1）「一国二制度」のもと、自由なイメージを維持することで、世界有数の金融都市の地位を保ち、外国からの投資を呼び込む。
（2）民主的な自治をなるべく制限し、中国共産党の支配を徹底させる。
（3）北京政府に反対する動きを抑圧する。

ただし、この三つを同時に満たすのは不可能。

わけても（2）と（3）が達成されたら、自由な香港のイメージはなくなってしまい、（1）がパアになってしまいます。

いわゆるトリレンマ。

「三刀論法」とも呼ばれますが、三つの条件が相反する形でからみあった状態です。

よって中国は長らく、民主的な自治を制限する代わりに、北京政府への反対は黙認するという方針を取ってきた。

黄之鋒はそれを逆手に取る形で、「北京政府への反対をしない代わりに民主的な自治を認めろ」と主張しているのだ、と。

これは非常に意味深長な分析。

カントーニたちの主張に基づけば、香港の反体制派もトリレンマを抱えていることになるのです。

反体制派の理想は、以下の三点が満たされることでしょう。

（1）「一国二制度」に基づく、自由で繁栄する香港の維持。
（2）中国共産党の支配を受けない、民主的な自治の実現。
（3）北京政府に反対する権利の確保。

ただし、この三つをすべて要求したら、それこそ人民解放軍が介入してくる事態にもなりかねません。

よって（2）か（3）のどちらかを選ばねばならない。

一方は捨てねばならないのです。

黄之鋒が「北京政府に抵抗しているわけではない」と述べたのも、必然の帰結ではありませんか。

さらに注目すべきは「繁栄する香港の維持」については、北京政府と香港反体制派の利害が一致すること。

香港が衰退・没落するのは、北京政府にとって望ましくないでしょうが、その場合、香港の自由や自治を認める理由もなくなります。

だいたい「一国二制度」は、返還後五十年間に限って実施されるもの。

香港が中国に返還されたのは一九九七年ですから、二〇四七年には終わるのです。(42)

その後もなお、自由や自治を認める、ないし認めなければならない理由があるとすれば、「完全に中国化されたら最後、香港は繁栄を維持できない」という以外にありえない。

「中国化の徹底」を捨てて「繁栄する香港」を取る次第です。

裏を返せば、繁栄の維持は、香港の反体制派にとっても死活問題。

こう考えると、今回の事態の根底にあるのは、「自由と繁栄はどこまで密接不可分か」という問題にほかなりません。

香港の中国化か、中国の香港化か

二十世紀後半の世界では「自由を抑圧した状態での繁栄はありえないし、一時的に達成されたとしても長続きしない。自由の保障こそ、真の繁栄にいたる道なのだ」という発想が支配的でした。現に東西冷戦は、政治的自由を抑圧した社会主義陣営の崩壊で終わっています。

香港の人々も、返還当時は「あと五十年のうちには、中国だって自由化・民主化が進むだろうから、二〇四七年に一国二制度が終わっても大丈夫」と思っていた可能性が高い。

香港が中国化されるのではなく、中国が香港化される形で、制度の違いが解消されることになるわけです。

けれども今や、雲行きは怪しくなっている。

世界規模で平和と繁栄をもたらすと謳われた新自由主義型グローバリズムが、実際には格差拡大や貧困をもたらすものだったことは、どうにも否定できません。

自由の保障こそ、真の繁栄にいたる道だという二十世紀後半型の発想は、少なからず説得力を失いました。

しかも中国は、政治的自由を抑圧したままでありながら、経済大国としての地位を築きあげる。自由を抑圧しても繁栄は達成されるという実例まで登場したのです！

香港の逃亡犯条例改正をめぐる対立は

〈自由を抑圧しても繁栄は達成できるのだから、民主的な自治や反体制活動を封じても大丈夫なはずだ〉

という発想（北京政府・香港行政府）と、

〈自由と繁栄は今でも密接不可分のはずだ〉

という発想（香港の民主派）の対立と見なければなりません。

過剰な自由が貧困をもたらすこと、および政治的自由が抑圧されたもとでも繁栄がありうることがハッキリした現在、後者の立場は以前より分が悪い。

黄之鋒が「北京政府への抵抗」を捨てているのは、その表れと解釈することもできます。

だとしても「過剰な自由は貧困をもたらす一方、自由を抑圧しても繁栄は達成できる」というのは、二十一世紀の世界は中国のものと主張するにひとしい。

二〇二〇年代末には、中国のＧＤＰはアメリカを抜いて世界一になると予測されているのです。(43)

国民が好き勝手に振る舞っていたら、繁栄は続かない！

政府の強いリーダーシップのもと、自由を制限することこそ、経世済民の王道だ！

全体主義や社会主義の失敗によって、二十世紀の間に葬り去られたかに見えたこの発想が、じつは正しかったとなったら、みなさん、どうしますか？


しかも香港の事態は、ほかの点でも他人事ではないのです。

過激化した民主派の行動

二〇一九年九月四日、林鄭行政長官は逃亡犯条例改正案の完全撤回を表明しました。長官はあわせて、次のように言明。

(1)デモにたいする警察の対応が適切だったか、警察苦情処理独立委員会（ＩＰＣＣ）を通じて検証する。
(2)デモ参加者を検挙するかしないかは、個々人の行動に関する証拠に基づいて決められるものであり、デモを「暴動」と見なすかどうかとは関係がない。
(3)デモ参加者や、暴動を引き起こした者への起訴取り下げは、法の支配の原則に反するため認められない。

（4）民主的な普通選挙の実現のために必要なのは、現在の法制度の枠内における対話であり、社会の分断を煽るような真似ではない。(44)

これが持つ意味を理解するには、反対運動を展開した側がどんな要求を掲げていたかを振り返らねばなりません。

周庭はツイートで、内容を次のようにまとめました。

（1）改正案の完全撤回
（2）警察と政府の、市民活動を「暴動」とする見解の撤回
（3）デモ参加者の逮捕、起訴の中止
（4）警察の暴力的制圧の責任追及と外部調査実施
（5）林鄭月娥の辞任と民主的選挙の実現(45)

林鄭長官、（1）は受け入れ、（4）についてもそれなりに応じたものの、残りは拒否したのです。ついでに警察苦情処理独立委員会は、名称とは裏腹に独立性を有していないと批判されるため、警察の対応に関する同委員会の検証がどこまで内実を伴うかは分かりません。

反対運動はどう出たか。

簡単に言えば、突っぱねました。

民主派のオンラインフォーラムで、抗議行動を組織するのにも使われた「ＬＩＨＫＧ」には、林鄭長官の対応を受け入れられるか？　という書き込みに否定的反応が殺到。

周庭はこうコメントします。

条例の撤回は喜べません。遅すぎました。（中略）私たちは、五つの要求を求めています。これからも戦い続けます。(46)

黄之鋒も次のようにツイート。

世界にたいしても訴えたい。（条例改正案を撤回した）この手口に警戒せよ。香港政府、および北京政府に騙されてはいけない。彼らは実際には何も譲歩していないし、全面的な制圧に出ようとしている。(47)

事態は沈静化の様子を見せません。

林鄭長官が撤回を表明したあと、最初の週末となった九月六日、金曜日の夜から七日の未明にかけて、デモ隊は警官隊と激しく衝突。

つづく八日にもデモ隊がアメリカ領事館付近を行進、「トランプ大統領、香港を解放して下さい」と連呼しながら、アメリカ議会が「香港の人権と民主主義」法案を早期に可決するよう求めました。

同法案には、香港当局者にたいする制裁も盛り込まれています。

米中の通商対立が続いているのを思えば、挑発的な行動ではありませんか。

しかもアメリカ領事館前の出来事は、この日に繰り広げられた反対運動のごく一部なのです。


午後二時四十五分ごろ、デモ隊は領事館の職員に請願書を渡しました。

その後、デモ参加者は領事館前を北東に延びる大通り、花園道（ガーデン・ロード）を蛇行。

警官隊との小競り合いも生じます。


四時前後には、領事館の北、花園道の西に位置する港鉄の中環駅（セントラル・ステーション）周辺にもデモ隊が集結。

港鉄は香港最大の鉄道路線システムで、MTRと略称されます。

片や中環はビジネス街として知られる地区。

MTRは中環駅を閉鎖、同駅と地下通路で結ばれた香港駅も閉鎖となりました。


するとデモ隊は破壊行為に。

廃物の入った袋で駅出口を塞いだり、窓ガラスを叩き割ったりしたあげく、五時五十分前後には放火するにいたります。

やがて人波は中環から、住宅や官庁などもある湾仔（ワンチャイ）地区へと東に向かう。その途中、多くの主要道路に鉄製の柵でバリケードが築かれました。路上に段ボールの箱を並べ、火をつけることも行われています。

日が沈むまでには、MTRの湾仔駅も閉鎖されました。

両駅の間にある金鐘駅でも、警官隊とデモ参加者の衝突が起こります。

そしてデモ隊はさらに東へ。

これでみごとにとばっちりを食ったのが、俳優・歌手として人気の高い郭富城（英語名アーロン・クォック）。

この晩、郭は湾仔地区の東にある商業地域、銅鑼湾（コーズウェイ・ベイ）をランボルギーニで走っていたのですが、道路がデモ隊で一杯になり、動けなくなってしまったのです！

郭が運転しているのに気づいたデモ参加者は「支持してくれてありがとう、アーロン・クオック！」と叫んだり、一緒に写真を撮ったりと盛り上がりました。

ただし現場にいたマスコミから、なぜこんなところにいるのかと聞かれると、郭は苦笑してこう答えます。

「娘のオムツを買いに行くところだったんだ」

騒乱は真夜中まで続いたとのことでした。(48)

中国との全面対決へ

これは暴動ですよ、どう見たって。

器物損壊も放火もガンガンやっているんですから、政府側としても逮捕・起訴しないわけにはゆきません。


となると五大要求のうち、二番目の「市民活動を『暴動』とする見解の撤回」と、三番目の「デモ参加者の逮捕、起訴の中止」はアウト。

五番目の「林鄭月娥の辞任と民主的選挙の実現」も難しいでしょうから、和解など望むべくもなかったのですが、ここで考えるべき点がある。

林鄭長官がすべての要求を受け入れたら、反体制派は納得しておとなしくなるのか?

黄之鋒のツイートを、もう一度振り返ってみましょう。

先に紹介したツイートのスレッドで、彼はこう言っているのです。


香港人にとって、林鄭長官の汚いやり口はおなじみだ。こちらの勝利を認めるような振る舞いは、政治的自由の行使に関する制限とつねにワンセットなのだ。で、制限のほうが譲歩よりずっ

と徹底的とくる。(49)

この論理に従ったら最後、五大要求が全部通っても、そんなものは見せかけにすぎないことになる。「林鄭長官は辞任したが、本質は何も変わっていない！　だいたい辞めるのが遅すぎる！　戦いを続けるぞ!!」

デモ隊がそう叫ぶのは目に見えています。

アメリカ領事館前に集まったデモ隊など、トランプに香港解放を頼んだのですから、中国からの独立でも達成しないかぎり納得するはずはありません。

二〇一七年の段階では、「香港の人々は北京政府に抵抗しようとしているのではない」と述べていた黄之鋒が、わずか二年後、「香港政府、および北京政府に騙されてはいけない」とツイートしたのは、関連して象徴的です。

香港が中国の一部であるうちは、いくら行政府側が譲歩しようと、民主派は収まらない。となれば、行くところまで行くしかありません。

マレーシアのマハティール首相も九月六日、香港の事態は「一国二制度」の限界を示すものだとして、次のようにコメントしました。

> 私はかねてより、同じ国の中に二つの異なるシステムを取り入れるなんて、早晩破綻すると思っていた。案の定、そうなった。
> 今回の事態に収拾がつかず、反対派がおとなしくならないまま、自治の徹底や独立へと要求をエスカレートさせるなら、中国も黙っていないだろう。[50]

マハティールの主張が正しければ、「一国一制度」（＝完全な中国化）か「二国二制度」（＝香港独立）のほかに、香港問題の落としどころはありません。

だとしても、独立はいかんせん無理。

あとは一国一制度、つまり完全な中国化あるのみ。

一国二制度は五十年間の期間限定ですので、二〇四七年にはどのみち終わるのですが、反対派の激しいデモは、終わりをさらに早めたと言わねばならない。

だとしても民主派は、なぜ現実的な落としどころをさぐろうとしなかったのか？

香港人の絶望の構造

面白い記事を紹介しましょう。

沈聯濤（シェンリエンタオ）（英語名アンドリュー・シェン、香港大学アジア・グローバル研究所特別研究員）と、蕭耿（シアオケン）（香港国際金融学会議長）が二〇一九年八月二十七日、プラハを本拠とする国際ＮＰＯ「プロジェク

ト・シンジケート」のサイトに発表した「香港の真の問題は社会的不平等だ」。(51)

ニューズウィーク日本版にも「香港デモの敵は、北京ではなく目の前にいる」として掲載されました。(52)

論旨を要約すれば以下の通り。


香港の騒乱について、自由民主主義（民主派）VS権威主義（香港政府・北京）の構図でばかりとらえるのは正しくない。香港人の不満の大きな要因は社会的格差の拡大なのだ。


沈聯濤と蕭耿は、根拠として「ジニ係数」を持ち出します。

社会の不平等性を計る指標で、値はゼロから一まで。

ゼロが最も平等、一が最も不平等です。

〇・四を超えると社会不安が生じ、〇・五を超えると暴動などの激しい対立が生じやすくなる。


二〇一六年、香港のジニ係数は〇・五三九！

過去四十五年間で最大とか。

先進国で最も格差の大きいアメリカが〇・四一一とのことですから、それと比べても相当に深刻。

ちなみにわが国のジニ係数は、二〇一八年で〇・三三四です。(53)

しかも香港は住環境が悪い。上海の一人当たり居住スペースが三六平方メートルなのにたいして、香港は一六平方メートルしかありません。(54)

おまけに香港の議会（立法会）は、職能団体から選出される議員が半数を占めることもあって、既得権益を守る傾向が強く、事態を改善できない。

沈聯濤と蕭耿いわく。

> 香港で抗議デモに参加する者たちは、政府が自分たちの主張に取り合わないと信じている。だが彼らの声を聞こうとしないのは中国政府ではなく、香港のエリート層なのだ。(55)

香港のエリートには親中派が多いので、この論理展開は少々強引。「建制派」ないし「親北京派」と呼ばれるこれらの人々が、自分たちの利益のために、中国政府の意向を忖度しているとしたら、結局は同じことではありませんか。

だとしても、沈聯濤と蕭耿が指摘する点まで考慮に入れると、民主派がかたくなになる理由が見えてくる。

彼らの目には、次のような状況が映っているのです。

（1）香港は中国の一部であり、一国二制度にしても二〇四七年には終わる。

（2）ゆえに政治的自由への制限はいずれ強まる。
（3）香港の格差は、社会の安定を揺るがすレベルにまで拡大した。
（4）エリートは親中派が主流で、自分たちの声に耳を貸そうとしない。

以前であれば「自由の保障なしに繁栄の持続はありえないのだから、いずれ中国のほうが変わるはずだ」と構えることもできた。

この場合、（1）のもとでも（2）は否定されますし、（4）にしても弱まってゆく可能性が高い。

格差の問題は残りますが、とりあえず我慢できるでしょう。

だが今や、自由と繁栄のつながりは少なからず揺らいでいる。

となると、変わらねばならないのは香港のほうだし、親中派エリートからも無視されつづけることに。

八方ふさがりになってしまったのです。

ここから生まれた絶望感が、逃亡犯条例改正案をきっかけに爆発したのに違いない。


われわれの敵も目の前にいる！

しかるにお立ち会い。

極東の一角に、よく似た状況に置かれた国があるのですよ。

つまり、わが日本。

どうぞ。

（1）日本はアメリカの従属国であり、日本の主権は制限つきのものにすぎない。
（2）「日米同盟の絆」の名のもと、従属は近年深まっている。ゆえに主権への制限も強まる。
（3）アメリカの意向に沿って、新自由主義型グローバリズムに基づく構造改革を進めた結果、貧困化と格差拡大が生じた。
（4）エリートは親米派が主流で、国民の不満に耳を貸そうとしない。

親分が中国か、それともアメリカかという違いこそあるものの、

〈大国に従属しなければやってゆけないが、従属すればするほど自由がなくなり、かつ格差が拡大する〉

という点において、両者はそっくりではありませんか。

思えば香港が中国に返還された一九九七年は、わが国でデフレ不況が始まった年。

二十年あまりを経た現在でも、脱却は果たせていません。

こうなると香港の騒乱も、いよいよもって他人事とは言えなくなってくる。

「逃亡犯条例改正案が撤回されただけでは解決にならない」という民主派の主張は、今までの分析を踏まえれば、全くその通り。

ただしこの発想を突き詰めると、中国からの独立に行き着いてしまいます。

北京政府と正面切って対決しなければなりません。

民主派がこの路線を突き進んで、つぶされたのはご存じのとおり。(56)


同様、わが国の格差拡大に歯止めをかけ、経世済民を達成するには、消費税の引き下げや積極財政を実現するだけでは十分ではない。

新自由主義型グローバリズムの問題点を直視し、構造改革路線そのものを改める必要があります。

ただしこの発想を突き詰めると、対米従属からの脱却に行き着く。

アメリカと正面切って対決しなければなりません。


どこまで理想を追求すべきなのか？

現実的な落としどころをさぐるとしたら、何を捨てて、何を守るべきなのか？

これこそ、香港の騒乱がわれわれに突きつけた問題なのです。

簡単に答えが出る問題ではありません。

しかし「自由を求める香港の人々」に共感したつもりになったあげく、アメリカが経済制裁で中国を抑え込むことを期待してばかりいるようでは、良くて無益、悪ければ自滅的な結末が待っているでありましょう。

沈聯濤と蕭耿が喝破したとおり、敵は北京ではなく、目の前にいるのです。

4 中華未来主義というノスタルジア

ここ数年、「中華未来主義」という理念が話題になっています。どんな理念か、内容を整理してみましょう。

(1) 中国は共産党の支配のもと、自由や人権に制約を加えている。ただし経済については、資本主義の要素も取り入れ、繁栄や技術革新を積極的に追求するにいたった。

(2) このような「自由や人権への制約＋積極的な繁栄追求」の方法論は、多くの先進国が採用している「自由民主主義＋積極的な繁栄追求」の方法論に比べ、望ましくもなければ、成果も上がらないと思われてきた。経済発展が進み、人々が豊かになるにつれて、前者から後者への移行、つまり自由化や民主化が必然的に起こるし、そうでなければ繁栄追求も頭打ちになるというのが、二十世紀後半の支配的な見解だったのである。

（3）ところが中国は、自由化・民主化に踏み出していないにもかかわらず、めざましい勢いで発展を続けている。他方、自由民主主義諸国においては、ほかならぬ自由や人権へのこだわりが、いわゆる「政治的正しさ」への過度の執着となって、社会、とりわけ経済の効率的な発展を妨げるようになった。「政治的正しさ」を信奉する勢力は、中世ヨーロッパの聖職者よろしく、異論や異端の排撃に余念がない点で、「ザ・カテドラル」、すなわち「大聖堂（派）」とも呼ぶべき代物にほかならない。

（4）ゆえに中国は、繁栄の持続や先端技術の開発に関し、自由民主主義諸国よりも優位に立っている可能性が高い。これは政治的・軍事的な覇権の確立についても、同国が有利な立場にあることを意味する。

（5）その意味で、中国こそが未来へのカギを握る。自由や人権への制約は、同国が遅れていることの表れではなく、進んでいることのしるしなのだ。

共産党が支配しているわけではないものの、権威主義的な政治体制と経済的繁栄を両立させたシンガポールのような国も、中華未来主義のもとでは高く評価されます。

中国のGDPは二〇一〇年に日本を追い抜いており、その差は開く一方。(57) シンガポールも二〇〇七年には、一人あたり名目GDPで日本を追い抜きました。二〇一八年の数値は六万六千ドルあまりと、アメリカ(約六万三千ドル)をもしのぎます。わが国は四万ドル弱ですから、こちらも差は相当に大きい。(58)

二〇一三年にシンガポールを訪れた際、安倍総理は「シンガポールに追いつき、できれば追い越したい。真剣に、そう思っています」と講演しました。中国の習近平主席についても、国賓として招聘したがっていましたから、あるいは中華未来主義を信奉しているのかも知れません。

自由や人権への制約を、後進性の表れではなく、先進性のしるしと位置づけることが示すとおり、中華未来主義における「進歩」の概念は、一般的なものと異なります。『広辞苑』によれば進歩とは、「物事が次第によい方、また望ましい方に進み行くこと」を意味します。社会のあり方に関して言えば、これは長らく、以下の二点が満たされることとイコールでした。第一は経済発展によって生活水準が向上することであり、第二は自由や人権の保障が充実すること。

けれども中華未来主義は、二番目の点について、一番目の点を阻害する望ましくないものと見なします。経済面で進歩したければ、自由や人権が進歩してはいけないのです。後者の進歩など許したら、大聖堂への道が待っているではありませんか。

「未来革命」を振り返る

進歩の反対概念は「反動」です。望ましいのとは逆の方向に進み行くことですが、中華未来主義の発想では、自由や人権については、反動こそが望ましくなる。[59]『マクベス』の台詞をもじれば、「進歩は反動、反動は進歩」。このような立場は「新反動主義」と呼ばれます。

同時に進歩は、「啓蒙」の概念と縁が深い。近代における啓蒙は、自由や権利の概念を普及させることとほぼイコールですが、「蒙」は「上から覆われて暗い」という意味の字であり、「啓」には「開く」のほか、「闇が明るくなって夜が明ける」という意味があります。

覆いを取り去って、暗いものを明るくするのが「啓蒙」なのです。啓蒙にあたる英語「エンライトメント」にしても、元来はライト、つまり光を当てるということ。

してみると、自由や人権にこだわるあまり、自己絶対化に陥って大聖堂を築くのは、光がまぶしすぎて物が見えない状態に該当します。目を機能させるには、周囲を暗くしなければなりません。

自由や人権にたいする懐疑を広めようとする立場は、このため「暗黒啓蒙（ダーク・エンライトメント）」とも呼ばれます。光明ではなく、暗黒（ダーク）を「啓蒙（エンライト）」するというのは矛盾ですが、そうでなければ繁栄の持続や、先端技術の素早い開発はありえず、未来をつかみそこねる。マクベスならば「こんなに暗くて明るい光は見たことがない」と言うでしょう。

中華未来主義は、経済、とりわけ技術革新については急速な進歩を志向する一方（進歩のスピードを速めたがる点で、そのような立場は「加速主義」と呼ばれます）、それゆえにこそ政治については、反動や暗黒啓蒙といった「逆進歩」を志向するのです。さしずめ「ハイテク×権威主義＝未来」ですが、未来とは進歩の先にあるものだとすれば、これは未来と過去に向けて同時に突き進もうとするにひとしい。(60)

そんなパラドックスがなぜ成立するのか、この点を理解するには、「未来」の概念自体を問い直す必要があります。

『広辞苑』は未来について、「過去・現在とともに時の流れを三区分した一つで、まだ来ていない部分」と定義します。ただしこの定義が成立するには、ある条件が満たされねばなりません。

分かりますね？　過去・現在・未来がそれぞれ違っていることです。でなければ区分する意味がない。

こう考えるとき、人間は歴史の大部分を通じて、現在のような「未来」の概念を持っていませんでした。知識や技術の発達する速度が緩慢すぎたせいで、「まだ到来しておらず、かつ現在とは本質的に違う時間」を想定する意義や必要性がなかったのです。

未来の概念が存在しなければ、国や社会が「進歩」するという発想も生まれません。しかし歴史の経過とともに、知識や技術の発達はスピードアップしてゆきました。

十八世紀後半、ついに革命が起こります。ルーマニアの歴史学者ルチアン・ボイアは、その過程を以下のようにまとめました。

一七五〇年から一八〇〇年のあいだに、非常に重大なことが起きる。遠い昔から慎重に一歩一歩歩んできた人類が、突如、忍耐力を失ったかのように見えはじめたのである。それは科学技術時代のうちでも大躍進をとげた時期にあたる。すべてがいっぺんに爆発する。人口、社会、科学、産業、イデオロギー。いろいろな機械が発明される。進歩が発明され、未来が発明される。(中略)

人間はついに己(おの)が運命の支配者になったかのごとくである。人間はすでにおそるべき武器、すなわち理性を駆使するようになっていた。(61)

未来や進歩の誕生は、現実にも三つの革命をもたらします。産業革命、アメリカ独立革命、フランス革命です。

産業革命は技術革新によって生じ、経済の発展や、さらなる技術開発を加速させました。続く二つの革命は、自由や人権の発想の普及によって生じ、それらの系統的な保障・拡充をめざす政治システム、つまり近代的な民主主義への道を拓きます。

「自由民主主義＋積極的な繁栄追求」の方法論が、進歩（＝未来をめざす動き）の王道と見なされたのも無理からぬことでしょう。いわば十八世紀、世界は「未来革命」とも呼ぶべきものを経験したものの、注目すべきはこの革命が、欧米という特定の地域、ないし文化圏において生じたこと。欧米は他の地域や文化圏を出し抜いて、未来への一番乗りを果たしたのです。産業革命は経済発展や技術革新をもたらす以上、これは欧米が「世界の覇者」になったことを意味しました。

後の者は先になったか

十九世紀以後、欧米以外の国々にとって、近代化と欧米化はイコールになります。しかるに近代化とは、進歩の積極的な推進、すなわち「未来化」でなくて何でしょう。

「近代化＝欧米化」の等式の背後には、「欧米こそは未来に最も近い存在なのだから、歴史の進歩から落ちこぼれたくなければ、欧米のようになることを目標にすべきだ」という発想がひそんでいるのです。くだんの発想が「欧米未来主義」と呼ばれなかったのは、欧米とは異なる方法論で、欧米以上に未来に近づく国や地域が出現する可能性を、誰も想像できなかったからにすぎません。

二十世紀に入ると、欧米未来主義自体が、イギリスやアメリカをはじめとする自由主義派と、ソ連に率いられた社会主義派に分かれて対立します。革命直後のソ連を訪れたアメリカのジャーナリスト、リンカーン・ステフェンズが「私は未来を見た。そして未来はうまく行く」と語ったのは、関連して意味深長でしょう。

フォード・モーター社も一九四六年、そっくりのスローガンを使いました。いわく、「あなたの未来にはフォード車があります!」。水晶球を手にした占い師がそう告げているという設定の宣伝ですが、ずばり「フォード車=未来」なのです。(62)

ただしソ連(ロシア)といえどもヨーロッパのうち。その意味で、未来はやはり欧米のものでした。他方、一九三〇年代には、全体主義によって自由主義と社会主義の双方を出し抜き、未来に一番乗りしようとする動きも表面化します。わが国もこの動きに乗ったわけですが、全体主義陣営の中核となったのはドイツですから、これも基本的には欧米未来主義の枠内における対立でした。

けれども注目すべきは、社会主義や全体主義といった分派が登場するにつれ、「積極的な繁栄追求」と「自由民主主義」とのつながりが絶対的なものではなくなってきたこと。

ここで紹介したいのが、敗戦直後のわが国でアメリカ映画が持った意味合いをめぐる、映画監督・大島渚の主張です。彼は「日本の民衆は映画を教科書として民主主義を勉強した」という見解を紹介したあとで、そんなものは嘘だと批判、次のように述べました。

では、戦争直後の日本社会にとって、あるいは日本人にとって、アメリカ映画とはいったい何であったか。

それは進歩の象徴であった、と私は思う。(中略)

私たちはアメリカ映画のなかにアメリカを見た。そこには予想通り、工業力の発展した、進歩し続ける国があり、幸せそうな男女がいた。進歩と発展のために戦い、勝ちぬいてゆくヒーローたちがいた。そして彼を愛するヒロインたちがいた。

ほとんどすべての日本人がその幻影に酔った。自分もあのような工業社会に生きようと思った。決して民主主義でなく、アメリカ映画の教えた個人原理と英雄主義を信じて、日本人は生きた。努力した。その結果、日本は進歩し、発展した。(63)

個人原理と英雄主義は、アメリカ型の自由民主主義の基盤をなすもの。それらを信じて生きたからといって、戦後日本人が自由民主主義を否定したことにはなりません。
しかし、この点は脇に置きましょう。大島が主張しているのは、敗戦直後の日本人にとり、アメリカ映画は「達成すべき経済的繁栄」の手本であって、「身につけるべき政治的な価値観」の手本ではなかったということだからです。(64)

これが何を意味するか、分かりますか？
近代化の達成と、自由民主主義の確立は、大島にとって分離可能なのです。
日本の近代化、ないしアメリカ化とは、あくまで工業力を発達させることによる繁栄の達成であって、自由や人権の保障の充実ではありません。とはいえアメリカを「進歩し続ける国」と位置づけ、日本も工業化によって「進歩し、発展した」と述べるのですから、自由や人権に制約があろうと、繁栄の追求に成功しさえすれば、未来に向けて立派に進んでいることになる。

大島がこの文章を書いたのは一九七〇年代の前半。中国の文化大革命が終結する直前にあたりますが、中華未来主義を生み出す理念的な基盤は、すでにそろっていたことになるでしょう。最後に残った条件は次の二つ。

（1）自由民主主義諸国を圧倒するような勢いで、経済的繁栄の追求や先端技術の開発を推進する。
（2）その過程においても、自由や人権にたいする制約を緩めない。

二〇一〇年代、中国、ないし中華はこの条件をみごとに満たしました。全体主義や社会主義は、繁栄の達成や維持に失敗したせいで、「自由民主主義に代わる未来化の方法論」としての地位を獲得できませんでしたが、そこをクリアーしたのです。聖書の文句ではありませんが、まさしく「後の者が先になる」。

となれば百年前のリンカーン・ステフェンズ同様、「私は未来を見た。そして未来はうまく行く」と言い出す者が出てくるのは自然のなりゆき。称賛の対象が、上海や深圳（しんせん）、あるいはシンガポールになっただけにすぎません。

「近代化＝欧米化（＝自由民主主義化）」の等式が、ついに崩れるかも知れない点を除けば、中華未来主義は何も新しくないのです！　それどころか「自由民主主義＋積極的な繁栄追求」にたいするアンチテーゼたらんとする点において、社会主義や全体主義へのノスタルジアすら漂っている。欧米の左翼インテリには、かつて文化大革命に憧れた人々がいましたが、それと大差はありません。

中国、ないし中華を「より進んだ存在」と見なし、手本にしたがるにいたっては、欧米が「世界の覇者」として君臨できた時代を取り戻したいという、さらなるノスタルジアまで感じられます。後の者、つまり中国が先になってしまった（ように見える）せいで、自分こそ先だと今まで思っていた者、つまり欧米が「後(おく)れを取った、追いつき追い越せ」とあわてている次第。

もっとも日本人にとって、これは少々口惜しいことです。「近代化＝欧米化」の等式をくつがえし、世界とまでは行かなくとも、東アジアの覇者たらんとしたのは日本のほうが先。

昭和初期には「革新（＝全体主義的なナショナリズム）」を未来への道と見なし、自由主義を時代遅れの代物と片づける風潮がありました。二十世紀前半のわが国が失敗した挑戦に、二十一世紀の中国は成功しつつあるかも知れないのです。

さあ、どうしますか。「バスに乗り遅れるな」とばかり自由や人権を制限し、起死回生をめざしますか？　それとも「アメリカの極東現地妻」として、最後まで自由民主主義と添い遂げる道を選びますか？

5　MMTとナショナリズム

最近、わが国では「MMT」という経済理論が話題になりました。
Modern Monetary Theory（またはModern Money Theory）の頭文字をつないだもので、日本語では「現代貨幣理論」と訳されます。

MMT紹介の第一人者は、評論家の中野剛志。

二〇一六年の大著『富国と強兵　地政経済学序説』（東洋経済新報社）こそ、わが国でMMTを本格的に取り上げた最初の本でしょう。(65)

『富国と強兵』は、いささか専門的なトーンで書かれているため、初心者には取っつきにくいところがあったものの、中野は二〇一九年の『奇跡の経済教室』二部作（KKベストセラーズ）で、MMTを平易に解説しました。

『目からウロコが落ちる　奇跡の経済教室【基礎知識編】』では、MMTの要点がスッキリまとめられており、つづく『全国民が読んだら歴史が変わる　奇跡の経済教室【戦略編】』では、デフレ脱却にたいしてMMTが持つ意義や、MMT批判にたいする反論が「特別付録」として随所に織り込まれています。

二〇一九年には、アメリカの経済学者L・ランダル・レイの著書『MMT 現代貨幣理論入門』が東洋経済新報社より翻訳されましたが、中野はこれにも巻頭解説を寄稿。

その他にも題名に「MMT」を冠した本がいくつも登場、ちょっとしたブームが起こりました。

貨幣理論というと、堅苦しく複雑そうな印象を受けるかも知れないものの、MMTの根本は難しいものではありません。

それどころか、経済学者ならぬ企業の経営者たちは、理論として体系化される前から、MMT的な発想に従って行動していたのです!

具体例をご紹介しましょう。

「鈴木くん、金は銀行にいくらでもある」

一九九五年、キネマ旬報社より『宮崎駿、高畑勲とスタジオジブリのアニメーションたち』という特集本が刊行されました。

私も「共同体への夢と幻滅」という論考を寄稿したのですが、経済や貨幣とは無縁なこの本に、MMTの本質をみごとにとらえたエピソードが出てきます。(66)

エピソードを披露したのは、ジブリのプロデューサー・鈴木敏夫。

スタジオジブリは当初、吉祥寺のビルを借りて本拠にしていました。しかし映画製作を続けるうち、すっかり手狭になってしまう。

そのため一九九〇年代はじめ、宮崎駿が新社屋を建てようと言い出します。いわく、仮の住まいでは優秀な人材が集まらないし、集まった者も育たない。

もっともな理屈ですが、ジブリには建設資金がまったくなかった。

さあ、どうするか。

昨今の政府よろしく、「財源がない」ことを理由にあきらめるのが、たいがいの人の反応かも知れません。

ところが鈴木プロデューサー、「何とかなるだろう」と考えるんですね。

するとジブリの生みの親ともいうべき、徳間書店の徳間康快(とくまやすよし)社長が大賛成する。

徳間康快、こう言ったそうです。


「鈴木くん、金は銀行にいくらでもある。人間、重いものを背負って生きてゆくもんだ」(67)


「こういう人生観もあるのかと不思議な感動にとらわれたのを覚えています」とは鈴木の弁。(68)

こうしてジブリは自前の社屋を持つにいたり、ますます発展していったのでした。

徳間社長の発言のどこがMMTなのか？

まずは「金は銀行にいくらでもある」です。

金（貨幣）を「紙幣」や「硬貨」、つまり現金通貨と考えれば、これは正しくありません。銀行にある紙幣や硬貨の量は有限です。

億単位の現金の引き出しを求められたら最後、たいがいの銀行支店はすぐには対応できず、用意に二日ぐらいはかかるか。


しかし現金通貨は、社会に流通している貨幣の（ごく）一部にすぎません。貨幣は現金通貨という物理的な形を取ることもありますが、そのような形を取らねばならないわけではないのです。

MMTは貨幣について、本質的には貸し借りを表す数字にすぎないと規定します。銀行から一億円の融資を受けるとして、それが一億円の現金という形を取らねばならない理由はない。口座の残高に「一〇〇、〇〇〇、〇〇〇」と入力してもらっても同じことなのです。


裏を返せば、コンピュータのキーボードを打つだけで一億円の融資は可能。L・ランダル・レイは『MMT　現代貨幣理論入門』で、これを「キーストローク」（キー叩き）と形容しました。

キーストロークだけでいいのですから、銀行が融資する気になるかぎり、入力する数字はいくらでも増やせます。

貨幣と現金通貨の違いは、英語にするとさらに明快。

前者は「マネー」で、後者は「キャッシュ」です。

マネーはキャッシュの形態を取ることもありますが、いつでもそうでなければならない理由はありません。

だからこそ、現金通貨を用いない決済のことを「キャッシュレス」と呼ぶのです。

「マネーレス」ではないのでご注意を。

キャッシュレスでも、マネーはしっかり動いていますからね。


そしてマネーは「しかるべき帳簿に記載された数字」にすぎませんから、原理的にはキーストロークで自由に生み出せる。

徳間康快の言うとおり、金は銀行にいくらでもあるのです！


ならば徳間社長、なぜ「人間、重いものを背負って生きてゆくもんだ」と言ったのでしょう。

借金が重荷なのは当たり前じゃないかって？

なるほど、常識的にはそうなります。

けれども「金は銀行にいくらでもある」のです。いくらでもあるものが、そんなに重いということがありうるか。

これもスタジオジブリの例で考えると分かりやすい。銀行から借金して新社屋を建てたとして、そこでつくった映画が大ヒットを飛ばし、関連商品も売れまくったら、借金は重くありません。余裕で返済できるからです。

とはいえ映画の興行がどうなるかは、結局のところフタを開けるまで分からない。鈴木プロデューサーが背負わねばならない「重いもの」とは、借金ではなく、この不確実性なのです。「ジブリになら融資しても大丈夫だ」という銀行の信用に応えられるような映画を供給する責任、そう形容することもできるでしょう。

政治主権・通貨主権・経済主権

しかるに政府には、銀行以上にカネ（「金」と書くと物理的なイメージがつきまとうので、以下カタカナにします）がいくらでもあります。政府には「通貨発行権」、つまりカネをつくりだす能力があるのです！

通貨発行権を放棄したりせず、自国通貨で負債を抱え込むかぎり、政府の財政が破綻することはありえません。返済のためにカネが必要になったら、新たに発行すればいいのです。(69)

それも紙幣を刷る必要はありません。キーストロークでよろしい。

徳間社長の言葉にならえば「政府にはいよいよもって、カネがいくらでもある」ですが、だからといって「重いもの」がなくなるわけではありません。

この場合の「重いもの」は、当該国の経済が持っている、モノやサービスの供給能力です。財政政策によって使われる金が、これをあまりに上回ってしまうと、経済が需要過剰となり、モノやサービスの価格がどんどん上がる。

インフレが進んでしまうのです。

しかしこれは、経済がデフレであるかぎり、政府は負債を増やしても大いに結構、いや増やすべきだということを意味する。

デフレとは、需要が供給を下回っている状態。この場合、「重いもの」を気にするいわれはありません。政府が思い切ってカネを使う、いわゆる「積極財政」によって、経済を刺激すればいいのです。

「カネは政府がいくらでも使える。どの国も重いものを背負って生きてゆくが、デフレのときはそれが重くなくなるもんだ」

ハイ、これがＭＭＴの本質です。

鈴木プロデューサー、じつはＭＭＴに感動していたのです。

裏を返せば、ＭＭＴは貨幣論であると同時に人生観でもある。

徳間社長は故人となりましたが、偉大さがしのばれるではありませんか。(70)

とはいえ、なぜ政府には通貨発行権などという便利なものがあるのか。

整理しておきましょう。

政府に通貨発行権があるのは、政治的な主権を持っているからです。ここでいう主権は「永遠に存続する（と見なして差し支えない）こと」と解釈して下さい。

この場合、いくら負債を抱えても問題はありません。順次、借り換えてゆけばいいのです。完済は無限に先延ばしされるものの、政府は永遠に存続するのですから、踏み倒すなど起こりようがない。よって信用が損なわれることもないはず。政治的な主権は、こうして通貨発行権の基盤となるのです。(71)

ただし政治的な主権（政治主権）だけが、主権のすべてではない。自国の通貨について、固定レートによる外国通貨や金（きん）などへの交換を保証しなくてもよいことを「通貨主権」と呼びます。

これがないと、手持ちの外国通貨や金の量が、貨幣発行の制約となります。(72)すなわち固定レートによる交換を保証しなくとも、通貨の価値が保たれる段階にまで国を発展させることこそ、通貨発行権を盤石（ばんじゃく）にするための条件。MMTは「通貨主権が確立されていれば、デフレ時の政府支出に制約はない」と述べていることになるでしょう。

デフレの際、政府が支出を増やして景気を刺激することは、国が繁栄を続けるうえで大いに貢献します。そして繁栄している国では、政治も安定しやすい。

言い換えればMMTは、次のサイクルを提起しているのです。

(1)政治主権は通貨発行権をもたらす。
(2)国がある程度発展した段階で、通貨発行権は通貨主権に成熟する。
(3)通貨主権を持っていれば、繁栄の維持がそれだけ容易になる。
(4)繁栄する国の政治は安定しやすいので、政治主権も強化される。(73)

通貨主権に基づいて、積極的な財政政策を取ることを、「経済主権」と呼んでも良いでしょう。するとMMTは「通貨主権を媒介として、政治主権と経済主権を連携させる国こそ、繁栄を維持する」と説いていることになります。

論より証拠、MMTの代表的解説書であるL・ランダル・レイの『MMT 現代貨幣理論入門』の原著には、「A Primer on Macroeconomics for *Sovereign* Monetary Systems」という副題がついていました。訳せば「主権に支えられた通貨システムのためのマクロ経済学入門」。

MMTは貨幣のみならず、主権の概念とも切り離せないのです。

わが国はむろん通貨主権を持っている。

経済主権を行使する条件は整っています。

ところが過去二十年あまり、政府は財政健全化にこだわり、経済主権を十分に行使してきませんでした。デフレ不況が長引き、国民の貧困化が進んだ主要な原因もここにある。

ならば日本復活の道筋は明々白々。

政治主権と通貨主権をともに持っているのだから、経済主権を積極的に行使し、繁栄を取り戻せばよろしい!

そう、そのはずですが……

「政府否定」を脱却できるか

MMTに基づく経済主権の行使が、わが国で受け入れられるうえでは、厄介な障害があります。

ずばり、戦後の平和主義。

戦後日本の平和主義は、たんに戦争を否定し、平和を希求するものではありません。

憲法前文に「(日本国民は)政府の行為によって再び戦争の惨禍が起ることのないようにすることを決意し」と謳われているとおり、自国政府を信用せず、その行動に制約を加え続けようというものな

のです。(74)


戦争となれば、どんな政府も積極財政に徹します。

でなければ戦費が足りず、敗北してしまう。

調達の手段は、公債（戦時国債）の発行、つまり借金です。


裏を返せば「政府の行為によって再び戦争の惨禍が起ることのないようにする」有効な方法は、積極財政を禁じること。


敗戦直後に制定された財政法の第四条によって、わが国は公債の発行を原則禁止しました。

赤字国債を発行する際には、そのための特例法を毎回成立させねばならないのです。


野党など、「赤字国債は戦争への道」なる旨まで主張したほど。(75)

しかしこれは「積極財政は戦争への道」と言うにひとしい。

積極財政と景気刺激の関連を思えば、「景気刺激は戦争への道」です。


片やMMTが説くのは、通貨主権を媒介とした政治主権と経済主権の連携。

主権を担うのはつねに政府ですから、政府の意義や役割を否定するところにMMTは成立しえません。

わが国にMMTを定着させ、景気回復を達成するためには、政府をとかく否定したがる戦後平和主義からの脱却が不可欠。

中野剛志をはじめ、京都大学教授の藤井聡、経済評論家の三橋貴明など、ナショナリズムを肯定的にとらえる立場（いわゆる「保守系」）の論客が、わが国におけるMMT紹介の主流となっているのは、その点で必然と言えるでしょう。

ところが、ここでさらなるどんでん返しが待っている。

MMTは欧米で生まれた理論。

L・ランダル・レイのほか、ステファニー・ケルトン、ビル・ミッチェルといった経済学者が、MMT派の有名どころです。

しかるにお立ち会い。

これらの人々の政治的な立場は、そろって左翼なのです。

中野剛志は、MMTをめぐる東洋経済主催の研究会で「MMT自体、政治的には本来、ニュートラル（中立的）な議論です」と述べましたが、「本来」と断っていることが示すように、現実はそうなっていません。(76)

驚くなかれ、欧米のMMT論者たちは、保守系と目される言論人や政治家と接触することにすら及び腰とくる！

例を挙げましょう。

ステファニー・ケルトンは二〇一九年夏、藤井聡などの招聘により来日しました。

これには三橋貴明も協力しています。


ところがアメリカのMMT派がつくる団体「現代貨幣ネットワーク」(Modern Money Network, 略称MMN)に「ケルトンめ、日本の右翼ナショナリストと接触するとは何事だ!」という旨の批判が寄せられる。

藤井が安倍政権で内閣官房参与を務めたことがあり、三橋も保守系と見なされていること、あるいは訪日中、自民党の国会議員と面会したことが問題視されたのです。


批判を寄せたのは、「アメリカ民主社会主義連盟(Democratic Socialists of America, DSA)」の一部メンバーで構成される「自由社会主義幹部会」(Libertarian Socialist Caucus, LSC)なる組織ですが、ケルトンへの謝罪要求や、事と次第ではMMNが主催する会議をボイコットするよう呼びかけるという通告まで含んでいたため、MMNが声明を発表する事態となりました。

それによればケルトン、次のような対応を取ることにしたとか。

(1) 藤井聡からの再度の訪日招聘を断る。
(2) 日本で保守系と目されているメディアの主催するイベントには参加しない。

（3）日本の左翼系MMT論者とは接触を保つ。(77)

まったくニュートラルでない姿勢と言わねばなりません。

欧米MMT論者の真実

話はここで終わらない。

ケルトンに続いて、藤井はビル・ミッチェルを招聘しました。

こちらの招聘にも、左翼系の政治運動「薔薇マークキャンペーン」が協力したようですが、ケルトン訪日をめぐる騒ぎを見たミッチェル、いろいろ条件をつけた旨、ブログで公表します。(78)

特定の人物・組織・雑誌（名前は伏せられていますが、文脈からいってどれも保守系でしょう）の関わるイベントには出ないとか、面会を拒否する人々のリストを作成して渡したとか、インタビューは日本の主要メディアと代表的な国際メディアに限るとか、あれこれ書いてあるものの、とくに目を惹くのはこれ。

藤井聡、二〇一八年から『表現者クライテリオン』という雑誌の編集長を務めているのですが、ミッチェルは同誌に「南京大虐殺は幻だった」「慰安婦は軍によって強制連行されたわけではなかった」と主張する記事が掲載されたとして、削除を要求したのです！

思い違いだったらしく、ミッチェルは要求を取り下げることになるのですが、貨幣理論と歴史認識問題に一体どういう関係があるのか。

欧米のMMT論者が、わが国のナショナリズム、およびナショナリスト（＝保守派）にたいして、相当に否定的な態度を取っていることは否定できません。

来日中（離日直前のようです）のブログでも、ミッチェルは藤井への謝意を表明しつつ、こんなことを書いている。


私が出会った人々の政治的な立場はさまざまだった。進歩派（＝左翼）の中には、保守派の人間とMMTや経済政策の話をするなど間違っていると考える者もいるかも知れない。だが私の持論は「啓蒙は力なり」である。保守派の連中がこちらに寝返るよう仕向けずして、進歩派が勢力を強めるなどありえない。

私はMMTリクルート担当官として全力を尽くしたのだ。(79)


ミッチェルにとってMMTはあくまで左翼理論であり、保守系の人間と接触するのは、左翼に転向させるための手段にすぎないのです！

けれどもわが国の左翼は、国家、ないし政府への不信や否定を理念的な基盤としている。

ケルトンやミッチェルの姿勢は、日本におけるMMTの定着を阻害しかねません。

戦後日本型の平和主義がどういうものか分かっていないのでしょうが、だとしてもこの「保守アレルギー」は何なのでしょう？

答えのカギは、L・ランダル・レイの著書『MMT　現代貨幣理論入門』の第六章にあります。ランダル・レイはここで、ユーロの問題を取り上げました。

ご存じのとおり、EUでは「ユーロ」への通貨統合が行われました。加盟国の大半（二七ヶ国中一九ヶ国）が、政治的主権を保ったまま、通貨発行権を放棄したのです。

通貨発行権のないところに通貨主権はなく、ゆえに経済主権もありません。こうしてEU諸国は、繁栄の維持が難しくなってしまいました。過去十年あまり、ユーロ圏で危機が頻発しているゆえんです。

これにどう対応すればいいか？

通貨主権を媒介に、政治主権と経済主権を連携させるのがMMTの骨子とすれば、対応策は決まっています。

EU加盟各国の政治主権に合わせて、通貨主権を再設定するのです。要はユーロ圏を解体し、各国の通貨を復活させるという話。

し・か・し。

ランダル・レイの提示する解決策はまるで違う。

『MMT　現代貨幣理論入門』三四五ページの議論を要約してご紹介しましょう。

ユーロが抱える問題は、EUの統合通貨をつくっておきながら、EU全体の規模で経済主権を行使する（＝積極財政によって景気を刺激する）主体が存在しないことである。必要なのは「全ユーロ圏中央財務省」だ。(80)

つづく三五〇ページでは、以下のような議論が展開されました。

国家と通貨を分離すると、財政政策が制限されてしまうため、経済危機が避けがたくなる。だからEUの統合をいっそう進めることで、問題を解決しなければならない。

分かりますか？

ランダル・レイは、加盟各国の政治主権に合わせて通貨主権を再設定するのではなく、ユーロのもとでも経済主権が行使できるよう、政治主権のほうを再設定しろと言っているのです。

EU全体を一つの国家にまとめてゆく形でも、「国家と通貨の分離」は解消されるので、この解決策は筋の通ったもの。

けれどもこれを、ナショナリズムと呼ぶことはできない。加盟各国の主権はいよいよ制限されるからです。ランダル・レイが主張しているのは、EUグローバリズムによるユーロ問題の解決以外の何物でもありません。

ランダル・レイは一応、ユーロ圏の解体も「国家と通貨の分離」を解消すると認めています。しかしこれは、ユーロをめぐって展開された二〇ページに及ぶ議論の末尾に、「最後の選択肢」として三行ほど書かれているだけ。EUの統合促進こそ、彼が肩入れしている解決策であることに疑問の余地はないのです。(81)

世界規模の政治主権をつくれ！

MMTは一見、国家の主権を重視する理論のように映ります。が、真相は微妙に違う。

MMTが真に重視するのは、通貨を媒介とする政治主権と経済主権の連携。問題は二つの主権を、いかなる規模で連携させるのが望ましいかです。

従来の国家の枠組みで連携するのが望ましいとすれば、これは「政治主権の規模に合わせる形で経済主権を連携させる」ことになり、ナショナリズムの肯定に結びつく。

ただし今や、経済は国家の枠を超え、地球規模で動いています。

「グローバル化した経済の規模に合わせる形で、経済主権が行使できるように政治主権を連携させる」ことも、MMTの精神に適合する。

具体的に言えば、ある地域全体、ひいては世界全体で積極財政ができるよう、超国家的な政治主権、つまり政府をつくれという話。

くだんの発想が行き着く先は、むろん世界政府ですが、これは純然たるグローバリズムです。

多国籍企業が国境を越えて幅を利かすばかりが、グローバリズムではないのですぞ。

それは新自由主義型のグローバリズム。(82)

経済主権を行使できる超国家的政府が存在しない以上、いかなるMMT論者もこれには反対するでしょう。

とはいえ世界政府が樹立され、地球全体に一つの通貨を流通させたうえで、経済主権を行使するとしたらどうか。

MMTの立場に照らして、反対する理由はありません。

それどころか、国家間の経済格差が解消されやすくなるぶん、現在の主権国家システムより望ましいという話になりかねない。

すなわちMMTは、ナショナリズム肯定の理論ともなりますが、グローバリズム肯定の理論でもある。

そして「格差解消」にこだわるかぎり、MMT論者は後者に流れやすいのです！

MMT、ないし欧米のMMT論者のグローバリズム性を示す例を、さらに挙げておきましょう。

彼らが熱心に提唱する政策に、「就業保証プログラム」(Job Guarantee Program, JGP）というものがあります。

これは政府が、社会的に許容されうる最低賃金で、仕事をほしがっている労働者すべてを雇用するというもの。

JGPの利点について、中野剛志は以下のようにまとめました。

「就業保証プログラム」は、不況時においては、失業者に雇用機会を与え、賃金の下落を阻止し、完全雇用を達成することができます。

逆に、好況時においては、民間企業は、この「就業保証プログラム」から労働者を採用することで、インフレ圧力を緩和するのです。

こうして「就業保証プログラム」は、雇用のバッファー（緩衝材）として機能することになります。(83)

ところがお立ち会い。

先に紹介した「現代貨幣ネットワーク」（MMN）は、ステファニー・ケルトンの来日をめぐって、こんなことを書いています。


（三橋貴明によるインタビューの席上）三橋はケルトンにこんなことを聞いた。就業保証のもとでは、誰でも自分の国で働けるのだから、生きてゆくために移民となる必要はなくなるのではないか？　ケルトンは肯定したが、就業保証のもとでも移民の流れが大きく減少すると期待するのは非現実的だとつけ加えた。気候変動のもとでは、十億人単位の人々が移住の必要に迫られるのだから、と。(84)


おい、ちょっと待て！

MMTをめぐる質問に、なんで気候変動を持ち出すんだ？

訳の分からない返答をするな、ステファニー!!


お分かりでしょう。

ケルトンは移民反対だと思われたくないのです。

とはいえ三橋（彼は移民反対を明言しています）がたずねたとおり、各国が就業保証を実施すれば、移民の必要はなくなる。

だから話をそらし、気候変動の問題があるから移民はなくならないなどと答えてごまかしたのですよ。

国境を越えたヒトの移動の自由こそ、グローバリズムの重要な要素であることを考えれば、ケルトンにナショナリズムを重視する気がないのは明らかではないでしょうか。

推進すべきは「NMMT」だ

南京大虐殺や慰安婦をめぐるビル・ミッチェルの言動も、世界政府こそがMMTの理想だとすれば容易に理解できる。

現在、地上に存在する国際組織で、世界政府に最も近いものは国連なのです。

国連は第二次大戦の勝ち組たる連合国によって創設されたもの。

他方、わが国は枢軸国の一員として、連合国と戦いました。

イタリアはもとより、ドイツが降伏したあとも戦い続け、原爆投下とソ連参戦でやっと白旗を掲げたのです。

日本のナショナリズムが、とくに否定すべきものと見なされるのは当然ではありませんか。

ケルトンも日本の保守派とは今後関わらないと言いつつ、左翼系のMMT論者とは接触を保つことを表明しました。

憲法前文ではありませんが、「(日本)政府の行為によって再び戦争の惨禍が起ることのないようにすること」や、「平和を愛する諸国民の公正と信義に信頼して、われらの安全と生存を保持しようと決意する」ような連中、要するに政府否定のグローバリストとしかつき合わないという次第。

これが欧米のMMT論者の正体なのです!

L・ランダル・レイも例外ではない。

『MMT　現代貨幣理論』は、こんな文章で終わっています。

他国を支援することは、我々の責任である。そのことが、我々をよりよき人間にする。そのことが、我々の国をよりよき国にする。我々は、共によりよき世界を作ることができるのだ。(85)

どこかで聞いたような気がするって?

そりゃ、そうでしょう。

どうぞ。

われらは、全世界の国民が、ひとしく恐怖と欠乏から免(まぬ)かれ、平和のうちに生存する権利を有することを確認する。われらは、いずれの国家も、自国のことのみに専念して他国を無視してはならないのであって、政治道徳の法則は、普遍的なものであり、この法則に従うことは、自国の主権を維持し、他国と対等関係に立とうとする各国の責務であると信ずる。(86)


しかしこうなると、ある疑問が湧いてくるのではないでしょうか。

だったらなぜ、日本のMMT論者は保守系が主流なのか。


この責任、ないし功績は中野剛志のものです。

本論冒頭で触れたように、彼こそはわが国におけるMMT紹介の第一人者。

しかるに中野は、なんと二十五年にわたり「経済は国家、ないしナショナリズムと切り離せないのではないか」という問題意識のもと、独自の研究を続けていました。

そこから通貨と主権の関係に気づき、MMTに行き着いた次第。


ですからMMTについても、国家主権を尊重する解釈に基づいて紹介した。

なにせ『富国と強兵』という本で、初めて本格的に取り上げたくらい。

欧米のMMT論者についても、国家を否定するグローバリストが、よくあの理論にたどり着いたものだと、妙な形で感心しています。


さしずめ「NMMT」。

「ナショナリズム型ＭＭＴ」の略ですが、「ナカノ型ＭＭＴ」と受け取ってもらっても、いっこうに構いません。

こうしてわが国では、ＭＭＴと言えばナショナリズム肯定の理論であるかのような誤解が生じます。くだんの誤解を解消しないまま、ケルトンやミッチェルを招聘したせいで、先に述べたような顚末となったのです。

断っておけば、ＮＭＭＴは決して間違っていません。

ＭＭＴの理論的基礎を踏まえたうえで、ナショナリズム重視の方向にアレンジしただけのこと。

戦後日本において、国家や政府を否定する風潮が強いことを思えば、わが国がデフレ脱却を果たすうえでは、ＭＭＴよりも有効です。

ＮＭＭＴでなければ有効ではない、そう言っても過言ではないでしょう。

ただしＭＭＴとＮＭＭＴでは、出てくる結論がかなり違う。

移民をめぐる三橋とケルトンのやりとりが示すとおり、正反対になることまでありえます。

日本再生をめざすのであれば、われわれはＭＭＴではなく、ＮＭＭＴを推進しなければなりません。

内外の左翼系ＭＭＴ論者からは、「理論の曲解だ！」とか「悪用だ！」といった批判が寄せられるかも知れませんが、そんなことを気にしてはならない。

連中がMMTを独占しているわけではないのです。

そしてNMMTこそ、今のわが国に求められる理論。

未来、とくに明るい未来は、主体性を持った者にしかつかめないと申し上げておきましょう。

6 理念にも動作環境がある

コンピュータには「動作環境」という概念があります。

さまざまな用途のためのソフトウェア、すなわちアプリケーション（以下「アプリ」と略します）や、周辺機器が正常に動作するために必要な条件のこと。

動作環境の代表格は、OS（オペレーティングシステム）のバージョンでしょう。

OSはコンピュータのシステム全体を管理することで、各種のアプリを機能させる基盤となるソフトウェアですが、ほとんどのアプリや周辺機器は、対応するOSのバージョンの範囲が決まっています。

古すぎるのはもとより、新しすぎても動作しません。

また動作環境には、「最低動作環境」と「推奨動作環境」の二種類がある。

前者はアプリや周辺機器を機能させるうえで、絶対に必要な条件。

後者は絶対に必要というわけではないが、満たされているほうが望ましい条件です。


だが、お立ち会い。

動作環境が満たされているかどうかは、アプリや周辺機器の性能とは関係がありません。

これは何を意味するか？


素晴らしいアプリや周辺機器も、動作環境が満たされなければ機能しない。

逆にろくでもないアプリや周辺機器であろうと、動作環境が満たされているかぎり、機能することは機能します。

「性能が優れているかどうか」と「特定の環境において動作するかどうか」は、あくまで別の話。

OSのバージョン次第では、ろくでもないアプリや周辺機器が、素晴らしいアプリや周辺機器をさしおいて使用されることにもなりかねません。

「使用せざるをえなくなる」と言えば、いっそう的確でしょう。


理不尽だって？

仕方ないでしょうに。

動いてくれなければ、性能もへったくれもないのですぞ。

いやまあ、OSのバージョンを変えればいいわけですが、これはこれで結構、面倒ですからね。

この話、コンピュータに限ったものではありません。

動作環境の概念を、人間の頭に当てはめると、いろいろ見えてくることがある。

世に存在するさまざまな理念や理論は、「現実の理解や制御を目的として、頭の中にインストールされるアプリ」と見なしえます。

これまた、性能はさまざま。

他方、現実を的確に理解し、それによって制御したいというのは、人間の基本的な欲求の一つです。

ならば誰でも、ろくでもない理念や理論を捨てて、優れた理念や理論を受け入れるはずだ！

と、言い切っていいでしょうか？

もちろん、良くない！

コンピュータ同様、われわれの頭の中にも、知性を管理し、機能させるためのオペレーティングシステムがあります。

このOS、普通は「認識枠組み」と呼ばれますが、やはりさまざまなバージョンが存在する。

しかもOS同様、バージョンを変えようとすると面倒なことが多い。

理念や理論とて、完全に独立した形で存在するわけではありません。何らかの前提条件が満たされるかどうかで、しばしば説得力がガラッと変わる。要するに動作環境が存在するのです。(87)

言い換えれば、われわれが特定の理念や理論を受け入れ、現実の理解や制御のために活用できるかどうかは、
「われわれの頭の中にある認識枠組みが、当該の理念や理論の動作環境を満たしているかどうか」によって決まる。

動作環境が満たされているかどうかは、例によって、理念や理論のよしあしとは関係がありません。優れた理念や理論でも、動作環境を満たさない認識枠組みのもとでは機能しないのです。よって、そのような認識枠組みの持ち主は、くだんの理念や理論について「間違っている」「役に立たない」と評価する。

逆にろくでもない理念や理論でも、認識枠組みが動作環境を満たしているかぎり、機能することは機能します。

よって、そのような認識枠組みの持ち主は、くだんの理念や理論について「正しい」「役に立つ」と評価する。

学問は論理性や客観性をタテマエに掲げていますので、理念や理論の「正しさ」や「有益性」などと言うと、理性的な人間なら誰でも受け入れることができる（ないし、イヤでも受け入れざるをえない）普遍的な評価基準があるかのように思われがち。

しかしこれは、認識枠組みの問題を無視した錯覚にすぎない。

認識枠組みのバージョン次第では、ろくでもない理念や理論が、素晴らしい理念や理論をさしおいて評価されることが起こるのです。

残るは人々、わけても「有識者」だの「専門家」だのと呼ばれる連中の頭に、どんな認識枠組みが入っているか。(88)

MMT、現代貨幣理論を例に取りましょう。

この理論が頭の中で機能する、つまり「正しい」とか「役に立つ」と評価したうえで、MMTに基づいて物を考えられるようになるために、満たされるべき動作環境は何でしょうか？

貨幣とは本質的に貸し借りをめぐる数字であり、紙幣や硬貨といった物理的な形を取るかどうかは、二次的な点にすぎないと理解することか。

変動為替相場制のもと、独自の通貨を発行している政府（＝通貨主権を持つ政府）が財政破綻することはありえず、したがってインフレ率を別とすれば、積極財政にたいする制約はないと理解することか。(89)


もっと根本的な条件があります。

通貨を発行できるのは政府のみである以上、経済発展は「主権」と切り離しえず、ゆえに経世済民を実現するには、財政・金融の両面において、政府が積極的な役割を果たさねばならないと悟ること。

ナショナリズムに基づいて自国政府を信頼するか、世界政府型グローバリズムを積極的に志向するか、どちらかが必要となるのです。(90)

世界政府は存在しませんので、ここでは前者に話を絞りましょう。


「ナショナリズムは否定されるべき危険な代物だ、ついでに政府は放っておくと悪さばかりするから、行動をできるだけ制約したほうが良い！」

こういった認識枠組みを持つ者にとって、ＭＭＴは「放漫財政を許容することで、国を滅ぼすトンデモ理論」に見えるはず。

けれども「ナショナリズムの否定と政府への不信」こそ、戦後日本型の平和主義に見られる本質的特徴です。(91)

そして平和主義こそは、わが国における国家観・社会観のテンプレ。
コンピュータで言えば、最初からインストールされているOSにあたります。
これは何を意味するか?

平和主義というOSをアンインストールし、「健全なナショナリズムを基盤とする国家観・社会観」を代わりにインストールしないことには、日本人の頭の中でMMTは機能しないのです!

貨幣の本質は貸し借りをめぐる数字だとか、通貨主権を持った政府が財政破綻することはありえないとかいった点について、ちゃんと理解していてもそうなる。

動作環境が満たされていないのですから、MMTを真面目に学び、それに基づいて物を考えようとしても、レインボーカーソルが頭の中で回り続けるような状態になってしまいます。(92)

ひきかえ「財政均衡主義」や「新自由主義的な緊縮志向」といった理論なら、頭が麻痺状態に陥ることはありません。

平和主義のOSのもとで、動作環境が満たされるためです。

となれば、それらの理論がMMTをさしおいて重用されるのは自明の理。

「性能が優れているかどうか」と「特定の環境において動作するかどうか」は、あくまで別の話なのです。

財政均衡主義や緊縮志向ではまずいと理屈では分かっているのに、積極財政はどうも支持する気になれない、そんなことだって起こるでしょう。(93)

現にわが国では、ＭＭＴを評価する人々の間ですら、「積極財政」を説く声はあまり盛り上がらず、「消費税減税」を叫ぶほうが主流。

政府にたいし、支出拡大という行動を「する」のではなく、徴税という行動を「しない」ことを求めているのです。

コロナ禍で経済が深刻な打撃を受けたあとも、状況はさほど変わっていない。

積極財政による補償や支援を政府に求める声は高まらず、かわりに「経済を回すためにも行動制限の緩和を」という声が目立つありさま。

日本再生の道は、あいかわらず遠いのでありました。

第五部
パンデミックと国の行く末

1　予言された疫病の記録

I　コロナ対策の王道は何か

二〇二〇年代は、新型コロナウイルス感染症（COVID-19）のパンデミック、世界的流行という危機的事態で幕を開けました。

二〇二一年に入ると複数のワクチンが承認され、先進国を中心に接種が進められますが、感染力や毒性を強めた複数の変異株も広まっており、状況は予断を許しません。

国内の感染を収束させても、パンデミックが世界規模で終息しなければ、ふたたび蔓延するリスクは残りますし、ワクチン接種の効力が、どれだけ持続するのかも明確には分かっていないのです。(1)

ならばわれわれは、パンデミック発生いらいの経験からできるだけ多くを学ぶことで、今後の対応の指針としなければならない。

関連してご紹介したいのが、二〇二〇年三月二日、アメリカのブルッキングス研究所が発表した「COVID-19が世界のマクロ経済に与える衝撃~七つのシナリオによる予測」というレポート。(2)

コロナの流行によって生じる感染被害と、それが引き起こす経済被害の規模を、サブタイトルのとおり、七つの異なる条件に基づいて試算したものです。

最初の三つ（シナリオ1~シナリオ3）は、コロナの流行が中国に限定されることを前提として、危険性のレベルをそれぞれ「低」「中」「高」に設定したもの。(3)

次の三つ（シナリオ4~シナリオ6）は、流行が世界に広がるものとして、同じく危険性のレベルを「低」「中」「高」に設定したもの。

最後のシナリオ7は、「危険性レベル『低』の流行が、世界規模で毎年繰り返される」ことを想定しています。

レポートを作成したウォーウィック・マッキビンとローシェン・フェルナンドは、分析手法について説明した箇所で、次のように述べました。

われわれのシミュレーションは、当然ながら多くの仮定のうえに成り立っている。仮定を変えれば、結果も変わる。本レポートの目的は、各国の政策担当者にたいし、「何も手を打たず、感染の拡大を放置したらどれだけの被害が生じるか」について、具体的なイメージをつかんでもらう

ことなのだ。(4)


すなわち「対策を取らなければ、こうなる危険が高い」という話。

現実の被害が予測を下回っていたとしても、マッキビンとフェルナンドが間違っていたとか、レポートに意味がなかったとか即断することはできません。

このような予測を参考に、適切な対策を講じたからこそ、被害を抑え込めたのかも知れないのです。

レポート内容を検証する

ならば、結果はどうだったか。

最初の一年間、つまり二〇二〇年の死者数で行きましょう。

マッキビンとフェルナンドが予測した全世界の死者数は、最も楽観的なシナリオ4でも一五〇〇万人あまり。(5)

最悪のシナリオ6の場合、六八〇〇万人を超えました。(6)

現実の死者数は、二〇二〇年十二月三十一日時点の累計で約一九四万人でしたから、一ケタ低かったことに。(7)

ちなみにわが国の死者数は、シナリオ4で一二万七〇〇〇人、シナリオ6では五七万人となっています。

現実には三四〇〇名あまりだったので、こちらは二ケタ低い。(8)

なんだ、おどかすなよ！

そう言いたくなるところですが、お立ち会い。

アメリカに関する予測はこうなっています。

シナリオ4　二三万六〇〇〇人
シナリオ5　五八万九〇〇〇人
シナリオ6　一〇六万人

現実の数字は三六万六〇〇〇人あまり。(9)

シナリオ4と5の中間なのです！

つづいてブラジル。

シナリオ4　二五万七〇〇〇人
現実の死者　一九万五〇〇〇人弱(10)

次にメキシコ。
シナリオ4　一八万四〇〇〇人
現実の死者　一四万五〇〇〇人あまり(11)

ロシアはどうか。
シナリオ4　一八万六〇〇〇人
現実の死者　一六万二〇〇〇人(12)

世界保健機関（WHO）がコロナをパンデミックだと認定したのは二〇二〇年三月十一日。レポートが発表された九日後です。

このことを考慮するなら、マッキビンとフェルナンドの予測は驚くほど的確。

全世界の死者数が実際の数字と一ケタずれたのは、主として次の二つの国の死者が少なかったためなのです。

まず中国。
シナリオ4　約二八〇万人
現実の死者　四六三四人(13)

そしてインド。
シナリオ4　約三七〇万人
現実の死者　約一五万人(14)

合わせて六三四万人あまりの誤差。

ただし中国が徹底した感染対策を取ったのはよく知られていますし、インドは二〇二一年に入って感染が急拡大しました。(15)

死者七万人弱だった可能性

してみると、わが国における二〇二〇年のコロナによる死者数が、予測より二ケタ低くすんだことについても、いちがいに「見積もりがいい加減だった」と片付けることはできなくなる。

現にマッキビンたち、コロナが日本にもたらす経済被害（GDP減少額。二〇一五年比）については、ここまで外していないのです。

予測は以下のとおり。

シナリオ4　一四〇〇億ドル（約一五兆四〇〇〇億円）
シナリオ5　三一八〇億ドル（約三五兆円）

シナリオ6　五四九〇億ドル（約六〇兆四〇〇〇億円）(16)

現実の減少額はいくらだったか。

まず円建てで行きます。

名目GDPだと減少にはならず、六五〇〇億円あまりの増加です。

といっても二〇一九年の名目GDPは、二〇一五年より二二兆円近くも多かったのですから、ダメージを受けなかったわけではありませんが。


実質GDPだと、約九兆一二九〇億円の減少。

シナリオ4の約六〇%に達しました。


ただしマッキビンたちの予測はドル建て。

二〇一五年の年次為替レート（一ドル＝一二一・〇四円）に基づいて、名目GDPを計算しなおしたら、どうなるか。

増加額は六〇億ドル（七二六二億円。二〇一五年の年次レートで計算）となります。

実質GDPだと、七六〇億ドル（九兆二〇〇〇億円。同）の減少。

シナリオ4、一四〇〇億ドルの約五四%。(17)

ちなみに一四〇〇億ドルという予測値を、二〇一五年の年次レートであらためて円換算すると一六兆九四五六億円。

実際の減少額は約九兆一二九〇億円でしたから、こちらで計算すると、やはりシナリオ4の約五四%になります。

経済被害をめぐる予測と、感染被害をめぐる予測は、同じ前提を用いて算出されています。とくに理由がないかぎり、当たり外れの度合いもそう違わないはず。

わが国のコロナ死者数が、シナリオ4の五四%に達していたら、どうなったでしょう。

シナリオ4の死者の予測値は一二万七〇〇〇人でしたから、二〇二〇年中に六万八六〇〇人ぐらいが亡くなっていたかも知れないのです！

なぜ、幸いにもそうならなかったかについては、後出の「優秀な国民と無為無策の政府」をご覧下さい。

厚生労働省が立ち上げた専門家チーム（当時）も、二〇二〇年四月十五日、国内における感染拡大の推計を公表しました。

外出自粛など、感染防止対策を何も行わなかった場合、重篤患者の数はおよそ八五万人。

その大半（六五万人）は六十五歳以上の高齢者ですが、残りの二〇万人は十五歳から六十四歳までとされています。

重篤患者は人工呼吸器が必要となるものの、これだけの数に達したら最後、足りるはずがない。医療崩壊が起きるわけですが、その場合、半数にあたる四〇万人以上が死亡するとのこと。高齢者でない人も一〇万人死ぬ計算です。(18)

四〇万人以上という数字は、マッキビンたちの予測にあてはめると、シナリオ5(三一万七〇〇〇人)とシナリオ6(五七万人)の中間。

厳しめだったのは間違いありませんが、現実の経済被害に見合った感染被害が死者七万人弱なのを思えば、「いたずらに不安を煽った」とは言えないでしょう。

感染対策と経済対策は矛盾しない

ならば、あるべきコロナ対策はどういうものか。

理想的なのは、むろん有効な予防法と治療法(後遺症にたいするものも含む)が確立されること。

その場合、変異株が出現しようと感染者が爆発的に増えるリスクは低くなりますし、感染のあげく発症したとしても、さほど心配する必要はない。

医療体制も安泰、誰もが普通に活動できます。

一件落着という次第ですが、問題はそれまでの間、どうやって対処するか。

ここで押さえるべき点があります。

感染被害と経済被害の関係。

コロナをめぐっては、感染被害と経済被害の間にトレードオフの関係があるという議論がよく見られます。

感染被害を抑え込もうとすれば、時短営業や休業の要請、不要不急の外出自粛の呼びかけなど、さまざまな行動制限をかけねばならないが、すると経済が回らなくなって経済被害が大きくなる。

逆に経済被害を抑え込もうとすれば、行動制限をかけないほうが良いものの、今度は感染被害が大きくなる。

したがって、どちらの被害もあまり大きくならないよう、バランスを取ってゆかねばならないというわけです。

いわゆる「感染防止と経済の両立」。

なるほど、他の条件を一定と仮定するかぎり、行動制限の度合いと経済被害の規模には、正の相関関係が成立します。行動制限の度合いが強まれば、経済被害の規模は大きくなるのです。卸売業や小売業（とくに百貨店や各種商品小売業）、あるいは外食、鉄道、航空、観光、ライブ・エンターテインメントなど、サービス業（の一部）ではとくにそう。

貿易も打撃を受けること間違いなし。行動制限とは人々の活動にストップをかけることですから、経済が活性化するはずはありません。わが国のように、人々の自主的な行動制限、すなわち自粛を要望するだけならまだしも、ロックダウンのような強制力のある対策を講じた場合には、この傾向はさらに顕著となるでしょう。

逆に行動制限の度合いと感染被害の規模に、負の相関関係が存在するのも疑いえない。行動制限の度合いが強まれば、感染被害の度合いは小さくなるのです。

とりわけ繁華街における夜間の滞留人口は、その後の新規感染者数や実効再生産数と関連することが知られています。二〇二一年夏に生じた感染拡大、いわゆる第五波が収束に向かった際には、人流が減っていないのに感染者が減った（＝行動制限と感染被害の間に負の相関が見られない）という主張がなされたものの、ワクチン接種をすませていない人々の夜間滞留人口は、一ヶ月以上にわたり、非常に低い水準で推移していました。(19)

けれども「どちらの被害もあまり大きくならないよう、バランスを取ってゆかねばならない」という結論は正しくありません。

「行動制限と経済被害の間に正の相関が成立する」ことと、「感染被害と経済被害の間にトレードオフが成立する」ことは、じつはイコールではないのです。

なぜか。

（1）政府や自治体が行動制限をかけさえしなければ、人々は感染拡大前と同じように行動するわけではない。感染者の数が急増したり、有名人が感染によって亡くなったりすれば、警戒して行動を抑制するのが当たり前ではないか。(20)

感染被害が増大すれば、政府や自治体が事態を放置したところで、行動制限の度合いは自動的に強まる。ゆえに経済被害も増大し、バランスを取るどころか「二兎を追う者は一兎をも得ず」の結果となる。

(2)行動制限の度合いと経済被害の間に正の相関が成立することは、**両者の間に正の相関しか成立していないことを意味するものではない**。パンデミックによって生じる経済被害には、「感染被害を抑え込もうとすることによって増大する」側面(これは行動制限の度合いと正の相関を持つので、制限を強めるほど被害が大きくなる)と、「感染被害が深刻化することによって増大する」側面(こちらは行動制限の度合いと負の相関を持つので、制限を強めるほど被害が小さくなる)の両方が存在するのだ。

マッキビンとフェルナンドは、各国の経済被害を見積もる際に考慮した要因として、感染拡大による労働力の減少、株式リスクプレアム(=株式投資にたいする警戒心)の増大、生産コストの増大、消費需要の減少、そして政府支出の増大を挙げる。「感染拡大による労働力の減少」を別とすれば、行動制限の強化にともない、これらはたしかに悪化しよう。事実、各国がロックダウンを取り始めた二〇二〇年三月には、世界的に株価が下落した。(21)

だからといって、行動制限の度合いさえ強めなければ、上記の要因が悪化しないと見なすのは早計である。この場合、感染被害の増大は避けられないため、労働力の減少も避けられない。

ならば株式リスクプレミアムや、生産コストも増大するではないか。消費需要にしたところで、感染被害を抑え込めなければ、たとえ行動制限が弱くとも減少するだろう。

コロナによる経済被害は「感染を抑え込もうとしても増大し、感染を抑え込もうとしなくても増大する」性格を持っているのだ。感染を抑え込もうとしなければ、コロナ流行は長期化するので、いずれ被害の規模は後者のほうが大きくなりかねない。二〇二一年の夏にはわが国でも、集団感染が生じた結果、保育所が休園に追い込まれる（これは園児の保護者の仕事に影響を及ぼす）、鉄道が運行本数を減らす、あるいは不燃ゴミの回収や、宅配サービスの配送が中止されるといった事態が生じた。(22)

行動制限さえかけなければ、感染被害が拡大しようと経済は回るというわけではないのである。それどころか鉄道や不燃ゴミの事例が示すとおり、インフラが維持されるかどうかすら疑わしい。

感染被害と経済被害の間にトレードオフだけが存在すると見なす発想は、「感染被害に耐えさえすれば、経済被害を抑え込めるはずだ」と構える点で、過度に楽観的な希望的観測と評さねばなるまい。マッキビンたちが警告したのは「感染拡大を放置した場合の経済被害の大きさ」であり、「感染拡大を抑え込もうとした場合の経済被害の大きさ」ではないことを、あらためて想起すべきだろう。

(3) 行動制限の度合いと経済被害に正の相関が成立するといっても、当の度合いのみが被害の規模を決めるわけではない。制限によって生じた損失を政府が補償するかどうかで、結果はかなり変わってくる。

独自の通貨を発行し、かつ為替レートを変動相場制にするだけの信用を得ている政府、すなわち通貨主権を持った政府は、自国通貨で負債を抱え込むかぎり、決して財政破綻に陥らない。しかも甚大な経済被害が生じるとは、経済が収縮し、デフレとなることを意味するので、財政出動のせいでインフレが過熱することも起こらない。言い換えれば補償の実施をめぐる制約は存在しておらず、政府にその意思さえあれば、行動制限の強化にともなう経済被害を大幅に緩和できる。(23)

「医療体制の拡充に努める一方、国民に強い行動制限をかけ、それによって生じる損失については全面的に補償する」ことこそ、感染被害と経済被害の双方を抑え込む、王道とも呼ぶべき戦略なのです。感染対策と経済対策は、なんら矛盾しません。両者が矛盾しているかのごとく感じるのは、パンデミックが経済に影響を与えるメカニズムや、国家財政のあり方を十分に正しく理解していないからにすぎない。

わけても致命的なのが「行動制限と経済被害の間に成立する相関関係は一種類しかないはずだ」と決めてかかる発想です。感染予防と経済の両立は、行動制限を緩めることによってではなく、補償を手厚くすることによって達成されるのです。

優秀な国民と無策の政府

マッキビンとフェルナンドが、コロナによるわが国の経済被害については、かなりいい線を行く予測をしながら、感染被害については大きく外す結果となった理由も、ここまで来れば明らかでしょう。

両者は同じ前提に基づいて計算されていますし、経済被害をめぐる見積もりは「感染拡大を放置した場合のもの」と規定されているのですから、一方が当たって他方が外れることは、ちょっと考えるとありえなさそうなもの。

ところが感染対策のポイントである行動制限は、政府や自治体とは関係なく、人々が自主的にかけることができる。

「自粛」という表現、ダテではありません。

マスクの着用や、手洗い、うがい、消毒などの励行にしても同様。

わが国はもともと、公衆衛生の水準が高い国ですからね。

逆に経済対策のポイントとなる損失補償は、政府が動かないかぎりどうにもなりません。自治体には通貨発行権がないため、補償しようとしても、すぐ壁にぶつかってしまいます。

つまり「感染被害は予測よりもずっと少なかったが、経済被害は予測にけっこう近かった」という結果は、

二〇二〇年、日本国民はコロナ禍にたいして適切に対応したものの、政府は相当に無策だった（＝本当なら感染被害と経済被害の双方が大きくなるところだったが、前者は国民が自主的に抑え込んだ。そのおかげで、経済被害も軽減された可能性が高い）

と考えれば、きれいに筋が通るのです！(24)

国民のレベルと政府のレベルは基本的に一致しますので、「国民は優秀だが政府は無策」というのも妙な話。

けれども「政府不信」こそ、戦後日本人のアイデンティティの基盤をなしているのを思えば、この点も不思議ではありません。

優秀な国民であろうと、七十五年あまりにわたって政府不信にひたっていれば、信用に値しない政府を持つにいたるのです。

経済を回そうとするだけでは、経済被害すら抑え込めないことを側面より裏付けるのが、コロナ禍における自殺者数の推移。

経済被害を重視して、行動制限の強化に反対する者は、困窮によって自殺者が増加するリスクを好んで取り上げてきました。「経済を回せ」と主張するだけでは、人命よりカネを重視する格好になってしまい、いかんせん分が悪い。

そこで「感染対策によって失われる命もある」と言って、自説の強化を図るのです。

二〇二〇年の自殺者数について、三万人前後とした予測もありました。(25)

二〇一九年の自殺者数は二万一六九九人でしたから、一万人あまり増える計算です。

感染対策(=行動制限)と経済被害の間には、すでに見たとおり、正の相関と負の相関の双方が成立しています。

両者にトレードオフがあることばかり強調したがるのは、正の相関の存在にのみこだわったものであり、妥当とは言いがたい。

そうでなくとも経済被害の度合いは、政府による補償で大幅に軽減できるのです。

以上の点を踏まえるとき、感染対策の強化に反対する論拠として自殺者の増加を持ち出すのは、のっけからピント外れなのですが、これにはひとまず目をつぶりましょう。

現実の自殺者数はどうだったか?


二〇二〇年の年間自殺者数は二万一〇八一人。(26)

前年比で九一二人増となりました。

一万人どころか、千人も増えていないものの、二〇〇九年いらい一貫して減っていたのですから、増加に転じたのは見過ごせません。(27)

自殺者はいつ増えたか

しかるに月ごとに見てゆくと、興味深い結果が浮かび上がる。

わが国でコロナの感染拡大が本格的に始まったのは二〇二〇年の二月ですが、この月から六月まで、自殺者数はずっと前年同月を下回っているのです。

一回目の緊急事態宣言が出ていた四月と五月など、なんと約二割減。

年の後半に入ると、さすがに増えてゆきますが、増加のペースが際立っていたのは七月と十月。

具体的に言えば、こうなります。

七月　一八六五人（前月比二九三人増、前年同月比七二人増）
十月　二二三〇人（前月比三四一人増、前年同月比六九一人増）

これが十一月には一八九三人（前月比三三七人減、前年同月比二七七人増）、十二月は一六九五人（前月比一九八人減、前年同月比二〇一人増）となってゆくものの……(28)

二〇二〇年七月と十月は、どういう月だったか？

コロナ禍によって疲弊した経済を立て直そうと、感染収束後に始めるはずだった「Go To キャンペーン」の第一弾「Go To トラベル」を、感染再拡大の様相が見られたにもかかわらず開始したのが七月。

当初は対象外とされた東京を「Go To トラベル」に含め、九月下旬から始まった「Go To Eat」、さらには「Go To 商店街」ともあわせて、本格的な景気刺激を試みたのが十月。(29)

自殺者が急増するのは、経済を積極的に回そうとしたときなのです！

今までの議論を踏まえれば、これも当たり前の話。

理由をまとめておきましょう。

(1)政府や自治体が行動制限をかけるのをやめさえすれば、経済の状態が元に戻るわけではない。コロナにたいする予防法・治療法が確立されることで、流行の安定的な収束、さらには終息のメドが立つまで、経済被害も生じ続ける。そうでなくともわが国は、長期にわたるデフレ不況に苦しんでいたし、二〇一九年には消費増税まで行ったのだ。

(2)行動制限をかけず、経済を回そうとするとき、経済被害にたいする補償がなされるはずはない。このため、困窮した者への救済はかえって弱まる。

非正規雇用のため解雇された者や、会社の倒産によって失業に追い込まれた者にとって、「Go To キャンペーン」がどれほどのメリットをもたらすというのか。もともと同キャンペーンは、感染収束後、つまり経済被害が実質的に生じなくなったあとに行われるはずだったのである。

(3)コロナの流行が続いているかぎり、行動制限をかけずに経済を回そうとすれば、感染のリスクは避けがたく高まる。

コロナ禍で困窮した者にとって、感染が収まらないうちから経済を回そうとするのは、「経済被害はなくならないまま、救済がなされなくなり、感染リスクだけが高まる」という絶望的な状況をもたらすのです！

自殺したくなるのも無理からぬこと。

「強い行動制限をかけつつ、経済被害を補償する」ことを王道としないコロナ対策は失敗する、そう断言しておきましょう。

「王道」と形容したからといって、コロナの予防法や治療法が確立されるまで、何が何でも行動制限のレベルを強いままで保つ必要はありません。

感染拡大のリスクが十分減少したことが確認できたら、緩めればいいに決まっている。

ただしリスクが増大したら、すみやかに制限のレベルを強めることが条件です。

これは何を意味するか？

必要に応じて、強制力を伴う強い行動制限、すなわちロックダウンをかける意志と能力を持っていることこそ、行動制限を緩める条件なのです！

けれどもわが国は、ロックダウンは憲法上の制約から不可能として、国民の自主的な行動制限、いわゆる自粛を求めるばかり。

この点を改めないかぎり、日本は「行動制限をとくに緩めてはいけない国」だと評さねばならないでしょう。

Ⅱ　疫病対策と政府の役割

十四世紀〜十五世紀のヨーロッパにおける「黒死病」（これはペストとされていますが、近年ではウイルス性出血熱だったとする研究もあります）の流行をはじめ、人類の歴史は疫病とのせめぎあいの歴史でもありました。

とはいえ、医学の発達した現代では、そのような歴史は過去のものになったのではなかったか。

一九七八年九月、WHOと国際連合児童基金（UNICEF）は、ソ連の都市アルマ・アタ（現在はカザフスタンのアルマティ）で「世界的な健康の確立」をテーマにした国際会議を開催しましたが、そこで採択された「アルマ・アタ宣言」は、「二〇〇〇年までに、すべての人に健康を」と謳いました。

ここで言う「健康」とは「肉体、精神、社会活動について、完全に充実した状態であり、たんに病気にかかっていないとか、虚弱でない状態とは異なる」と定義されます（宣言第一項）。(30)

くだんの定義を踏まえ、二〇〇〇年までに世界のすべての人が、社会的・経済的に生産性のある生活を送れるような健康水準を享受できるようにすることを、目標として掲げた次第。(31)

アルマ・アタ宣言の後も、一九八〇年代のエイズ、一九九〇年代のエボラ出血熱、二〇〇〇年代のSARS（重症急性呼吸器症候群）、二〇一〇年代のMERS（中東呼吸器症候群）など、感染症が世を騒がせたことはありました。

とくにSARSとMERSは、やはりコロナウイルスが病原体。

だとしても、ここまでの規模で世界を揺るがし、「社会的・経済的に有意義な生活」を送ることを困難にしてしまうパンデミックが起きるなど、誰が想像しえたでしょうか？

と、言いたいところですが……

恐怖のハワイ・シミュレーション

アルマ・アタ宣言の十一年後、一九八九年のクリスマス直前に、ハワイである会合が開かれました。アメリカ熱帯医学会（American Society of Tropical Medicine and Hygiene）の年次会合で、八百名ほどの専門家が集まっています。

医学・科学ジャーナリストのローリー・ギャレットが、一九九四年の大著『来る（きた）べき疫病』で述べたところによれば、ここであるシミュレーションが行われました。

ギャレットは「シミュレーション」でなく、「戦争ゲーム・シナリオ」と呼んでいますが、いかなるシナリオだったのか。

（1）赤道付近にあるアフリカの国「チャンガ」（架空の国名）で、民族対立に起因する激しい紛争が起きる。
（2）紛争発生から六ヶ月のうちに、二十五万人の難民が、隣国の「ルバウェ」と「バサンガニ」（やはり架空）に流入する。その大半は、バサンガニ政府がチャンガとの国境付近に設置したキャンプに収容される。
（3）難民キャンプの食料事情、および衛生状態はひどく劣悪で、薬への耐性を持ったマラリア、および結核が流行する。大人の難民の二五％はエイズウイルスに感染している。
（4）キャンプでは国際的な医療救援チームが活動している。さらにアメリカ、フランス、イタリア、フィンランド、イギリス、およびマレーシアの兵士からなる国連の平和維持部隊が、難民を守るべく付近に駐屯している。
（5）空気感染するうえ、死亡率がほぼ一〇〇％という未知の疫病が、このキャンプで発生する。病原体は、突然変異を起こしたエボラウイルスの可能性がある。

で、シナリオの帰結はこちら。

（1）疫病が発生したと気づきもしない段階（最初の十日間以内）で、アメリカ、フィリピン、タイ、ドイツ、および周辺のアフリカ諸国に感染者が移動している。
（2）ありとあらゆる方法を用いて、病原体を特定し、制御しようとしても、一ヶ月以内に地球規模の

大流行が発生する。


空気感染する、死亡率ほぼ一〇〇%の感染症が全世界に広まるのですぞ。

ギャレットいわく。


ホノルルの会合参加者は、互いに不安げなささやきを交わし合った。シミュレーションのシナリオにすぎないことは誰もが承知している。だが、場の緊張は高まっていった。これにきわめて近い緊急事態が、過去に何度も起きていたからだ。(32)


そうです。

コロナ・パンデミックは、三十年以上も前に、専門家たちによって予言されていたのです!

というか、ハワイ・シミュレーションのシナリオの前には、コロナ・パンデミックすらまだ甘い。

ここで想定されたような感染症が発生したら、人類滅亡とまではゆかなくとも、現在の文明社会は間違いなく崩壊します。

さらにギャレットいわく。


遺憾ながらこのゲームは、われわれの社会が疫病の発生にたいして、ゾッとするほど対処能力を欠いていることを暴露した。ホノルルの会場の雰囲気は、ゲーム開始から五時間ですっかり暗くなってしまった。不安でたまらないものになったとさえ言えるだろう。防疫体制のあり方は、欠陥だらけで脆弱すぎるうえ、連携能力をあまりに欠いたものだった。(33)

「これが最悪と言えるうちは、まだ最悪ではない」とは、シェイクスピアの傑作『リア王』の台詞ですが（第四幕第一場）、ならばわれわれの取り組むべき課題は明白。

コロナ禍を最小の被害で乗り切ったうえ、今回の事態を、将来の疫病発生にたいする防御システム構築の契機としなければなりません。

そのためのポイントは何か。

理解の糸口となるのは、ハワイ・シミュレーションの行われた日付です。

もう一つのアルマ・アタ宣言

アメリカ熱帯医学会がホノルルのホテルの会議場に集まり、疫病発生のシミュレーション・ゲームを行ったのは、一九八九年のクリスマス直前。

同年十二月二日、地中海のマルタ島では何が行われたでしょうか？

そうです。

アメリカのジョージ・ブッシュ大統領と、ソ連（現ロシア）のミハイル・ゴルバチョフ書記長の首脳会談。

この会談、島の沖に停泊したソ連のクルーズ船「マキシム・ゴーリキー」号で行われましたが、翌三日、両首脳はあることを宣言しました。

第二次大戦終結直後から続いてきた、アメリカを中心とする自由主義諸国と、ソ連を中心とする社会主義諸国の対立、いわゆる「冷戦」の終結です。


ブッシュとゴルバチョフの宣言は、希望に満ちた新時代の幕開けとして受け取られました。

第二次大戦以後、世界は国連のもとで一つになり、平和と繁栄を追求するはずだったのです。ところが冷戦によって、それがずっと阻害されてきた。

一九九〇年以後、世界はついに「一九四五年の理想」を実現、地球規模の平和と繁栄に向けて邁進するに違いない！

人々がそう思っても不思議はないでしょう。


のみならず。

一九七八年、WHOとUNIECFが「世界的な健康の確立」をテーマに国際会議を開き、「二〇〇〇年までに、すべての人に健康を」と宣言したアルマ・アタ市で、一九九一年十二月二十一日、別の宣言がなされました。

こちらの「アルマ・アタ宣言」は、「アルマ・アタ議定書（Alma-Ata Protocol）」と呼ばれるものの一部ですが、これによって何が決められたか。

ソ連の解体です。


片やオランダのマーストリヒトでは、同年十二月の九日から十日にかけて、ある条約をめぐる協議がまとまる。


この条約、翌年の二月七日に調印され、一九九三年十一月一日より発効しますが、正式名称は何か。

「欧州連合条約」。

EUの誕生がここで決まったのです。

整理すれば以下の通り。

一九七八年九月　アルマ・アタ宣言（1）
一九八九年十二月　マルタ会談による冷戦終結宣言
　　　　　　　　　米熱帯医学会のハワイ・シミュレーション
一九九一年十二月　EU誕生をめぐる協議まとまる
　　　　　　　　　アルマ・アタ宣言（2）

地球規模の健康の達成という、最初のアルマ・アタ宣言が掲げた目標は、国際協調なしには実現できません。

宣言の第二項は、先進国と途上国における人々の健康状態には目に余る格差が見られると指摘、「すべての国がこれを問題としなければならない」と主張しています。

マルタ宣言から二番目のアルマ・アタ宣言にいたる流れは、冷戦による世界の分断をなくし、国家を越えた政治的・経済的統合を図ることで、これを後押しするかに見えました。

つまりは地球規模の平和と繁栄をめざしたグローバリズムの促進ですが、その最中に、文明崩壊をもたらすようなパンデミックの発生を警告するシミュレーションがなされたのです。

ローリー・ギャレットによれば、一九八八年から一九九四年までの間に、アメリカ政府は新しい疫病が発生するリスクについての研究を五つも行ったとのことでした。(34)

病原体のグローバル化

これは矛盾でも何でもありません。

グローバリズムを促進するとは、国境を越えたヒト、モノ、カネの移動を容易にしてゆくこと。

二〇一三年九月、ニューヨーク証券取引所で安倍晋三総理が行ったスピーチの文句にならえば「もはや国境や国籍にこだわる時代は過ぎ去りました」です。

ヒトやモノの移動が容易になるとは、とりもなおさず、ウイルスなど病原体の移動も容易になることを意味する。

疫病はそれだけ広まりやすくなります。

ギャレットが指摘するように「ジェット機による移動が当たり前になった時代に、新しい病原体の蔓延を阻止するのは、本質的にきわめて難しい」のです。(35)

おまけにわが国では、長期のデフレ不況もあって、「観光立国」だの「インバウンド」だのといったスローガンが声高に叫ばれてきた。

外国人にどんどん来てもらって、カネを落としてもらうことで景気を刺激しようという話。

コロナが中国で問題になっていた二〇二〇年一月二十四日にも、在中国日本大使館のホームページには、安倍総理のこんなメッセージが掲載されました。

> 春節に際して、そしてまた、オリンピック・パラリンピック等の機会を通じて、更に多くの中国の皆様が訪日されることを楽しみにしています。
> その際、ぜひ東京以外の場所にも足を運び、その土地ならではの日本らしさを感じて頂ければ幸いです。(36)

春節は中国の旧正月で、前後一週間は大型連休となります。

二〇二〇年の春節連休は一月二十四日からだったので、それにあわせてメッセージを出したのでしょうが、前日の二十三日には、最初に感染拡大の起きた武漢市が封鎖されているのですよ！

政府がコロナウイルス対策に本腰を入れて取り組むようになったのが、東京オリンピックの一年延期が決まった同年三月末以後のことなのも、関連して偶然とは思えない。

オリンピックは、いわば「インバウンド大会」ですからね。


なるほど、問題はグローバリズムだったんだな！

やはり二〇二〇年代はナショナリズムへと回帰しよう!!

そう言いたくなった方もいるかも知れません。

が、事はそれほど単純ではないのです。


観光立国やインバウンドに歯止めをかければ、感染症が海外から入ってくるのを遅らせることはできるでしょう。

けれども国境を越えたヒトやモノの移動を、今さら大幅に減らすことはできません。短期的な応急措置として制限する以上のことは無理です。

国内の感染拡大を抑え込んだところで、外国での感染が収束しなければ、いずれまた感染拡大が起きる。

ノーベル賞を受賞したアメリカの分子生物学者ジョシュア・レーダーバーグなど、次のように語りました。

世界は本当に一つの村のようなものなんだ。世界のどこであれ、疫病を放っておいたら、明日は我が身と思わなければならない。(37)

アメリカ疾病予防管理センター(CDC)の局長を務めたことのあるウィリアム・フォージ博士も、「微生物(つまり病原体)のグローバル化」が進んだ結果、一九九〇年代の段階で、アメリカ国内における人々の健康と、他の地域の人々の健康は切り離せなくなったと考えています。

いわく、アメリカや西ヨーロッパの人々を疫病から守り、健康を保障するためには、アゼルバイジャン、コートジボワール、バングラデシュといった地域の人々にも、同様の保障を提供しなければならない。(38)

二段構えの戦略が必要

たんなるナショナリズムでこれが可能でしょうか?

微生物の側がグローバリズムにめざめた以上、人間もそれに対応するしかない。

われわれが疫病に対処するには、二段構えの戦略が必要なのです。

（1）国内における感染症の流行（とくに新しい病原体によるもの。以下同じ）にたいしては、「自国民優先の原則のもと、あらゆる国民を守る」というナショナリズムに従い、政府がリーダーシップを発揮して、感染被害・経済被害をできるだけ抑制する。
（2）そのうえで「自国民の健康は他国民の健康と切り離せないという原則のもと、世界のあらゆる人々を守る」というグローバリズムに従い、地球上の全地域における感染症の流行の抑制に努める。

最初のアルマ・アタ宣言は、健康について「社会的・経済的に生産性のある生活」を送れることと定義しました。

しかるに自国民の健康は、他国民の健康と切り離せないのですから、これは自国民の繁栄も、結局は他国民の繁栄と切り離せないことを意味する。

まさしく「情けは人のためならず」。

グローバリズムと言うと、各国政府のコントロールを越えたところで、多国籍企業が好き放題やるイメージが強いものの、必ずしもそうではありません。

多国籍企業が幅を利かすのは「新自由主義型」のグローバリズム。

ここで提起されているのは、地球規模のリーダーシップを発揮できる政治的主体の形成をめざした、「世界政府型」のグローバリズムです。

先に触れた「一九四五年の理想」、国連を中心とした地球規模の平和と繁栄の追求にしても、こちら

に近い考え方。(39)

要するに、国家レベルでも世界レベルでも、「政府」なしにはパンデミックに対抗できないのですよ！

冒頭で紹介したレポート「COVID-19が世界のマクロ経済に与える衝撃~七つのシナリオによる予測」の著者、ウォーウィック・マッキビンとローシェン・フェルナンドも、結論で以下のように論じます。

感染症の蔓延は、大量の人命を奪うリスクをはらむだけではない。大勢の人々が、人生を根底から狂わされてしまうかも知れないのだ。けれども多くの政府は、自国の保健衛生システムの整備にたいして、十分に投資するのを怠ってきた。まして途上国の保健衛生システム構築の援助となると、いっそう面倒くさがる。それら途上国こそ、幾多の感染症が発生する温床となりかねないにもかかわらず、である。

動物を起源とする感染症は、無数の人々の生命を脅かし、国境を越えて密接に結びついた世界経済に大混乱をもたらしかねない。専門家たちは長らくこう警告してきたし、今も警告を続けている。

経済が地球規模でかくも一体化したとき、どんな国であれ、他国の状況を無視して一人勝ちするなどありえないことを、新型コロナウイルスの感染拡大は証明した。公衆衛生と経済発展に関

する世界的な協力こそ、決定的に重要なのだ。(40)

冷戦が自由主義諸国の勝利に終わったことは、「グローバリズム＝新自由主義」の図式を定着させてしまうという、感心しない副作用を伴っていました。

新自由主義は政府の役割をできるだけ小さくしようとしますから、社会は疫病にたいして脆弱になってしまう。

ハワイ・シミュレーションの行われた一九八九年は、昭和から平成に元号が変わった年ですが、わが国も平成の間じゅう、新自由主義的な発想に基づく構造改革を行ってきました。

一九九二年に八五二ヶ所あった全国の保健所は、二〇一九年には四七二ヶ所と、四五％も減少。

国立感染症研究所の研究者数も、二〇一三年には三一二人でしたが、二〇二〇年は二九四人です。

おまけに常勤は三割程度。

CDCと比べると、人員は四二分の一、予算にいたっては一〇七七分の一とか。(41)

転換を図るにはどうしたらいいのでしょうか？

Ⅲ　理性の限界を直視せよ

ここで振り返るべきは、一八一八年に刊行されたメアリー・シェリーの小説『フランケンシュタイン、または現代のプロメテウス』。

理性の万能を信じた若き科学者ヴィクトル・フランケンシュタインが、生命の神秘を探求、人造人間をつくりあげようとしたものの、怪物を生み出してしまったせいで破滅する物語です。

しかしフランケンシュタイン（あれは怪物の名ではなく科学者の名です）が、なぜ生命にこだわったかご存じですか？

どうぞ。

　金持ちになるなど、大したことではない。だが人間の身体を病気から解放し、殺されでもしないかぎり死なないようにするような発見をなしとげたら、どれほどの栄光が待っていることだろう！(42)

二十世紀、とくにその後半、人類は医学の進歩により、くだんの夢の実現に向けて大きく前進するかに見えました。

二〇〇〇年までに世界のすべての人に健康をもたらすことを謳ったアルマ・アタ宣言は、「現代のプロメテウス」ならぬ「現代のフランケンシュタイン」のマニフェストだったと言っても過言ではありません。

けれども医学の進歩をもたらした文明の発達は、一方で世界人口の急激な増加を引き起こし、他方では国境を越えたヒト・モノ・カネの移動を促進しました。

病原体にしてみれば、前者はエサがどんどん増えることを意味し、後者はあっという間に世界中に広まる条件が整ったことを意味します。

のみならず看過しえないのは、既存の病気、とりわけ感染症を制圧してゆくこと自体が、新しい感染症の流行を起こりやすくすること。

すでに強力な疾病が存在し、人間を脅かしている社会には、新しい病原体が入りにくいうえ、入っても毒性を強めにくいのです。

ヤクザと同じこと、昔からの顔役がにらみを利かせている間は、新顔はなかなか入り込めないのですよ。

そのような社会では、まず人口がロクに増えません。

新顔の病原体にとっては旨味(うまみ)がないというか、参入の余地が乏しいことに。

ついでに生活環境もたいがい劣悪ですから、人々の健康水準は低く、ちょっとしたことですぐに亡くなる。

一気に増殖したら最後、あっという間に人口が減ってしまい、病原体にとっても元も子もない結果になるのです。

既存の疾病そのものが、新しい疫病の流行を防ぐ「構造的障壁」の役割を果たしていた次第。


ところが人間は、医学の進歩によって、ペスト、コレラ、天然痘、結核といった「顔役」疾病を抑え込むにいたった。

生活環境や健康水準も向上、ちょっとやそっとでは人が死ななくなっている。

構造的障壁をみずから撤廃したのです。

しかも人間の数は増加を続け、世界規模の拡散まで容易になった。

新顔の病原体にしてみれば、これは大きなチャンス。


われわれは半世紀以上にわたって、新しい疫病によるパンデミックへの道を、自分たちの手で敷き詰めていたのです!

理性の力で世界に幸福をもたらそうとしたフランケンシュタインの試みは、現実世界でも怪物を生み出したと評さねばなりません。(43)

「II　疫病対策と政府の役割」でも紹介したアメリカの分子生物学者、ジョシュア・レーダーバーグの言葉をどうぞ。

（感染症の流行にたいして）われわれは百年前より準備ができていると言えるだろうか？　多くの点で、われわれはより無防備になっている。微生物のもたらす脅威について、われわれは無視を決め込んできた。ゆえに「おごる社会は久しからず」という現実を繰り返し突きつけられることになるのだ。(44)

パンデミック対策の根源的ポイント

今まで見てきたとおり、疫病のパンデミックに際しては、ナショナリズムに基づいた国家レベルでの対応がまず求められる。

つづいて世界政府型のグローバリズムに基づいた、地球規模での感染抑え込みが必要となります。「政府」（＝財政的な基盤を持って政治的リーダーシップを発揮できる存在）の概念を媒介に、ナショナリズムとグローバリズムの間で適切なバランスを取る、そうまとめることもできるでしょう。

ただし、より本質的、ないし根源的なポイントはこちら。

今やパンデミックは、人類の文明の発達に後押しされる形で発生しており、その意味で「理性の敗

北」を浮き彫りにするものだと自覚すること。(45)


二〇二〇年、安倍総理は東京オリンピック開催について「人類がウイルスに打ち勝った証」などと位置づけたがったものの、根本的に間違った認識と言わねばなりません。

ウイルスの背後にいるのも、じつはわれわれです。

われわれの理性であり、文明なのです。


裏を返せば、「人類がウイルスに打ち勝つ」と唱えるのは、「人類がみずからの文明に打ち勝つ」「人類がみずからの理性に打ち勝つ」と主張するにひとしい。

どうやったら、そんなことが達成できるのか?


世界規模でワクチンの接種が進んだうえ、安価で有効な治療法が広まってゆけば、「新型コロナウイルス」という特定のウイルスに打ち勝つことはできるでしょう。

とはいえ世界人口の増加や、地球規模におけるヒトやモノの移動拡大に歯止めがかからないかぎり、それは次のパンデミックが起こる条件を整えることでもある。

勝利が新たな敗北につながるのです。


それどころかワクチン接種すら、事と次第では新たな敗北につながるかも知れない。

イギリスでは二〇二一年七月はじめの時点で、成人（十八歳以上）の八五・七％が、一回目のワクチン接種をすませました。二回目の接種を終えた成人の割合も、六三・四％に達しています。その結果、未成年を中心とした若者の間で感染が拡大しつつあるにもかかわらず、同国政府は七月十九日、行動制限をほとんど解除しました。

若者は感染しても重症化しにくいから、という理屈ですが、厚生労働省の専門家チームのメンバーでもあった西浦博は以下のように警告します。

（接種をすませても）どれくらいの強さの免疫がどれだけの期間だけ続くのかは分かりません。

これは大きな誤りである可能性があります。成人の多くは予防接種をした人ばかりで、ワクチンによる免疫を不完全な形で持っています。その中で生活環境の身近にいる若者たちの間で感染がたくさん起きれば、ウイルスが変異する可能性も高くなります。

要するに、ワクチンを接種する人が多くいる中で変異を許す、伝播を許すことが続くと、ワクチンの免疫をすり抜ける新しい変異ウイルスが選択される可能性が高くなる、ということですね。

（中略）

そうなると予防接種による免疫で流行を防ぐという戦略が破滅してしまう可能性さえあります。(46)

ついでにパンデミックによって医療体制が逼迫すれば、他の病気の治療にもしわ寄せが及ぶ。

検査、入院、手術などを延期せざるをえなくなるせいですが、癌、心臓病、脳卒中といった病気の場合、治療の遅れは死亡リスクを確実に高めます。

感染を恐れた「受診控え」によって、病気の発見が遅れたり、診断されても外来に通わなくなったりといったことも起こりますし、救急車を呼んでも、受け入れ先が容易に見つからなくなる。

今までなら助けられたはずの命が助からなくなる以上、これも敗北です。

疫病との戦いは、本質的に負け戦。

そう腹をくくらねばなりません。

われわれにできるのは、個々の敗北、つまりそれぞれのパンデミックを、最小限の犠牲で切り抜けることだけ。(47)

これが「パンデミック＝理性の敗北」という自覚の中身です。

『疫病と世界史』という著作のある歴史学者ウィリアム・マクニールも、一九八九年にこう語りました。

> 人間の力の限界をわきまえておくのは大事だと思う。感染症にたいして勝利を収め、社会の表舞台から排除してゆけばゆくほど、われわれは破局的な疫病の流行にいたる道を拓いてしまうのだ。それが生態系の中で生きるということの宿命だよ。そこから自由にはなれない。好むと好ま

ざるとにかかわらず、人間も食物連鎖の中に位置づけられている。植物や動物を食べるかわり、微生物に食われるのさ。(48)

ミニ・マックス法による危機管理

くだんの自覚から導き出される結論は一つ。

いったんパンデミックが発生したら、決して事態を軽視してはならない。

負け戦のさなか、相手についてタカをくくったら最後、犠牲が大きくなるだけではありませんか。

「軽視」には、「問題の感染症について、われわれはすでに十分理解している」と構えることも含まれます。

すなわち、予想外のことが起きるリスクの軽視。

二〇二〇年前半の時点では、コロナに感染しても重症化するのは高齢者と基礎疾患のある者だけと言われていましたし、後遺症の存在もほとんど知られていませんでした。

ついでにパンデミックの過程で、病原体、とくにウイルスが変異を繰り返した結果、初期の段階では見られなかった性質を持つにいたるのは珍しいことではない。

長期的に見れば、変異の繰り返しは毒性を弱める方向、いわゆる弱毒化に進みます。

これはウイルスの戦略。

感染した人間が死んでしまったら、体内のウイルスも共倒れします。

まして特定の地域の人間が全滅したらおしまい。

だから毒性を弱めることで「共存」を図る。


とはいえその過程では、毒性を強める変異が起こることもありうる。

現在、地球上にはかつてなく多くの人間が存在しますし、交通・輸送手段も昔とは比べものにならないほど発達しました。

急いで弱毒化しなくとも「共存」は可能という話になりかねません。


例によって、われわれは疫病を後押ししている恐れが強いのです。

すでに見たとおり、ワクチン接種による免疫の獲得すら、ウイルスの感染力を強めるリスクがあるのですぞ。


ゆえに楽観論は禁物。

「放っておけば、物事は必ず悪いほうに進む」ことを前提に（われわれ自身が、そうなるよう仕向けているのです）、最悪の事態を想定して対策を講じねばならない。

そのような事態においても、犠牲や被害が最小限になることを目標にするのです。

ミニ・マックス法と呼ばれる方法論ですが、じつはこれ、危機管理の基本。

「パンデミック＝理性の敗北」の自覚がなかったとしても、コロナ禍が「危機」だと認識しているかぎり、この方法論を選ぶのが正しい。


だからこそ「予防法、および治療法が確立され、さらには病原体の弱毒化が確認されるまで、感染状況に応じて強い行動制限をかける一方、経済被害を補償する」ことが王道となるのですよ。

まずは各国内、つづいて世界規模で、この王道を歩まねばならない。

特定のパンデミックが終わったあとも、いずれ次のパンデミックが来て当然という発想のもと、即応体制を維持する必要があります。


新自由主義的な姿勢など許されないのは自明の理。

したがって「パンデミック＝理性の敗北」という自覚を持つことは、積極財政への転換を図るうえでも有効です。

積極財政への転換が達成されれば、軍事的な安全保障はもとより、防災対策や社会的インフラ整備も進む。

デフレからの脱却など、まっさきに実現することは言うまでもありません。

そしてわが国のように、政府が通貨主権を有している場合、これにたいする制約条件は実質的に存在しない！

いいことずくめではありませんか。

パンデミック対策の王道は、経世済民の王道でもあるのです。

王道から横着（おうちゃく）へ

そもそも人間がみずからの理性の力に自信を持つようになったのは、産業革命の始まった十八世紀後半あたりから。

歴史的に見れば、最近の出来事です。

この時代を生きた政治家・文人のエドマンド・バークは、フランス革命を例に挙げて、理性万能の風潮をこう批判しました。

> 誰もが自分の理性に従って行動するのは、社会のあり方として望ましいことではない。個々の人間の理性など、おそらく非常に小さなものにすぎないからである。国民規模で定着した物の見方や、時代を超えて受け継がれた考え方に基づいて行動したほうが、はるかに賢明と言えるだろう。(49)

「国民規模で定着した物の見方や、時代を超えて受け継がれた考え方」に基づいて行動するとは、具体的にどういうことか。

どうぞ。

わが国の父祖たちは、重大な決断を迫られたときほど、次の諸原則を重んじた。

(1)状況をよく見きわめ、軽率に行動しないこと
(2)不測の事態に備え、万全の用意をしておくこと
(3)臆病なくらい慎重であること

臆病といっても、これは勇気のなさに由来するものではなく、みずからが背負った責任の重さを自覚するがゆえのものだ。(50)

バークの述べる三つの原則が、「理性の敗北」に基づくパンデミック対策の方法論と、きっちり重なるのは偶然ではありません。
人間は長らく、おのれの理性には限界があり、しばしば失敗することを前提に行動してきたのです。
これぞ伝統の知恵。

しかるに世の中には、「パンデミック＝理性の敗北」の自覚を持つことを、どうしても受け入れられない人々がいます。
まずもって政府が、この傾向を少なからず見せているのですが、「理性の敗北」を認めないままコロナ対策を考えるとどうなるか。

「強い行動制限をかけつつ、経済被害を補償する」という、本来の王道には絶対たどりつきません。アルマ・アタ宣言の内容を思い返していただければ分かるように、人間の理性的能力を信頼するかぎり、健康は「肉体、精神、社会活動について、完全に充実した状態であり、たんに病気にかかっていないとか、虚弱でない状態とは異なる」と定義されるのです。

強い行動制限のもとで、社会活動について完全に充実することは不可能。宣言の定義に従うかぎり、行動制限下において人間は健康ではありません。他方、行動制限を引き起こしているのはコロナ。理性の限界や敗北を受け入れられない人々(以下、「理性主義者」と呼びます)にとっては、行動制限を受け入れることが、コロナへの敗北を意味するのです!

ならば、理性主義者はどうするか。

強い行動制限をかけずに、なおコロナを抑え込む方法はないかと、あれこれ頭をひねるしかありません。

王道を行くことなく、事態を収拾しようというのですから、要は「横着」を決め込もうとするんですな。

だとしても敗北を認めないまま、横着を決め込もうとするのでは、よい知恵が出るはずもない。

こうして理性主義者は、現実には実践しえない提言をするにいたります。

代表例を二つ挙げておきましょう。

まずは「特定の感染予防策を徹底すれば、行動制限をかけなくとも、感染リスクは十分に低くできる」という主張。

マスクを着用する、手指を消毒する、目・鼻・口を触らない、換気をこまめに行うなどです。

この主張自体は間違いではありません。

問題は「感染予防策を徹底すれば」という前提が、実際には成立しないこと。

次のような現実が待っているのです。

（1）最初から耳を貸そうとしない者が一定数、確実に存在する。
（2）耳を貸すことは貸したが、ありとあらゆる種類の誤解、および不適切な解釈をしでかす者が、その数十倍ぐらい出る。
（3）耳を貸し、正しく理解したが、うっかりミスをしてしまう者が、さらにその数十倍ぐらい出る。
（4）耳を貸し、正しく理解し、うっかりミスも避けたが、さまざまな事情によって予防策を取ることのできない者が……（以下略）

当たり前の話ではありませんか。

戦後日本という横着国家

次は「重症化リスクの度合いによって、行動制限のレベルを調整すれば、社会の大半の人々は自由に行動できる」という主張。

分離型行動制限緩和論とも呼ばれますが、具体的にはこうなります。

高齢者や基礎疾患のある者、あるいは妊婦といった「コロナ弱者」については、強い行動制限をかける。

これらの人々と同居していたり、日常的に接触したりする人々（非コロナ弱者A）についても、行動制限を緩めない。

どちらにも該当しない人々(非コロナ弱者B）は、感染予防策の徹底を条件に、行動制限を緩める。

じつに合理的ではありませんか。

ところがこれも、いざ実践しようとすると、以下の現実が待っています。

（1）コロナ弱者に強い行動制限をかけた場合、同居していたり、日常的に接触したりする非コロナ弱者Aは、そのぶん行動制限を緩めざるをえなくなる。食料や日用品の買い物を代行する、訪問介護の回数が増える、医療機関に来てもらうのではなく往診するなど、具体例に即して考えれば明らか。

(2) コロナ弱者、非コロナ弱者A、非コロナ弱者Bの行動を、きっちり分離・制御することはできない。わけても非コロナ弱者Aと非コロナ弱者Bの間で感染が生じるリスクを制御することは、現実にはほとんど不可能。

(3) コロナ弱者、非コロナ弱者A、非コロナ弱者Bの区分を徹底することもできない。基礎疾患がありながら、それに気づいていない者はどうするのか。同じことは妊婦にも当てはまる。

(4) 非コロナ弱者Bが感染予防策を徹底することは、すでに述べた理由により期待しえない。

危機的事態において、横着を試みると失敗する！

ふたたび当たり前の話にすぎないのですが、「強い行動制限をかけずに、コロナを抑え込む方法はあるはずだ」という前提に立つかぎり、これは耐えがたい屈辱。

さあ、どうするか。

ここである意味、救いとなるのが政府の姿勢です。

「I　コロナ対策の王道は何か」で述べたとおり、わが国においては、国民が適切にコロナに対処する一方、政府は相当に無策。

行動制限については、もっぱら「自粛」頼みですし、経済的な補償についても消極的とくる。

じつはこの姿勢も必然的なもの。

戦後平和主義の特徴は「国家の否定」と「政府不信」です。

財政均衡主義、さらには緊縮財政も、これを基盤としている。(51)

財政的な基盤を持った政治的リーダーシップなど、発揮しようがありません。


こんな条件のもと、国家レベルで感染を抑え込もうとしたら、「自粛を繰り返し要請しつつ、経済的な補償はできるだけケチる」という手しかないでしょう。

医療体制の拡充にしても、そうそう進むはずがない。

コロナにたいし、わが国政府が無策ぶりを露呈しているのは、戦後平和主義のもとでナショナリズムを実践しようとしたことの論理的帰結なのです。

ならば戦後平和主義のもと、世界政府型のグローバリズムを実践しようとするとどうなるか？

オリンピックの開催にこだわることになるのですよ！


その意味では戦後日本自体を、「国家や政府を肯定することなく、なお国家的統合の維持をめざす」という横着の産物と見なすこともできる。

理性主義者はこれを踏まえて、「どうせ政府は経済被害の補償など十分にするはずがないので、行動制限を受け入れることはできない」と主張するのです。

「感染被害と経済被害の間にはトレードオフの関係があるため、感染対策にばかりこだわると困窮による自殺者が増える」という例の議論も、ここでしばしば持ち出されます。

いや、いいですよ。

行動制限なしでも、感染の波が発生しなくなるか、発生しても前回の波より小さくなるなど、コロナが収束に向かうのであれば。

ところが二〇二〇年から二〇二一年にかけての経緯が示すとおり、現実はなかなかそうならない。

政府の補償がなかろうと、コロナの流行が続く中で行動制限を緩めれば、感染被害は増大するのです。

しかも感染被害と経済被害の間には、トレードオフだけが成立しているわけではない。

「感染被害が拡大すれば経済被害も拡大し、感染被害を抑え込めれば経済被害も抑え込める」という相関関係も、否定しがたく存在します。

つまり行動制限を緩めれば、感染被害ばかりか、経済被害も結局は拡大に向かう。

個人のレベルで、これに対処することはできません。

対処できる主体は政府のみ。

「どうせ政府は十分な補償などしない」と決めてかかったら最後、行動制限を受け入れようが受け入れまいが、経済被害の拡大は防げない。

そして補償がないまま経済被害が拡大してゆけば、人々は生活のためにも行動せざるをえなくなる。経済的補償が十分でないことを根拠とする行動制限反対論は、「コロナにたいして、われわれは打つ手がない」と言っているにひとしいのです！

コロナが突きつけたものは「現実」だ

満足な経済的補償がないまま、いつまでも行動制限を受け入れることはできないというのは、そこだけを取れば正しい。

けれどもそれは「だからこそ補償を充実させ、国民が行動制限を安心して受け入れられるようにすべきだ」という主張に結びつかねばなりません。

強い行動制限をかけつつ、経済被害を補償することこそ、パンデミック対策の王道なのです。

「行動制限を受け入れることは、コロナへの敗北だ」という思い込みにとらわれていると、これを認められなくなる。

だとしても、「政府が十分な補償をしないのだから、行動制限を緩めても安全だ」などと言い出すのは、さすがに無理筋。(52)

残る手は一つしかありません。

コロナをことさら軽視してみせることで、行動制限など不必要だと主張するのです。「あんなものは風邪と同じで、べつに怖がる必要はない」「感染の波など、行動制限なしでも自然に収束に向かうのだから、経済被害をもたらす行動制限は百害あって一利なし」という具合。(53)

本当にそうだったらじつに素晴らしい。

が、ちょっと思い返してみましょう。

この一連の主張、もともとどこから出発していたのか?

理性的能力を駆使することで、強い行動制限をかけなくとも、コロナを抑え込む方法論を見出そうとしていたのではなかったか。

いつの間にかそれが、「コロナは抑え込むまでもないので、行動制限をかける必要はない」へと、ひっくり返ってしまっている!(54)

そうこうしているうちに、さまざまな変異株の出現によって、コロナ対策を最初に考えたときの前提まで揺らぐ次第。

すべての理性主義者が、上記の道をたどるとは限りません。

しかし「理性の敗北」を認めないまま、首尾一貫した態度を取ろうとすれば、論理的に言って、そうならざるをえない。

ここまで来ると、彼らの振る舞いには興味深い特徴が浮かび上がります。

先に紹介したエドマンド・バークの「重大な決断を迫られたときに尊重すべき諸原則」と、みごとに正反対になるのです。

具体的には以下の通り。

（1）状況を見きわめようとせず、軽率な行動を重ねる
（2）不測の事態に備えるどころか、そのような自体がありうることすら否認し、高める必要のないリスクまで高める
（3）自滅的なくらい向こう見ずになる

向こう見ずといっても、これは勇気に由来するものではなく、理性の敗北という現実から逃避したがるがゆえのものです。

行き着く先は、当然ながら総崩れ。

誇張で言っているのではありません。

上記の三原則を突き詰めたら最後、「感染するリスク、いや重症化や死亡のリスクがあったとしても、あえて自由に行動することこそ、生の充実であり、人間の尊厳だ」などと説きたがる者が出てくることさえ考えられます。

コロナに感染した者は、周囲の人間に感染させる危険があるため、これは「他人を感染させ、重症化させたり、死亡させたりすることがあったとしても、あえて自由に行動することこそ、生の充実であり、人間の尊厳だ」と主張するにひとしい。

感染対策も何もなくなってしまいますので、さすがにここまでの主張は出ないかも知れませんが、「行動制限を受け入れることこそ敗北」という発想から脱却できなければ、論理的には起こりかねない。

あるいは「コロナの感染は、どのみち抑え込もうとしても抑え込めないんだから、せめて行動制限をかけることだけはやめよう」とか。

真実など存在しなければ、すべてのことが許される。人は時として、現実認識をどんどん歪曲させることで、自分の信念を維持しようとします。理性の敗北よりも悪いもの、それは理性の自己欺瞞なのです。

あらゆる危機がそうであるように、コロナがわれわれにたいして真に突きつけたものは、ずばり「現実」にほかならない。

人類は疫病を制圧してなどいないという現実。

文明の発達により、パンデミックはむしろ起こりやすくなるという現実。

ナショナリズムと世界政府型グローバリズムの間で、適切なバランスを取ることに成功しないかぎり、パンデミックが発生したら抑え込めなくなるという現実。

国家の否定と政府不信を理念的な基盤とするわが国では、このような危機に際して政府がリーダーシップを発揮できないという現実。

そして「理性の敗北」を受け入れないかぎり、事態にたいして冷静に対処しているつもりで自滅的な振る舞いにいたるという現実。

これらの現実にたいし、どこまで正面から向かい合うかによって、われわれの未来は決まるのです。十八世紀末の段階で「理性の敗北」をいち早く見抜いたエドマンド・バークの言葉を、最後にあらためて紹介しておきましょう。

世の中には、困難に立ち向かう勇気を欠いた者もいる。そういう連中は、とかく安易な近道を探したり、あれこれ小細工を弄(ろう)したりする。(中略)

ごまかし仕事に終始した者には、怠けたツケが回ってくる。困難というやつ、一時的にかわすことはできても、完全に避けて通ることはできない。いずれは直面せざるをえなくなるものの、そのときは問題がいっそう深刻化している。

事態は混迷の一途をたどり、何の展望も見えないまま、えんえんと苦労しなければならない。政治が困難を避けようとするとき、国家は衰弱して不安定になるのである。(55)

2　パンデミックは愛の行為

新型コロナウイルス感染症のパンデミックにたいしてわが国が取った対応は、「一貫した後退戦」と評するにふさわしいものでした。

はじめのうちこそ、水際でウイルスの流入を食い止めるという楽観論が聞かれましたが、あっという間に失敗。国立感染症研究所が二〇二〇年四月末に発表したところによれば、同年二月以前に中国から入り込んだコロナウイルス、いわゆる「武漢株」こそ、ほぼ封じ込めに成功したものの、武漢株から変異して欧州に広がったウイルスが三月中旬までに流入，拡散したのです。

政府は「今が（感染を収束させるための）正念場」だの「今が瀬戸際」だのと繰り返したあげく、四月七日、東京・大阪など七都府県に緊急事態宣言を発令。四月十六日になると、対象地域が全国に拡大されました。

緊急事態宣言のもとでは、対人接触を八割減らすことが求められ、外出の自粛や休業などの行動制限が強く要請されます。宣言の期間は五月六日までとなっていたものの、同月末までの延長が決まりました。もっとも月が変わると、感染が収束していったことから前倒しで解除が進み、五月二十五日にはすべての都道府県で解除されるにいたる。

この時点でコロナが終息していれば、初動の失敗はあったとしても、うまく対処したと言えるでしょう。けれども、そうはなりませんでした。


二〇二〇年夏の第二波こそ、緊急事態宣言なしで収まったものの、同年冬に第三波が来た際には、二〇二一年一月八日、東京・神奈川・千葉・埼玉の一都三県を対象に再発令される。

ここでも当初は、一ヶ月程度で事態を収束させるという楽観論が聞かれたものの、一週間もたたない一月十四日には、大阪・京都・兵庫・栃木・愛知・岐阜・福岡の七府県を追加するハメになります。宣言期間も二度にわたって延長され、完全に解除されたのは三月二十一日のことでした。(56)


しかも一ヶ月後の四月二十五日には、東京・大阪・京都・兵庫の四都府県に三回目の宣言を出すハメに！

発令にあたっては、例によって例のごとく、二週間あまりの短期決戦で感染を抑え込むという楽観論が聞かれ、期限も五月十一日に設定されていたものの、そんなに都合良く話が運ぶわけがない。

五月十二日には、愛知・福岡を追加したうえで宣言が延長されました。

五月十六日には、対象地域に北海道・岡山・広島を追加。

五月二十三日には、これに沖縄が追加されます。

五月二十八日には、沖縄以外の九都道府県について宣言を再延長。(57)

沖縄県以外の地域については、六月二十日で解除となったものの、七月十二日には東京に四回目の宣言が出ます。

さすがに短期決戦の楽観論は聞かれなかったものの、その後の推移は以下の通り。

八月二日には大阪・埼玉・千葉・神奈川を追加。

八月二十日には京都・兵庫・茨城・栃木・群馬・静岡・福岡を追加。

八月二十七日には北海道・宮城・岐阜・愛知・三重・滋賀・岡山・広島を追加！

ワクチン接種が進んだおかげか、九月三十日にはすべて解除となりましたが（宮城と岡山は九月十二日に解除）、泥沼と言われても仕方のないありさまです。

くだんの状況で、不安や不満がたまるのは当然の話。ただしそれらの心情の背後には、思いのほか複雑な構造があります。

整理しておきましょう。

（1）感染被害への恐怖。不明な点が多いうえ、予防法や治療法も十分確立していないウイルスに感染して、重症化することや、死ぬことへの不安。あるいは自分自身が軽症や無症状ですんでも、家族をはじめとする周囲の人々に感染させるのではないか（そしてそれらの人々が、重症化したり死んだりするのではないか）という不安。医療体制の機能不全により、感染症以外の理由で健康を害することへの不安も含む。

（2）経済被害への恐怖。感染拡大の影響、および感染対策としての休業などによって、収入が大きく減少したり、職を失ったりしたあげく、生活が困窮するかも知れないことへの不安。政府や自治体による補償が、十分になされていないという不満も含む。

（3）生活上の制約への反発。外出自粛などの行動制限によって、好きなことができなかったり、行きたいところに行けなかったりすることへの不満。

ところが右三つの根底に、さらに本質的な要因があるのです。

（4）「近代的病気観」が脅かされることへの恐怖。人間中心主義のもと、人間の理性的能力にたいして強い信頼を寄せる近代世界では、「人間には健康に生きる権利がある」という考え方が定着する。ゆえに病気、とりわけ疫病は、本来あってはならないもの、社会から排除して根絶すべきものと見なされるにいたった。

新しいウイルスによる感染症が広まり、世界規模で甚大な被害をもたらしている現状は、この病気観を根底から揺るがしかねない。これは「社会とはどんなものか」「人間はどんな権利を持っているか」といった点に関する人々の通念を脅かす。すなわち「人間中心主義に基づく合理的存在」としての自己のアイデンティティが崩れることへの不安。(58)」

「共生」の魅力をさぐる

日本国憲法の第二十五条は、「すべて国民は、健康で文化的な最低限度の生活を営む権利を有する」と謳っています。いっそう雄弁なのは、一九七八年に発表された「アルマ・アタ宣言」。

これはWHO(世界保健機関)と、UNICEF(国連児童基金)が開催した国際会議で採択されたものですが、健康を「肉体、精神、社会活動について、完全に充実した状態」と定義したうえで、基本的人権の一つと明言しました。そして二〇〇〇年までに世界のすべての人間が、社会的・経済的に生産性のある生活を送れる水準の健康を享受できるようにすべきだと謳っています。

外出の自粛や、仕事の休業を強いられる状態は、アルマ・アタ宣言の定義に照らせば、すでに健康ではないのです。ならばパンデミックが続くにつれて「感染被害のリスクを高める結果になろうと、もっと自由に行動したい」という心情が、困窮していない人々の間にまで広まるのは、必然のなりゆきと言わねばなりません。

行動制限を受け入れるかぎり、「感染被害への恐怖」「経済被害への恐怖」「生活上の制約への反発」に加えて、「(社会活動が充実できないため)自分はすでに健康ではない」という不安まで抱え込むことになりますが、受け入れるのをやめれば、基本的には「感染被害への恐怖」に耐えるだけでよい。「経済被害への恐怖」も残るでしょうが、やわらげられることは確実です。しかも新型コロナウイルスについては当初、高齢者や基礎疾患のある者以外は、感染しても大したことはないと言われていました。

かくして「コロナを制圧できなくとも、感染予防策を十分取ったうえで、行動制限をなくしてゆく」という発想が、合理的、かつ魅力的に思えてきます。高齢者や基礎疾患のある者と、そうでない者をきっちり分離できるという、現実にはありえない前提を信じ込めればなおのこと。(59)

けれどもこの発想、「疫病は本来あってはならず、社会から排除・根絶すべきだ」という近代的病気観に反します。感染拡大がなかなか収まらないことが出発点なのだから、敗北宣言とまでは行かなくとも、ウイルスに大幅譲歩するにひとしい。屈辱的ではありませんか。

コロナ制圧前の行動制限緩和を正当化するには、ウイルスへの譲歩を肯定する理屈が必要になります。ずばり、**「ウイルスとの共生（ないし共存。以下同じ）」**。新型コロナウイルスという異分子が、一定程度社会に存在することを受け入れ、賢くつきあおうと構えるのです。

近年のわが国では、グローバリズムの影響のもと、異文化や外国人（つまり移民）との共生が謳われました。いわゆる「ダイバーシティ」ですが、「ウイルスとの共生」は、現にパンデミックを引き起こしている病原体にまで、これを適用したがるものと見なしうる。

「ウイルスとの共生」は、グローバリズムに否定的なはずの保守主義者にもアピールします。保守主義の根底にあるのは、人間の理性的能力を疑ってかかる姿勢。近代的病気観も、当の理性的能力にたいする信頼に立脚していますので、近代的病気観からの逸脱、いや退却を正当化する理屈は、保守主義から見ても望ましいことになる。

グローバリストと保守主義者の双方を納得させる理屈など、めったにお目にかかれるものではない。まさに卓見と評すべきですが、パンデミック中のウイルスと共生するとは、具体的に何を意味するのでしょう？

ここで紹介したいのが、カナダの映画監督デヴィッド・クローネンバーグです。医学や心理学への関心を踏まえ、肉体と精神の両側面から人間の本質に迫る傑作を多数発表した鬼才。とくに初期作品『シーバース』（一九七五年）と『ラビッド』（一九七六年）では、先端医療によって新しい疫病が誕生、社会に広がるさまを描きました。

しかるにクローネンバーグ、エイズの流行が大きな問題となっていた一九八〇年代に、こう語っています。

有害な感染症とされるものには、入り込んだ生物組織を破壊するのではなく、作りかえようとしているものがあるんじゃないかと思う。どんなふうに作りかえられるのかを割り出すのが、こちらの役目さ。感染したからといって、生物として機能しなくなるわけじゃない、今までとは違っ

た機能を持つようになるだけなんだ。

この考えが、感染症の恐ろしさから目をそらす結果につながる側面を持つのは認める。だが私は、ウイルスであることがどんな気分かも想像できる。エイズウイルスの視点に立ってみたまえ。活力に満ちて、やる気満々、まさにわが世の春だ。メディアの注目を浴び、心おきなく活躍できる。君がウイルスなら大勝利だぞ。世界的に広まるなんて最高じゃないか、何も悪い話じゃない。

ウイルスだって生き物なんだ。だから時々、人間と一体化したがる。それが興味深いところだよ。私の映画を、病原体の視点から見てほしい。向こうがなぜ、あらゆる制圧の試みに抵抗するのか分かるだろう。(60)

ボディ・ポリティックを守れ

ウイルスが侵入し、体内で増殖するにあたっては、遺伝子の水平伝播（でんぱ）と呼ばれる現象が起こることがあります。こちらの遺伝情報に、ウイルスの遺伝子が取り込まれるわけですが、これは進化にも影響を与えた可能性が指摘されている。

クローネンバーグの発言には、相応の根拠があるのです。ウイルスの侵入、つまり感染を避けようとして、人間が生活様式を変えることも、広い意味では「作りかえ」でしょう。政府の専門家会議も、外出自粛や休業について「行動変容」と呼んでいるではありませんか。ルイ・パスツールの言葉にならえば、「自然界においては、最も小さな存在の果たす役割が限りなく大きい」のです。

身体が発熱する、遺伝子の取り込みが起きる、異質な存在が体内で増殖するなど、ウイルスの感染には「セックス」を想起させるものがあります。「感染症は異なる生命体同士の愛の行為なの」とは『シーバース』（この作品、初期段階の題名は『吸血寄生虫の性宴』でした）の有名な台詞ですが、ならば現在のパンデミックは、新型コロナウイルスが地球規模で人類に仕掛けた愛の行為となるでしょう。

では、新型コロナウイルスによって、われわれはどのように作りかえられるのか。これはウイルスの感染拡大によるものと、感染拡大を回避しようとする行動変容によるものの二つに分けることができます。

（1）感染拡大によるもの

人間が全体として、感染しても一定の健康状態を維持しうる状態に移行する。そうでない者は重症化するか死ぬためだが、このような変化に際して「オシャカ」がある程度出るのは避けがたい。

アメリカのブルッキングス研究所は、コロナ禍によって最初の一年で発生する死者数を、最大六八〇〇万人あまりと予測したものの、これは世界人口（七八億）の一％以下。半世紀前、一九七〇年の人口は三七億人にすぎなかったのだから、地球環境を守るためにも、そのくらいでは淘汰が足りないとすら言える。(61)

したがって行動変容にも、さしたる意味はない。今回のパンデミックに際しても、若くて健康な者はなるべく外出し、早めに感染することこそ収束の近道だという旨の主張が見られたが、社会的・経済的なコストを無視してよいと仮定するかぎり、これも巨視的には正論と評しうる。

（２）行動変容によるもの

社会システムが、疫病の流行に対処しやすい状態に移行する。今回の事態が収束したあとも、環境破壊への規制強化や、経済活動にたいする一定の抑制、さらには世界的な防疫インフラの整備なしには、新たなウイルスが自然界より繰り返し入り込み、パンデミックが生じる恐れが強いためである。(62)

コロナの流行でも、経済活動の鈍化により、各国の大気汚染レベルが顕著に下がるなど、地球環境にはメリットが生じた。大気汚染に起因する肺癌や呼吸器疾患では、毎年百万単位の死者が出るのだから、これは人間にとってもプラスである。(63)

「ウイルスとの共生」にも、二種類あることが分かります。前者の場合、変化の主導権はウイルスにあり、人間が独自の対応を取る必要はありません。「オシャカ」の人々は自己責任と見なされるでしょうから、「ウイルス主導・新自由主義型」の共生です。

後者の場合、変化の主導権は人間にあります。政府を通じて積極的な対応策を講じることで、みずからを変えてゆくのです。政府が中心的な役割を果たす以上、自己責任論はむろん否定される。こちらは「人間主導・社会保障型」の共生になります。

二種の共生を完全に切り離すのは難しいでしょう。しかし、どちらかを主軸にする必要はあります。

国家規模におけるワクチン接種の奨励は、「人間が全体として、感染しても一定の健康状態を維持しう

る状態」への移行を、「人間主導・社会保障型」共生の方法論で達成しようとする試みにほかなりません。(64)

選択はどうあるべきか？

ここで考慮すべきは、ナショナリズムと「ボディ・ポリティック」の関係です。

ボディ・ポリティックは、統合された存在としての「国民」、ないし「国家」という意味で用いられますが、もともとは国民が文字通り、一つの巨大な身体を構成するイメージでとらえられていました。他方、ナショナリズムの語源は「出産」ですから、こちらも身体の概念と深く結びつく。(65)

近代の国民国家とは、いわばそれ自体が「身体」なのです。だからこそ、国民は互いに「同胞」となるのですが、ここからは「政府はあらゆる国民を見捨ててはならない」という結論が導き出される。

政府が何らかの基準で国民を選別し、「不合格」の者は淘汰されても構わないという話になったら最後、ナショナリズムは根底から脅かされます。ところが「ウイルス主導・新自由主義型」の共生は、選別の主導権こそウイルスに譲ったものの、ずばりこれをやろうとしている。

「行動制限を受け入れずにすんだが、国民統合が崩壊した」という結果になっても、何ら文句は言えません。この場合、感染被害はもとより、経済被害も恐ろしく深刻なものとなる恐れが強い。「淘汰はあってしかるべきなんだろう？　コロナの流行程度でオシャカになる企業は潰れてかまわない。損失を補償する必要はない」という話になるからです。(66)

ついでに重症化や死亡のリスクが高い人々の中には、高齢者や基礎疾患のある者だけでなく、妊婦も含まれています。将来の世代を生み出す点で、まさにナショナリズムの中核に位置する存在ですが、この人たちが感染するのも自己責任で片付けますか？　感染リスクの高い人々と、そうでない人々をきっちり隔離できるなどというのは、非現実的な空論にすぎないのですぞ。(67)

クローネンバーグの語るとおり、ウイルスはわれわれを破壊しようとしているのではなく、作りかえようとしているのかも知れません。だとしても、そのような作りかえに際して、どちらが主導権を取ってもいいという話にはならない。

社会や国家は、人間の主導権のもとにしか成立しないからです。ウイルスに主導権を与えたら最後、これらが維持される保証はありません。

のみならず、感染という形で体内に侵入してくることが示すとおり、このような「愛の行為」において、犯す側に立っているのもウイルス。人間はあくまで犯される側です。

性犯罪の危険にさらされている女性（べつに男性でも構いません）が、やむなく警戒を緩めねばならないことはあるでしょう。「被害に遭う（＝感染して重症化する）確率は低いから」と自分を慰めるのも理解できる。しかしそれを「性犯罪者との共生」として正当化しだしたら、純然たる自己欺瞞です。犯すことと犯されることの間には、決定的な違いが存在するのです。

3　感染症とボディ・ポリティック

感染症対策を考えるうえで、重要な意味を持つにもかかわらず、見過ごされやすい概念があります。ボディ・ポリティック。

普通は「国民」や「国家」と訳されますが、直訳すれば「政治的身体」です。

この概念には、面白い歴史がある。

中世ヨーロッパでは、王は二つの身体を持っているという発想がありました。

一つは王自身の肉体で、これは「自然的身体」、ボディ・ナチュラルと呼ばれます。

もう一つが、「政治的身体」ことボディ・ポリティック。

政治的身体は目に見えないものの、政府と政策から成り立ち、人々を導いて経世済民を達成するものと位置づけられる。

王の自然的身体は、そのような政治的身体を象徴的に具現化したものと見なされました。

この段階のボディ・ポリティックには、王の支配下にある人々、つまり国民が含まれていなかった

『リヴァイアサン』表紙

ようですが、主権国家の概念ができあがるにつれ、彼らも政治的身体に含まれてゆく。国民とは同じボディ・ポリティックから生まれた者同士にほかならず、だからこそ「同胞」なのです。「胞」には「胎児を包む皮膜」という意味がありますし、「同胞」も本来、兄弟姉妹を指す言葉なんですから。

何やら抽象的・観念的なように思われるかも知れませんが、そんなことはありません。日本国憲法の第一条には、こう記されています。

天皇は、日本国の象徴であり日本国民統合の象徴であって、この地位は、主権の存する日本国国民の総意に基く。

天皇の身体は、日本という国のみならず、日本国民の統合までを象徴的に表しているのです。

ボディ・ポリティックの発想が盛り込まれているのは明らかでしょう。

関連して紹介したいのが、イギリスの哲学者トマス・ホッブスが、一六五一年に刊行した著書『リヴァイアサン』。

近代の政治思想に大きな影響を与えた古典ですが、表紙には剣と笏を持った巨大な君主が描かれ、国土を睥睨（へいげい）（あたりをにらみつけて勢いを示すこと）しています。

しかるにご注目。

君主の身体は、よく見ると無数の人々によって成り立っている！

ずばりボディ・ポリティック。

現在の天皇には政治的権力こそないものの、天皇が国民の統合を象徴するという憲法の規定は、『リヴァイアサン』に描かれた君主の姿から、そうかけ離れたものではありません。

つまりわれわれも、自分自身の自然的身体を持つと同時に、「日本（国民）」という政治的身体の一部をなす。

国民であるかぎり、誰の身体にも二重性が備わっているのです。

二つの身体を病から守れ

事実、社会的な集団や組織について、われわれはしばしば「ひとつの巨大な身体」のイメージでとらえます。

だからこそ、企業や団体、あるいは組合が「法人」と位置づけられる。

法律によって「人」のごとく見なされる存在ということながら、法人の反対概念は「自然人」です。

「日本の病」や「社会を蝕む問題」のような表現にしても、国や社会が「身体」だとする前提なしには成り立ちません。

そもそも「国体」という言葉が存在するではありませんか。

国の指導者は「元首」であり、元首同士の話し合いは「首脳会談」と呼ばれます。

そして感染症の流行においては、ボディ・ポリティックは比喩にあらず、文字通りのものとなる。

公衆衛生とは、ボディ・ポリティックの健康水準を維持・向上させようとする試みにほかなりませんが、疫病が社会に広まる際には、個々の患者の身体、すなわち自然的身体のみならず、政治的身体の健康までが、目に見える形で脅かされるのです。

この二重性を逆手に取って感染症を抑え込もうとするのが、いわゆる集団免疫の方法論。

ある社会集団を構成する人々の大部分が、特定の病原体にたいして免疫を持つことで、病原体が広まりにくい状態をつくることです。

当の状態が達成されれば、何らかの理由で免疫を獲得できない人であっても感染をまぬかれる。

ボディ・ポリティックのレベルで免疫が獲得されれば、免疫を持てない自然的身体まで保護される(=免疫を持ったのと実質的に同じ状態になる)という仕掛けなのです。


「自粛疲れ」も、ボディ・ポリティックの存在を踏まえて成立する概念。

外出を控えたり、仕事を休業したりする人々の自然的身体、個々の身体が疲労しているわけではありません。

たいていの場合、運動量は減っているはず。


ただし緊急事態宣言などによって、社会全体のレベルで行動が制限されると、人々のストレスはどうしても高まる。

それが疲労感として集合的に認識されるのです。

「自粛疲れ」とはボディ・ポリティックの疲れ、そう評さねばなりません。(68)


この例が示すとおり、自然的身体に比べて、ボディ・ポリティックは比喩的・象徴的な側面が強い。

われわれの身体も、心理的な要因で病気になる場合がありますが、ボディ・ポリティックの健康となると、そちらのほうが主流です。

新自由主義やグローバリズムの理念は、経済的な格差を拡大させ、社会統合を弱めることで、ここ数十年間、日本のボディ・ポリティックを少なからず衰弱させました。(69)

コロナウイルス対策においても、感染者はもとより、感染リスクのある医療従事者やその家族にたいする差別が問題となり、日本赤十字社が「ウイルスの次にやってくるもの」という動画を配信するにいたります。(70)

ウイルスの次にやってくるのは、恐怖に基づく社会の分断なのですが、終わり近くに「人は、団結すれば、恐怖よりも強く、賢い」というメッセージが出てくるのは、じつに意味深長。

ボディ・ポリティックは、人々の団結、つまり社会的統合が弱まるだけで病んでしまうのです。

予防措置は徹底されなくて当然

コロナの流行を、まず収束させ、ゆくゆくは終息させるためには、われわれは自然的身体とボディ・ポリティックの両方を、病から守らねばならない。(71)

その際にポイントとなるのが、以下の三つの原則です。

（1）「身体（＝ボディ・ポリティック）で分かっていないこと」「身体が慣れていないこと」は、論理的・合理的に見えようと失敗するリスクが高い。

（2）ボディ・ポリティックの一体性を無視した対処法は、非現実的な観念論にすぎない。まして一体性を損なうような対処法は、国や社会に永続的な後遺障害を残すことを覚悟せよ。

（3）国境を越えたヒトや物の移動が当たり前になった現在、あらゆるボディ・ポリティックは、他のボディ・ポリティックとつながっている。

順番に見てゆきましょう。

一番目の原則は、おそらく多くの方が、個人レベルで実感された経験をお持ちのはず。「頭で分かっていること」と「身体で分かっていること（＝実際にできること）」の間には、しばしば巨大なギャップが存在します。

これを失念して、理屈は正しいのだからうまく行くはずだと構えると失敗する。

ボディ・ポリティックは、人間の巨大な集団です。個人レベルでうまく行かないことが、ボディ・ポリティックのレベルでうまく行くことがありうるでしょうか？

政府とか専門家といった「頭」が、感染対策のために国民という「身体」を制御しようとしても必ず限界がある、そう前提してかかるべきです。

たとえば「感染予防措置を徹底すれば」という条件設定のついた見解や予想は、まず間違いなく外れると見なしたほうがよい。

どれだけ予防措置の啓蒙に努めたところで、以下のような人々は一定数、確実に存在するのです。

(1) 最初から耳を貸さない。
(2) 予防措置の内容について、誤解、ないし不適切な解釈をする。
(3) 措置について正しく理解したが、うっかりミスをしでかす。
(4) 正しく理解し、うっかりミスも避けたが、さまざまな事情によって予防措置を取れないハメに陥る。(72)

感染対策は「予防措置が徹底される」ことではなく、「措置が徹底されない」ことを前提に立てねばなりません。

緊急事態宣言の解除など、行動制限を緩和するにあたっても、当初は「医療現場を逼迫させないためにも、リバウンド、新たな感染者数の急増を起こしてはならない」という呼びかけがなされました。

しかしワクチン接種などによって集団免疫が形成されるか、有効な予防法が確立されるまで、行動制限の緩和はリバウンドにつながって当たり前。

そうなっても対処できるだけの余裕が医療現場にないかぎり、そもそも制限を緩和すべきではないのです。

そのせいでしょう、コロナ禍が長引くにつれて、これは「リバウンドは必ず起きるから、解除後もしっかり備えなければならない」に変わってゆきました。


同様、行動制限を緩和したからといって、そう簡単には元に戻らないのが経済活動。

ボディ・ポリティックにはコロナへの不安が浸透しています。

コロナ禍が終息するか、簡単にリバウンドしえないくらいに収束したのならともかく、感染拡大の波が引いたぐらいで、流行が発生する前と同じように振る舞うと考えるほうが間違っている。

だいたい日本は、コロナ禍の前からデフレ不況に苦しんでいたのですぞ。

経済を活性化させるには、政府の積極財政によって、まずは生じた損失を補償、さらには需要を新たに創出することが不可欠なのです。(73)


片やわが国において、コロナによる死者が比較的低く抑えられているのは、もともと(冬場には)マスクをする習慣があったからだとする見解があります。

これは「身体で分かっていなければうまく行かない」の、幸運な裏返しと言えるでしょう。日本国民は、マスクの必要性について、ボディ・ポリティックのレベルで慣れていたのであり、ゆえにうまく行ったのです。

国民を分離できると思うな

つづいて二番目の原則。

理屈ではうまく行きそうに見えても、実際には失敗する点において「感染予防措置の徹底」といい勝負なのが、分離型行動制限緩和論です。

コロナに感染したところで、高齢者や基礎疾患のある者以外は大して心配することはないのだから、それら「コロナ弱者」さえ隔離して保護すれば、あとの人々は自由に行動してよいはずだ、という考え方。

この発想、後遺症の存在や変異株の出現によって前提の部分が揺らいでしまいましたが、それを脇に置いたとしても、やはり使い物にはなりません。

何がまずいかはお分かりですね。

コロナ弱者と、そうでない人々の分離が達成できると決めてかかっていることです。

わが国のコロナ弱者には、みな「巣ごもり」に徹するだけの余裕があるのか？

同居している家族が感染予防を徹底するというのは本当か？

独り暮らしの場合は、「家族」が「ヘルパーや訪問看護、介護に関わる者」に変わるだけの話。

この点がクリアーされないかぎり、分離型行動制限緩和論はコロナ弱者に負担を押しつけるだけの結果に終わります。

「ひとつの巨大な身体」である以上、ボディ・ポリティックには文字通りの「一体性」が備わっている。

都合に応じて、適宜分離できるように構えるのは、頭でっかちの観念論にすぎません。予防措置と同様、コロナ弱者の隔離も、徹底できないことを前提にしなければならないのです。

これを裏付けるのがスウェーデンの事例。

スウェーデンは他の北欧諸国よりも感染者が早く増加したのですが、都市封鎖、いわゆるロックダウンについては、エビデンスがない、副作用が大きいせいで持続しえない、移動の自由を謳った憲法の原則に反する、といった理由で行いませんでした。(74)

そのかわり、コロナ弱者に該当する人々を隔離したうえで、ソーシャルディスタンスや手洗いの徹底、五百人以上のイベントの禁止(のちに五十人以上に強化)、医療施設の面会禁止、介護施設の訪問禁止といった措置を講じる。(75)

分離型行動制限緩和論に基づく対策を取ったのですが、結果はどうだったか。

二〇二〇年春の段階で、死亡率はアメリカや中国の二倍あまりに達しました。(76)

むろん、その多くは高齢者。[77]
単身世帯が全世帯の四七・九％を占めるなど（ちなみに日本は三二・四％）、コロナ弱者の分離がしやすいはずなのにこのありさま。[78]
レーナ・ハッレングレーン保健・社会大臣は同年四月三十日、「ウイルスから高齢者を守ることができなかった」と認めます。[79]
スウェーデン公衆衛生局の疫学者で、コロナ対策の責任者であるアンデシュ・テグネルも、以下のようにコメント。

ここまで死者が増えるという前提の計算は、初期の段階ではしていなかったと認めざるをえない。

感染して発症する人が増えることは計算済みだった。だが死者数がここまで増えるとは本当に驚きだ。

（高齢者施設から）疫病を遠ざけておくのは非常に難しい。われわれがベストを尽くしたとしても、十分でなかったのは疑いえない。[80]

二〇二〇年の上半期、スウェーデンにおける死者数は、過去百五十年間で最高を記録しました。[81]
同年のスウェーデンにおけるコロナの死者は九七〇七人。[82]
わが国は三四一四名ですから、約二・八四倍です。

しかるにスウェーデンの人口がどれくらいか、ご存じですか?

約一〇二二万人!(83)

わが国の人口は一億二五〇〇万人あまりですから、八・二%にすぎません。

にもかかわらず、死者数は二・八四倍。

日本で言えば、十一万八四〇〇人近い死者が出たのと同じになります。

同国のカール十六世グスタフ国王は、二〇二〇年十二月、このように発言しました。

私たちは失敗したと思う。

私たちは多くの死者を出した。それはひどいことだ。私たち全員を苦しめるものだ。亡くなる家族に温かい別れの言葉を告げられなかった人たちのことを思う。つらく、心に傷を残す経験だろう。(84)

ステファン・ロベーン首相も国王の発言に賛同、「これほど多くの死者が出たという事実は失敗以外の何物でもない」と認めます。(85)

ボディ・ポリティックを分離できるなどとうぬぼれたら最後、何とも無残な結末が待っているのです。

わが国におけるコロナの死者が、比較的少なくてすんでいるのは、欧米諸国に比べても高齢者の隔離ができていなかったからだという指摘すらあります。なまじ高齢者施設が充実していないため、自宅で暮らせなくなった高齢者は、しばしば病院に長期入院する。

病院が高齢者施設がわりになっていたのですが、これがプラスに作用した次第。

介護老人保健施設（老健）や、特別養護老人ホーム（特養）といった高齢者施設は、前者が医療法人、後者が社会福祉法人によって主に運営されます。

どちらも病院を運営できる組織。

老健も特養も、医師が必ず配置されますし、老健については施設自体が病院に隣接していることも珍しくありません。

介護付き有料老人ホームにしても協力医療機関との連携が定められており、一般の有料老人ホームでさえ看護師の配置義務がある。(86)

このように医療と介護が分離していなかったおかげで、高齢者施設でのクラスター発生が少なくてすんだのです。

切り捨て肯定は亡国への道

「ボディ・ポリティックを分離できる」という発想には、もっと重大な危険がひそんでいる。分離が可能なはずである以上、これは「必要に応じて、ボディ・ポリティックを分断しても構わない」へと容易に移行しかねないのです。

何のことか、分かりますね。

「高齢者はどうせ老い先短いのだし、基礎疾患のある者はしょせん身体が弱いのだから、こういうときに犠牲になるのは仕方ない」と開き直ることです。

スウェーデンでは、政府が高齢者を犠牲にしてコロナを切り抜けようとしているのではないかという批判があがりました。

アンデシュ・テグネルはこれにたいし、「われわれは誰の命であれ、他の人々より大事に扱うことはしない。そのような発想に基づいて、対策を実施しているのではない」と弁明していますが、そう言わねばならないことが、すでに多くを語っている。(87)

わが国でも、分離型行動制限緩和を主張する者たちから、「医療体制が逼迫したら、七十五歳以上の後期高齢者については、重症であろうと救急病棟やＩＣＵに搬送しないようにして、医療現場への負

担を軽減すべきだ」という旨の提言が出ています。(88)

「最も助かる可能性が高い人々や、余命が最も長い患者を優先する必要」が生じうるからとのこと。

要するに国家規模の「姥捨て」です。


提言者たち、いわく。

くだんの状況では、PCR検査の体制も余裕がないと思われるので、コロナウイルスに感染したかどうかの判断は症状の診察のみで行う。結果的に、感染していない肺炎患者についても切り捨ててしまう事例も生じるだろうが、それは仕方がない。

ただし遺族から訴えられる危険があるので、政府はあらかじめ、医療機関にたいして誰も訴訟を起こせないようにしておく必要がある。


ボディ・ポリティックの一部を、あえて犠牲にしなければ生き残れないほどの危機というのは、たしかに存在しえます。

しかしそれは身体の一部を切断するのと同じですから、助かったあとも後遺障害が残る。

後期高齢者の多くには、子供や孫、あるいは若い親族がいるに違いない。

だからこそ訴訟対策の話が出てくるわけですが、「おじいちゃん（おばあちゃん）が国の方針で見殺しにされたうえ、病院を訴えることまで禁じられた」となったとき、国民統合や社会的連帯が無事ですむと思いますか?

そんな国家がふたたび一体性を回復し、経世済民を達成できるなどと、虫のいい期待を抱くべきではありません。(89)

「亡くなる家族に温かい別れの言葉を告げられなかった人たちのことを思う。つらく、心に傷を残す経験だろう」という、スウェーデン国王カール十六世グスタフの言葉を思い起こして下さい。

高齢者切り捨てを提言したがる者たちには、このような想像力がみごとに欠落している。

頭でっかちのうえに酷薄、そう批判されても抗弁できた義理ではないでしょう。

おまけに高齢者だけを犠牲にすればすむ保証はない。

「最も助かる可能性が高い人々や、余命が最も長い患者を優先する」という発想を突き詰めると、高齢者でなくとも、重症化リスクの高いコロナ弱者は必要に応じて切り捨てられることになります。

日本赤十字社の動画「ウイルスの次にやってくるもの」が警告したとおり、社会の分断が進んでゆくのです。

ボディ・ポリティックが解体されてゆけば、国家のまとまりも維持しえなくなりますので、これはずばり亡国への道。

だとしてもくだんの分断は、恐怖に駆られた結果のものだったはず。

弱者切り捨てを肯定してでも、分離型行動制限緩和を唱える者たちは、何に怯えているのでしょう？

問題の提言には、これを素直に告白した箇所があります。

どうぞ。


プランC（注：分離型行動制限緩和）は社会活動や経済活動への制約を最小限にとどめられるというメリットがある（。）(90)

「社会活動や経済活動への制約」などと、もっともらしい表現を使っていますが、要は行動制限が強まった結果、好きなことができなくなるのもイヤなら、経済的な損失をこうむるのもイヤという話。(91)

だから高齢者を犠牲にすることで、できるだけ今まで通りに行動したがっているのです。

十八世紀イギリスの政治家・文人、エドマンド・バークの言葉にならえば、さしずめこんなところでしょう。


メチャクチャな政治は大惨事を引き起こす。とりわけ傲慢で近視眼的、ついでに了見の狭い「英知」というやつに気をつけろ。(92)

世界の健康と自国の健康

さて、三番目の原則。

パンデミックとは、国境や国籍を超えた感染症の拡大です。

国境を越えたヒトや物の移動が盛んになればなるほど、発生のリスクは高まる。

グローバル化の負の側面と言わねばなりません。

ならばコロナウイルスの流行によって、ナショナリズムへ回帰しようとする動きが生じるのは必然のなりゆき。

評論家の中野剛志が的確に要約しています。


　パンデミックが勃発するや否や、世界各国は、国境の壁を引き上げ、人の出入国を厳しく管理して、自国民をコロナウイルスから保護しようとした。とりわけ、EU（欧州連合）各国が、域内の自由な人の移動という理念をかなぐり捨てて、厳格な国境管理を導入したことは、象徴的であった。

　世界各国は、自国民を守るために、マスク、消毒液、人工呼吸器などの医療物資を奪い合い、輸出を規制する国も現れた。少なくとも医療物資に関して、自由貿易の理念はあっさりと踏みにじられ、どの国も、自国民優先のナショナリズムに走った。

　しかし、それに異を唱える声は皆無に等しかった。貿易による互恵的な利益や他国民の生命よりも、自国民の生命を優先することを、誰も疑問視しなかったのだ。(93)


　疫病の流行は国家的危機。

　戦後日本は長らく、安全保障に力を入れてこなかったわけですが、これを機にナショナリズムの原則に基づいた「感染症に強い社会づくり」を進めねばなりません。

　いわばボディ・ポリティックの体質改善。

　これにはインバウンドの見直しはもとより、食料自給率の向上、先端医療への投資、経済格差の是正、社会保障の充実なども含まれます。

　けれども問題は、交通・輸送手段の発達を否定するなど、結局は誰にもできないこと。

　人間がナショナリズムに回帰しようと、ウイルスをはじめとする病原体の側がグローバリズムにめざめてしまったのです。

　これはどの国のボディ・ポリティックであれ、感染症予防に関しては、他のボディ・ポリティックと否応なしにつながっていることを意味する。

　病原体の側にしてみれば、今や人類は地球規模のボディ・ポリティックをつくるにいたった、そう形容しても良いでしょう。

主導権は病原体の側にある以上、このボディ・ポリティックについても、人間の都合で分離することはできません。

「世界は本当に一つの村のようなものなんだ。世界のどこであれ、疫病を放っておいたら、明日はわが身と思わなければならない」とは、ノーベル賞受賞者ジョシュア・レーダーバーグの言葉ですが、こうなるとナショナリズムは、パンデミックを生き抜く必要条件ではあっても、十分条件とは言えない。

今後の疫病発生を封じ込めるには、「世界全体の健康なくして、自国民の健康はない」というグローバリズムに基づいた、国境を越えた地球規模の連携が求められるのです。(94)

まずは自国のボディ・ポリティックを守ることが最優先としても、世界が一体とならなければ、結局はウイルスに勝てない。

われわれが直面する状況には、そんなパラドックスがひそんでいます。

ボディ・ポリティックの概念を媒介として、ナショナリズムとグローバリズムの間に、新たなバランスを見出さねばならない、そう要約することもできるでしょう。

この現実から目を背け、他国の人々、わけても貧しい途上国の人々を切り捨てて生き残ろうとしたら、いかなる事態が待っているか？

そうです。

遅かれ早かれ、グローバリズムにめざめた病原体によって、われわれの自然的身体が冒されることになるのです。

4 「ウイルス保守主義」宣言（1996）

本論の原型となる考察は、一九九四年、雑誌『発言者』に掲載されました。その後、大幅に加筆されて現在の形となり、単行本『幻滅の時代の夜明け』（新潮社、一九九六年）に収録されます。

新型コロナウイルス（SARS-CoV-2）や、それによって引き起こされる感染症（COVID-19）は、当時、まだ存在しませんでした。ただし本論の内容は、今回のパンデミックとも深く関連しており、コロナへの対処のあり方、さらにはコロナ以後の社会について考えるうえで有益と信じます。

以下、お読みいただくのは『幻滅の時代の夜明け』に収録された一九九六年版です。必要最低限の修正を別とすれば、文章は二十五年前のまま変わっていません。ただし脚注は、より詳細、かつ完全なものとなりました。

二〇二〇年のパンデミックにいたる種子は、二十世紀末の段階で、すでに撒かれていたのです。再録を快諾して下さった新潮社編集部に、深く感謝します。

1

一九九〇年代に入って以来、日本でもエイズ問題に関する議論が、かつてよりもはるかに多くなされてきた。しかしそれらの議論のほとんどは、あいかわらず重大な論理的破綻を抱えており、しかもそのことを自覚しえていない。それらは決まって、エイズを「恐ろしい脅威」と見なして予防を訴える視点と、エイズ感染者・患者への偏見や差別を戒める視点から構成されているのだが、エイズが不治の病である現状において、両者は相互に矛盾しているのである。

というのも、不治の病に関して病気と患者は本質的に切り離しえないのだ。[95] いったん不治の病になった者は、死ぬまでその病気とともに生きねばならないからである。そのうえ近代の人間中心主義は「人間には健康に生きる権利がある」という観点から、人間を死に至らしめる病気、とりわけ多くの人に広がりうるような不治の疫病は本来あってはならない存在であり、克服・根絶しなければならないという病気観（以下ではこれを「近代的病気観」と呼ぶ）を世界的に定着させた。

たとえばWHO（世界保健機関）は、世界百三十ヶ国以上の保健政策の責任者を集めた国際会議を、一九七八年にソ連（当時）のアルマ・アタで開催しているが、会議の結論として発表された「アルマ・アタ宣言」は、まさにこの病気観を体現したものといえる。宣言は健康を人間の基本的人権の一つだと明言したうえで、二十世紀中に全人類にたいして主要な疫病に関する予防接種を行い、かつ第三世界を中心として公衆衛生や医療の水準を引き上げることによって、「世界のすべての人々が二〇〇〇年までには、社会的・経済的に有意義な生活を送れるような健康水準を獲得できるようにする」と謳っているのである。いわば地球を「病気のない世界」にすることこそ、人間中心主義に立脚した近代医学の究極的な目標にほかならない。したがってエイズのような病気を「恐ろしい脅威」と見なして予防を訴えることは、エイズを「撲滅すべき存在」と印象づけることにより、エイズを患っている人々への差別をも必然的に正当化することになるのだ。

この「予防と差別のジレンマ」が解決できないかぎり、エイズ問題への有効かつ人道的な対処が不可能であることは明らかであろう。そのためには近代的病気観を否定して、エイズをより肯定的に捉える視点を持つ必要がある。近代以前の世界において、死や病気は恐ろしいものであると同時に、しばしば救済や恩寵、あるいは贖罪の機会といった肯定的価値も持ちあわせていたことが知られているが、われわれは再びそういった価値を見出さねばならないのだ。人間中心主義の理念のもとでも、これは決して不可能なことではない。一九九二年の地球サミットに続いて、一九九四年にはカイロで国際人口開発会議が開かれたことが示すとおり、爆発的な人口の増加(二十世紀初頭には、世界の人口は一五億人に満たなかったにもかかわらず、現在ではすでに六〇億人近くに達している)による地球環境の破壊は、もはや文明社会の存続をも脅かしかねない問題となっているからである。

すなわちエイズのような病気が蔓延することは、人口増加に歯止めをかけて地球環境の均衡を保つという点で、巨視的に見れば人類自身にとっても望ましいことである可能性が高い。もちろん実際にウイルスに感染した人々や、身近に感染者・患者を持つ人々にとっては、エイズは恐ろしい脅威であり、根絶すべき不倶戴天の敵以外の何物でもないであろう。しかしそのことは、「エイズ=脅威」という認識が普遍的・絶対的な正しさを持っていることを必ずしも意味するものではない。人類全体にとっては、エイズはむしろ貴重な味方かもしれないのである。このような「エイズ必要論」ともいうべき視点こそ、エイズ問題に取り組む人々が持つべき必須の理念であるといっても過言ではない。ちなみに『ソラリスの陽のもとに』などで知られるポーランドの著名な作家スタニスワフ・レムも、ドイツの雑誌『シュピーゲル』に寄稿した「『セックス・ウォーズ』計画」というエッセイにおいて、やや異なる角度からではあるが、同種の主張を展開していた。(96)

しかも近代的病気観を否定することは、エイズ問題に対処するうえでの方策というだけにとどまらない重要性を持っている。人間を死に至らしめるような病気にも積極的な存在意義があるとすれば、それは「人間は世界で最も優れた存在であり、世界は人間が自由に利用するためにある」という人間中心主義の理念が根底から揺らぐことを意味するからだ。そして人間中心主義こそ、近代の人間の生き方を最も根底において支えている理念であることを考えれば、死や病気に積極的な価値を見出すことは、自分のあるべき生き方を問い直すことに等しい。さらに人口や環境の問題にも示されるとおり、今や近代の文明それ自体が巨大な曲がり角に直面しているのだから、この問い直しを行い、二十一世紀における望ましい生のあり方をあらためて模索することは、われわれにとってきわめて切実な課題であるといえよう。

では、近代的病気観を否定することによって見出される生き方の理念とは、どのようなものであろうか。ここではその理念を「ウイルス保守主義」（以下では「ウイルス保守」と表記する）と呼ぶことにしたい。保守主義とは人間の理性的能力に限界があることを認識し、歴史によって培われた伝統を尊重することでそれを補おうとする理念として定義されるが、ウイルス保守はこの考え方を肉体的健康の領域に敷衍し、人間中心主義に基づいた近代的病気観のもとでは撲滅・根絶の対象としてのみ見なされてきた死と病気を、人間の取り巻く伝統の一部として尊重することによって、かえって人生を充実したものにしようとする理念なのである。

これは一見、非常識な暴論のように思われるかもしれないが、実は決してそうではない。それどころか私は、ウイルス保守こそ今後の世界における生き方を模索するうえで必要不可欠な理念であると確信している。近代主義は近代以前の歴史や伝統を強く否定する性格を持っているのだから、当の近代主義が行き詰まっている現在、近代主義によって否定されてきた諸々の要素を尊重しようとする保守主義は、今後のあるべき生き方を考えるうえで重要な示唆を与える。しかし問題は、近代化が高度に進み、伝統的な生活様式が大きく失われた社会（とりわけ自国の歴史や伝統を積極的に否定した日本のような社会）においては、そもそも保守主義はあまり魅力のある理念として映らないことである。近代主義に慣れ親しんだ現代の人々に、保守主義の必要性を受け入れさせることには、深刻な困難がつきまとうのだ。

そしてウイルス保守は、現代の保守主義が抱えるこのジレンマにたいする解決策を提供する。以下ではまず、現代において保守主義を主張することが持つ問題の本質を分析することから、議論を始めてゆきたい。

2

近代主義の中心的な理念である人間中心主義は、一方では個人主義の理念を生みだし、他方では人間の理性的能力にたいするかつてない信頼をもたらした。ここでいう理性的能力とは、自分を取り巻く社会的・物理的な環境を制御し、支配する能力を意味する。もちろん環境にたいする支配能力を高めたいという願望自体はいかなる時代にも存在していたに違いないが、近代は科学技術という形で、その願望を満たすための手段を飛躍的に発達させたのである。こうして自らの理想にあわせて現実を思いどおりに構築してゆこうとする進歩主義が、近代の主要な行動原理となって、過去二百年間にわたって世界規模で強い影響力を及ぼしてきた。

進歩主義は、具体的には二つの形を取る。一つは、われわれが普通に「進歩主義」というとき意味するもので、近代以前の伝統的な社会を「個人を抑圧するもの」として否定し、個人主義に基づく自由や平等といった価値にしたがって「理想の社会」を作り上げようとするものである。この最も極端な例が、革命によって社会を根底から作り変えようとする急進主義にほかならない。またもう一つは、技術革新に基づく産業化の進展により、物質的に豊かで快適な生活が享受できるような「理想の環境」を作り上げようとする、いわば自然にたいする進歩主義である。こちらにおいても、伝統的な社会は物質的な生活水準の低さゆえに否定されてしまうことは説明を要しないであろう。

だが現在、進歩主義には少なからぬ懐疑が寄せられるにいたった。なぜならそれらの試みは、いずれも目標の達成に失敗したからである。フランス革命から社会主義にいたる急進主義的な社会改革は、例外なく悲惨な結果に終わったし、そこまで極端な改革に走らなかった社会民主主義諸国や自由主義諸国にしても、伝統的に存在していた社会集団や価値体系を解体・崩壊させてしまったことにより、社会的秩序の解体やモラルの低下などといった深刻な方向喪失に直面している。後者の意味における進歩主義にしても、一方では資源の枯渇や環境破壊といった問題をもたらし（冒頭で環境破壊の理由として挙げた爆発的な人口増加も、技術革新による食糧生産の増大や、医学の発達による新生児の死亡率低下といった要因がなければ生じえなかったものである）、他方では物質的な豊かさを自己目的化してしまうことで、人生をより富裕になるための過程の連続でしかないように見なす傾向を生み、しばしば人々の生き方を空虚なものにしてしまった。進歩主義がめざした「理想の社会」はついに実現しなかったし、「理想の環境」も表面的にこそある程度実現したものの、裏では重大な病理を抱えこんでいたのだ。

したがって現在、進歩主義にたいして強い懐疑的な姿勢を取る保守主義があらためて注目されるのは必然的なことといえる。だがすでに述べたとおり、現代において保守主義を確立することはきわめて難しい。深刻な問題があることが明らかになったとはいえ、進歩主義の原理は決して滅んだわけではないからだ。このため「近代の終焉」がしばしば唱えられる現在においても、保守主義の主張はなかなか説得力を持ちえないのである。

この理由はまた大きく二つに分けられる。第一の理由は、保守主義が「尊重すべきもの」として提示する伝統が、必然的に前近代的なものとならざるをえないことである。つまり近代の個人主義的な理念に慣れ親しんだ人々にとって、それは単に抑圧的なものとしか映らないのだ。保守主義の議論は、支配と服従の関係まで含めた男女間の性的な役割分担や、社会における階級制度の存在について、しばしば積極的な意義を認める場合があるが、自由と平等を尊重する個人主義の価値観から見れば、このような主張はおよそ受け入れられるものではない。ただし厳密にいえば、保守主義が尊重しようとしている伝統とは慣習そのものではなく、慣習の中にある価値の体系なのだが、両者の区別は実際には不可能だといえる。そもそも慣習を（少なくともかなりの程度）保全することなしに、その中にある価値体系を保全することはできないと思われるし、たとえそれが可能だとしても、それらの価値体系の中に自由や平等を否定する要素がすでに含まれていることは疑いえないからだ。

さらに重大なのが第二の理由である。産業化も進歩主義の表れであるから、保守主義はこれにたいしても懐疑的な態度を取らざるをえない。しかし産業化の進展による生活水準の向上には否定しがたい魅力があるため、たいていの人々にとって、それは観念的・非現実的な姿勢としてしか受け取られないのだ。一九六〇年代後半に欧米諸国を中心として流行したカウンター・カルチャー運動が、近代文明を「物質至上主義」として否定しようとしながら、一般社会に根づくことなく数年のうちに終息してしまったことは、この代表的な表れであろう。さらにいえば、カウンター・カルチャーに最終的なとどめを刺したのは、一九七〇年代前半の第一次石油ショックによって生じた経済成長の鈍化であった。物質的な豊かさを否定するカウンター・カルチャーの理念がまがりなりにも共感を呼びえたのは、実は世界規模の経済成長が続いている間だけだったのである。

もっとも再び厳密にいえば、保守主義も生活水準の向上それ自体を問題にしているのではなく、それがしばしば自己目的化する結果、物質的に豊かに暮らすことが人生における至上の価値となってしまうことを批判しているのだが、この区別もやはり実際にはつけられるものではない。保守主義の価値体系の中に豊かさの追求を否定する要素が含まれていることも、先の場合と同様に疑いえないからだ。また産業化が資源の枯渇や環境破壊といった問題を引き起こす以上、豊かさの追求にも必然的に限界があるのではないかという主張も、進歩主義を信奉する者たちにたいしてはさほどの説得力を持ちえない。人間の理性的能力を信頼するかぎり、いわゆる「成長の限界」の問題は、さらなる技術革新を繰り返すことによって解決しうるはずのものだからである。「成長の限界」について最初に論じたのは、いうまでもなくローマ・クラブであるが、彼らにたいする有名な皮肉として、「もし十九世紀末にローマ・クラブが研究活動を行っていたとしたら、『このままロンドンの交通量が増大してゆくならば、一九三〇年には街全体が馬糞に埋まることになる』と警告したことだろう（＝当時のロンドンにおける主要な交通機関は馬車であったが、技術革新に関心のないローマ・クラブには、それがやがて自動車に取って代わられることが予想できないため）」というものがあるのは、これを端的に象徴している。もちろん技術革新のベースが資源の枯渇や環境破壊のペースを常に上回ると見なす根拠は存在しない以上、「技術革新に基づく無限成長」が可能であると明確に証明することは不可能なのだが、産業化による生活水準の向上がきわめて強い魅力を持っていることを考えれば、大多数の人々は「成長の限界」よりも、技術革新の連続による永遠の経済成長という神話を信じる方を選ぶであろう。

すなわち現代において保守主義を主張することは、その主張を論理的に突き詰めてゆけばゆくほど、進歩主義に慣れた人々には受け入れがたいものになるというジレンマを抱えている。だからこそ、保守主義の必要性を論じる主張にたいして、「そうは言っても、伝統的な社会には個人の自由もなければ平等もなかったし、だいたい誰でも豊かに暮らしたいのは当たり前ではないか」といった類の反論が寄せられ、しかもそれが無視しえない説得力を持ってしまうのだ。したがって現在の保守主義に求められているのは、進歩主義者であっても保守主義の理念の重要性を受け入れざるをえないような理念的枠組みを用意することである。これは個人主義と人間の理性的能力への信頼（さらには人間中心主義）の両方について、ともに絶対的な限界が存在していることを提示することにほかならない。そしてウイルス保守は、まさしくそれにふさわしい特徴を持った理念なのである。

3

ウイルス保守の理念は、以下に述べる四つの骨子から成立している。本節では、まず最初の二つの骨子について論述することにしよう。

第一の、そして最も根底的な骨子は、人間を死に至らしめるような疫病の根絶は本質的に不可能であることを認識するというものである。たしかにこれまでのところ、近代医学は少なくとも先進諸国を中心とする地域においては伝統的な疫病のほとんどを制圧してきたし、とりわけ天然痘については一九七〇年代末に病原体を地球上から絶滅することに成功した。この結果、上記の地域を中心として、人々は単に昔よりもずっと長く生きられるようになっただけでなく、人生の大部分の期間を「社会的・経済的に有意義な生活を送れるような健康水準」を保って過ごすことができるようになっている。現在、先進国の人々にとって主要な死因となっているのは癌や心疾患といった慢性病であるが、これらの病気はたいていの場合、ある程度の年齢に達しないかぎり健康に重大な影響を与えることはないからだ。冒頭で紹介したアルマ・アタ宣言が謳っているのも、この状態を世界全体に広げてゆくことであるのは、いうまでもない。

しかしこれは、地球がいずれ「病気のない世界」——少なくとも、慢性病以外には難病や不治の病が存在しない世界になることを決して意味するものではない。むしろ世界の一部の地域に限ってであれ、「医学の勝利」によって疫病が基本的に克服されているという二十世紀後半の状態の方が、一時的な現象にすぎない可能性が高いのだ。なぜなら人間社会に入り込んだ病原体も、相互に均衡関係を形成しているのである。病原体はどれも人体の中で増殖することを目的としている以上、ある地域においてあまりに多くの病原体が一斉かつ急激に増殖しようとすれば、その地域の人間は全滅してしまい、病原体の側にとっても都合の悪い結果となる。このため病原体は、その地域における均衡関係のあり方（＝自分以外にどのような病原体が存在しているか）に応じて、増殖速度をはじめとする自らの性質を調節してゆくのだ。そして微生物、特にウイルスが、環境に応じて性質を素早く変化させてゆくことはよく知られている。

いわばペスト、結核、コレラ、マラリアといった伝統的な「大物」の病原体は、人間社会を脅かすことによって、他の病原体が毒性を強めたり、それまで人間とは無縁に存在していた微生物が病原体として「新規参入」するのを抑止する役割も果たしていたのである。逆にいえば、それらの病原体を抑圧・根絶しようとすることは、今まで成立していた均衡関係を狂わせるという点で、新しい疫病の出現や流行に道を開くことに等しい。エイズが一九八〇年前後に突然爆発的な蔓延を開始したのも、これまでエイズ・ウイルスの毒性を抑える役割を果たしていた他の病原体が、過去数十年の間に人類の手によってかなりの程度抑圧された結果、エイズ・ウイルスが大手を振って毒性を強める条件が整えられたことが大きく影響したとされている。エイズ・ウイルスは、増殖することによって人間の免疫機能を破壊するわけだが、伝統的な疫病が猛威をふるっている社会においては、免疫能力が少し衰えただけでも、人間はそれらの病原体に冒されてすぐに死んでしまうからだ。そして人間が死ねば、体内にいる微生物も全て共倒れするわけであるから、これではエイズ・ウイルスとしてもあまり勢いよく増殖するわけにはゆかない。エイズが爆発的に蔓延するには、かなり免疫能力の衰えた人間でもすぐには死なないような状況の成立が必要だったのである。事実、エイズ患者が罹患する病気の代表格であるカリニ肺炎やカポジ肉腫は、普通に免疫能力を持った人間であれば、そもそも罹患しないか、たとえ罹患しても自然に治ってしまうような病気なのだ（エイズが発見されたきっかけも、本来これらの病気にかかるはずのない若いゲイの男性たちに、カリニ肺炎やカポジ肉腫の症例が多数現れたことであった）。その意味で、エイズは実のところ近代医学によってもたらされた病気とさえいえる。

しかもこのような新しい疫病が、エイズに限られるという保証は存在しない。それどころかエイズは、今後世界規模で人類を襲う幾つもの疫病のさきがけにすぎない可能性の方がはるかに強いのだ。医学の進歩に支えられた世界人口の爆発的な増加は、一面では病原体にかつてない大量の「エサ」を用意することにほかならず、新しい疫病が発生しやすい条件を整備しているからである。さらに人口増加にともなう環境開発、とりわけ第三世界を中心とした熱帯雨林の開発は、新たな病原体となりうるような未知の微生物と人間とが接触する機会を飛躍的に増大させている。地球上には人間に知られていない生物が、微生物も含めていまだ数千万種存在すると推定されているが（人間によって知られている生物は一九九二年現在で約千四百万種）、その大部分は熱帯雨林地域に生息しているからだ。医学・科学ジャーナリストのローリー・ギャレットが著書『来るべき疫病』の中で克明に記録しているとおり、熱帯雨林地域の多いアフリカや南アメリカでは、すでに一九六〇～一九七〇年代から、マチュポ、エボラ、ラッサ、マールブルグといった従来知られていない病原体による疫病の発生が幾つも確認されていた。(97) 中でもエボラ・ウイルスによって引き起こされるエボラ出血熱は、一九九五年にもザイールでかなり大規模に発生しており、他の地域への蔓延が懸念されている。なお現在では、エイズ・ウイルスもこれと類似した経緯によって人間社会に入りこんだのではないかとする見解が有力である。

ただしこれまでのところ、エイズを別とすれば、これらの疫病は局地的・限定的なものにとどまっている。だが現在の文明社会は、新しい疫病が世界規模で蔓延するために有利な状況を系統的につくり上げていることもまた疑いえない。第三世界における都市化の進展は、衛生水準の劣悪なスラム地域を拡大させることで病原体の増殖をより容易にするし（ちなみに微生物は増殖を繰り返す過程で突然変異を起こすため、病原体の増殖が容易になることは、より強い毒性を持った病原体が出現する危険性も同時に高めることになる）、飛行機を中心とする世界的な交通網の発達は、特定の地域で発生した疫病が短期間のうちに世界各地に伝播しうるようになったことを意味する。また産業化の進展によって生じた地球の温暖化も、病原体を運ぶ役割を果たしている昆虫や動物の生息範囲を拡大することにより、世界規模における疫病の流行を生じやすくするし、オゾン層の破壊によって放射線が地上に到達しやすくなったことも、微生物の突然変異を促進するため、新しい病原体の誕生を引き起こす要因となりうる。しかも医学の進展による注射や輸血の日常化や、伝統的な道徳秩序の衰退にともなう性行動の自由化は、血液をはじめとした体液を媒介とする病原体の伝播にたいして有利に作用するし、癌患者にたいする化学療法や放射線療法の普及、臓器移植の発達、さらにはエイズの世界的な蔓延といった現象も、免疫能力の弱まった人間を何千万人と生み出している点で、新たな疫病が流行するための橋頭堡を築く役割を果たしているのではないかと危惧されているのだ。

そのうえ今後人類を襲うであろう病気は、実はこれらの新しい疫病ばかりではない。既存の病原体にたいする過去半世紀の勝利さえも、もはや先行きが怪しくなっているのである。この勝利に最も大きく貢献したものの一つは、いうまでもなく抗生物質であるが、最近では多くの病原体がそれにたいする耐性を急速に身につけてきているのだ。たとえばアメリカ政府とWHOは、一九五〇年代末からマラリアの世界的な絶滅にも力を入れてきたが、天然痘の場合とは逆に、こちらは従来の治療薬にたいする耐性を備えたマラリアの出現と流行を引き起こすだけの結果に終わった。現在マラリアは南アジアやアフリカを中心に年間約一〇〇万人の死者を出しており（これに比べれば、エイズによる死者は一九九〇年現在で年間約五五万人にすぎない）、それらの地域の諸国に重大な脅威をもたらしている。

マラリアの他にも、コレラ、結核、肺炎、リューマチ熱、淋病などといった数々の病気が、やはり耐性菌の出現により、以前よりも治療が困難になったり、あるいは従来それらの病気を制圧したと思われていた地域で復活してきているし、いかなる抗生物質も通用しない「スーパー病原体」の出現も時間の問題と見なされている。そしてMRSA（メチシリン耐性黄色ブドウ球菌）による院内感染の頻発が日本でも社会問題となったことに示されるように、これは決して衛生水準の低い第三世界に限った問題ではない。また二十世紀、とりわけその後半における世界人口の急激な増加を考えれば、これら耐性菌の出現による伝統的な疫病の再活性化も、新しい疫病の出現や蔓延を抑止する効果を持ちえないであろう。

すなわちアルマ・アタ宣言の内容とは裏腹に、二十一世紀は新旧さまざまの病が再び人類を脅かす時代になるものと思われる。とはいえこれは、それらの病気の犠牲となる個々の人々にとってはともかく、人類全体にとっては必ずしも忌むべきこととは限らない。それどころかすでに述べたとおり、このような「病原体の逆襲」は、人類の爆発的な増殖による地球環境の破壊に歯止めをかけるという点で、人類の存続のために望ましい役割を果たしうるのだ。

ここからウイルス保守の第二の骨子が導かれる。つまりそれは、エイズのような不治の疫病の存在や蔓延を、人類にとっても有益なものとして肯定的に評価するのである。(98) これにたいしては、そういう病気の蔓延自体が人類の存続を脅かすのではないかという反論もあるだろうが、この見解には賛同できない。病原体は宿主（=人間）の中で増殖したいだけである以上、蔓延がある水準を越えて進んだ結果、新しい宿主が見つかりにくくなれば、毒性を弱める方向に変異することで、宿主が簡単には死なないようにして「共存共栄」をはかる傾向を持っているからだ。歴史学者ウィリアム・マクニールが著書『疫病と世界史』の中で詳細に論じているように、人類史、とりわけ文明の歴史とは、さまざまな病原体との間にこういった均衡関係を成立させてきた歴史にほかならない。(99) さらにいえば二十世紀初頭においてさえ、世界人口は一五億人程度でしかなかったのだから、たとえ現在の人類の四分の三が疫病によって死滅したところで、それは人口がほぼ百年前の段階に戻るというだけのことである。これが人類の種としての存続を脅かすはずなどないではないか。

もっとも病原体が毒性の弱い方向へと変異する速度、および人々が病原体にたいする免疫を身につける速度よりも、病原体が人々の間に蔓延する速度、および人々を死に至らしめる速度の方がはるかに大きい場合は、均衡関係が成立する前にある地域の人間が全滅してしまうということもありうる（マクニールによれば、このような人間と病原体の「不幸な接触」は、局地的な規模においては過去にしばしば生じてきたとのことである）。その意味では人類全体を滅亡に追いやる「黙示録的病原体」の出現も、理論的にはまったくありえないわけではない。だがこれまでの議論からも明らかなとおり、そういう病原体の出現を防ぐ最善の、そしておそらくは唯一の方法とは、地球規模における病原体相互の均衡を回復させることによって、恐ろしく毒性の強い病原体の出現に対する抑止力を培うことなのだ。ちょうどそれは、毒性を弱めた病原体を意図的に体内に入れることで、毒性の強い病原体にたいする抵抗力を身につけるという予防接種のプロセスを、人類全体の規模で行うことにほかならない。エイズの出現と蔓延が暗示的に予告している「病原体の逆襲」は、単に環境破壊による人類の滅亡を回避するだけでなく、何らかの疫病の蔓延による人類の滅亡もまた予防するという点で、人類全体にとっては天祐とさえいうべきものなのである。厚生省（現・厚生労働省）エイズ・サーベイランス委員会の委員長を長らく務めた順天堂大学名誉教授の塩川優一は、自ら監修した啓蒙書『エイズ危機』の序文において「このまま推移すれば、エイズの蔓延によって人類の滅亡の可能性がある」と述べているが、エイズのような病の存在は人類の滅亡をもたらすどころか、むしろその存続のために必要不可欠なものかもしれないのだ。(100)

つまり病原体相互の均衡関係や秩序は、人類の理性的能力によってはとうてい制御しうるものでなく、しかもそのことによって人類に益をもたらしている。哲学者パスカルが、自分自身病気にかかっていたときに書いた「病の善用を神に求める祈り」の表現を借りれば、健康と病気のどちらが人間にとってより有益かを見極めるのは「人間や天使の力を越える分別であり、あなた（神）の摂理の秘密のなかに隠されている分別」なのである。(101) パスカルは続けて「わたしはその分別を崇めるだけで、

（仕組みを）詮索しようとは思いません」と記しているが、まさしくこの「健康と病気に関する分別」を強引に制御し、支配下に置こうとしたことこそ、人口爆発による地球環境の危機をもたらした大きな要因であることを考えれば、病原体の秩序が人間の制御を越えていることを認め、それを尊重する――より具体的にいえば不治の病の存在や蔓延を受け入れることによってのみ、人類は自らの存続を保障しうるであろう。ウイルス保守とはこのような病原体の秩序を、人間が尊重すべき伝統に含めようとする理念にほかならない。普通「伝統」という言葉は、社会の歴史の中で培われてきた広義の文化的な秩序を意味するが、進化の歴史の中で培われてきた病原体の秩序も、人間にとって決して無視できない伝統なのである。その意味でウイルス保守は、人間を単に社会的な存在としてだけではなく、肉体的な存在としても捉えたうえで保守主義の必要性を主張する理念だといえる。

ここで断っておくならば、これは何も近代医学の全面的な否定を意味するものではないし、病気を制圧しようとする努力を何もかも放棄しなければならないと主張するものでもない。死や病気に肯定的な価値づけが与えられていた時代においても、人々は他方でそれらを恐れ、さまざまな手段で忌避しようと努めていた以上、近代的病気観からの脱却も、医療行為それ自体の放棄とまた同義ではありえないのだ。しかしこのことは、ウイルス保守が理念として本質的に不徹底だということを意味するものではない。医学が地球規模における病気の制圧に努めれば努めるほど、長期的には「病原体の逆襲」を促すことになるのだから、そういった努力を続けることと放棄することとの間に、本質的な違いはそもそも存在していないのである。これを裏付けるように、ノーベル賞受賞者である生物学者ジョシュア・レダーバーグは、疫病にたいして人類が置かれている状況について「果たしてわれわれは（医学の水準がまだ低かった）百年前よりも良い状況に置かれているといえるだろうか？　多くの点において、状況はむしろ悪くなっているのだ」と指摘している。(102)

自分がいつか死ぬと分かっているからといって、人間は毎日食事をしないわけにはゆかない。たとえ明日には世界が滅びるとしても、今日を生きないわけにはゆかないのである。同じように、医学の進展がいずれは「病原体の逆襲」を引き起こすとしても、われわれは近代医学を放棄するわけにはゆかないであろう。問題は、近代的病気観のもとでは、医学をそのように捉える視点が存在しないことである。近代的病気観においては、医学は絶対的な正義であり、無条件に望ましいものにほかならない。

ウイルス保守は、レダーバーグの言う「状況」をこれ以上悪化させないためにも、病気の撲滅や根絶という理念には反対するし、場合によっては病気を制圧しようとする努力に何らかの制約や制限を加えるべきだ（マラリア撲滅の試みが、かえって事態を悪化させたことを想起せよ）とも主張する。しかしウイルス保守が、病原体の秩序は本質的に人間の制御を越えたものだという認識に立っている以上、それらは二次的な主張にすぎない。ウイルス保守の主張の本質とは、アルマ・アタ宣言に見られるような病気への制御能力にたいする過度の自信を捨て、不治の病の存在を地球に生きるうえでの「運命（フォルトゥーナ）」と認めたうえで、それを肯定的に受け入れるべきだということなのだ。(103) そしてこの「運命愛」を現実の生活において持つためには何が必要か、さらにはそれを持つことにどういう意義があるのかという点から、残りの二つの骨子が導かれることになるのである。

4

前節における二つの骨子の内容が示しているように、ウイルス保守は人間を肉体的な存在としても捉えたうえで保守主義の必要性を主張する理念である。だが肉体的な存在として見た場合、当たり前のことだが、人間は常に有限のものでしかない。したがってウイルス保守の認識を受け入れるためには、個人のレベルにおいても自らの肉体の有限性をあらためて認識する必要がある。評論家の西部邁が著書『死生論』の中で指摘しているように、二十世紀後半の先進諸国では、生活水準の向上と医学の進歩によって人々の寿命が大きく延びた結果、大多数の人々は生涯の大半の期間において自分の死をリアルなものとして思い浮かべることができなくなり、その意味で「不老長寿がイリュージョン（幻想）ではなくてリアリティになりおおせている」――つまり自分があたかも有限の存在ではないかのように思いこむ風潮があるからだ。(104) 健康を基本的人権の一つとする近代的病気観が、この風潮をさらに促進させることはいうまでもない。権利とは自ら放棄しないかぎり保障されているものなのだから（しかも基本的人権とは、人間が本質的に放棄しえない権利のことをいうのである）、健康が本当に基本的人権であるならば、人間は自ら死を望まないかぎり、少なくとも病気によっては死なずにすむということになるではないか。

かくして、ここからウイルス保守の第三の骨子が導かれる。それは人間の肉体そのものを、人間の理性的能力による制御を越えたものとして受け入れるのだ。その証拠に、外部から病原体が侵入しなくとも、人間の肉体は遅かれ早かれ自己崩壊の道をたどらざるをえない。現在の日本における代表的な難病は、癌・心疾患（心筋梗塞や心不全など）・脳血管疾患（脳出血や脳梗塞など）であるが、これらはいずれもそのような自己崩壊によって生じるものである。それどころか時とともに人間が老化してゆくこと自体、肉体が自己崩壊することの表れでなくて何であろう。「自分を健康だと思ってはならない。健康とは永遠の生命を意味する。この世での生はひとつづきの病だ」と喝破した聖アウグスティヌスではないが、肉体的な視点から見た場合、生きていること自体がまさに不治の病なのだ。普通われわれは、死と病気を通底するものとして考えているが、死人が決して病気にならないことが示すとおり、実のところ両者は対立概念にほかならない。世界には「健康な生」と「病気の果ての死」が存在しているのではなく、「病気としての生」と死とが存在しているのだといえよう。「死生論」において、西部はウイルス保守とは違った視点からにせよ、近代的病気観の根底をなす理念である人間中心主義を批判し、人間の有限性についての再認識を促すべく、死と病気をそれぞれ「準生」「準健康」と見なすよう主張しているが、これさえもすでに人間中心主義の影響を多分に受けた倒錯的な考え方であって、本来は生と健康の方こそを「準死」「準病気」と呼ぶべきなのである。

とまれ、これによってウイルス保守の最後の骨子が成立する。「人生＝病」である以上、病気や死に肯定的な意義を見出すことは、人生に肯定的な意義を見出すことと同義なのだ。人間の肉体は有限のものでしかないのだから、「人間を死に至らしめるような病気は本来あってはならない」という近代的病気観にしたがうかぎり、いかなる人生も最後には敗北に終わる以外にない。なぜならそれは、基本的人権であるはずの「健康に生きる権利」を無理やり剝奪されることに等しいからである。フランスの医学・病気・社会科学研究所（ＣＥＲＭＥＳ）所長であるクロディーヌ・エルズリッシュと、同国立科学研究所（CNRS）の研究員ジャニーヌ・ピエレが、病気にたいする人々の意識の変化を分析した共著書『〈病人〉の誕生』の中で指摘しているとおり、病気を治療できずに死に至ることは、多くの現代人にとって「耐えがたい挫折、ほとんど許しがたい挫折」なのだ。(105)

しかしこれでは、「病原体の逆襲」が予想される二十一世紀においては、人生それ自体が耐えがたいものになってしまう。「病原体の逆襲」の時代とは、特に高齢にならないうちから、病気によって突発的に死亡することが再び日常的なものとなる時代だからだ。そういう時代にあって人生に意味や価値を見出すためには、死や病気にたいして「運命愛」を持つ以外にないことは明らかであろう。実際、近代的病気観が社会に広く浸透する以前の時代においては、人々はそのようにして死や病気を受容してきたのだ。もっともエルズリッシュとピエレによれば、現在でも重い病気を抱え、自分の死期が近いと感じる人々の中には、死や病気を運命として受容しようとする傾向が見られるということだが、これは近代的病気観のもとでも、死が「耐えがたい挫折」を意味しないことがありうるという可能性を示唆するものではない。「人間には健康に生きる権利がある」という人間中心主義の理念が深く行きわたった現代においては、こういった姿勢はもはや（当の病人も含めて）人々が一般的に持っている世界観とうまくかみ合うものではないからだ。いいかえれば現代人は、死や病気に運命愛を持つための認識枠組みを持っていないのである。

このためエルズリッシュとピエレも、現代の病人に見られる死や病気への運命愛的な態度は、何らかの首尾一貫した世界観に基づくものではなく、むしろ死を挫折と認識することから生じる潜在的な罪の意識をやわらげようとする欲求に基づくものだと分析している。とはいえ、なぜ死を挫折と認識することが罪の意識を生み出すのか。健康を基本的人権と仮定するかぎり、病気による死はその権利が剝奪されることを意味するからである。権利の剝奪とは、処罰としての性格を避けがたく持っている以上、健康を権利と考える者は、病気で死ぬのは何らかの形で自分が悪かったからだと解釈せざるをえない。つまり近代的病気観においては、病気になることそれ自体が「罪」になってしまうのだ。マルセル・プルーストは、すでに二十世紀初めの時点で、「病気を自分の過ちにたいする罰と考えるべきだ、と主張してきたきわめて残酷なカトリック神学者ですら、あなた（＝病気になること自体を、過ちや罪と見なす人間）ほど残酷ではありません」と批判していたが、まさに近代的病気観は本質的にはきわめて残酷な理念なのである。エイズ感染者・患者のような不治の病人にたいする差別は、この残酷さが突出した形で表れたものにすぎない。(106)

ウイルス保守は、生と死をより人道的に捉えることができるような世界観を、現代的な形で復活させることを目的とする理念である。誕生から死にいたる肉体的な生の過程こそ、病原体の秩序にもまして、人間が尊重すべき伝統の最たるものなのだ。ただしここで再び確認しておけば、これは医療の全面的な否定を主張するものではないし、まして自ら進んで病気にかかりたがったり、死にたがったりすべきだと主張しているわけではない。もちろんウイルス保守は、単に肉体的な死の到来を引き延ばすという以上の意味をもたない「過剰医療」には反対の立場を取るし、安楽死や尊厳死も積極的に肯定する。しかし前節における議論を参照すれば分かるとおり、それはあくまで二次的な主張なのである。

ウイルス保守が真に否定しようとしているのは、人生を量的にできるかぎり長くするという、本来は人生を質的に充実させるための手段にすぎないことが、物質的な豊かさの追求と同じように、人生における至上の目標として自己目的化されてしまうという、先進国を中心とした現代の世界に見られる傾向にほかならない（つけくわえるならば、人生を量的に長くするという目標も、それが単なる手段であるという点が明白にされているかぎり、特に否定されるべきことではない）。ウイルス保守は、人生の価値を評価する基準を見直そうとしているのだ。それが主張しようとしているのは、充実した人生を送ることは人生の期間を量的に長くすることと必ずしも一致しないばかりか、時には相反することもあるということであり、また現実にどの程度の長さの人生を送るかは別として、そもそも人生を肯定するには、それにつきまとう運命としての病気と死をも肯定しなければならないということなのである。「病原体の逆襲」の時代においては、死や病気にたいしてこのような運命愛を持つことが、人生に意味を見出すうえで決定的な重要性を持つに違いない。

冒頭でも述べたが、ウイルス保守の長所は、それが進歩主義の絶対的な限界を提示することにある。通常の意味における伝統は、しょせん人間が作り出したものにすぎないため、受け入れることを拒否しようと思えば拒否できるし、数世代にわたって継承されなければ消滅してしまうが、病原体の秩序や、誕生から死にいたる肉体的な生といった伝統は、人間を越えた領域に属するものであるため、進歩主義者であっても否応なしに受け入れざるをえないし、人間の生命を肉体から分離することができないかぎり、永遠に否定しえないものとして残るからだ。近代医学は幾つかの難病を克服・根絶し、人々の平均寿命を延ばしてゆくことで、これらの伝統をも否定しうるかのような印象を与えてきたわけであるが、エイズをはじめとする「新しい疫病」の出現や、耐性菌の発達による伝統的な病気の再活性化、あるいは現在の先進諸国において広く社会問題となっている老人医療や末期治療の問題が示しているとおり、その印象は錯覚でしかなかったのである。「理想の社会」や「理想の環境」と同様に、「理想の生態系（＝病気のない世界）」や「理想の肉体」といった目標も、結局はユートピアにすぎなかったのだ。そして「反体制派のない社会」をめざした全体主義や、「階級のない社会」をめざした社会主義がそうであったように、過剰なユートピア志向は現実においてはきわめて残酷なものとなる。病気の撲滅や根絶といった近代的病気観の理念が、ユダヤ人にたいするナチスのいわゆる「最終的解決」と発想のうえで酷似していることはきわめて示唆的であろう。

しかも病原体の秩序や自らの肉体的な生を、自分がしたがわねばならない伝統として受け入れるならば、人間は普通の意味における伝統にもおのずから目を向けざるをえない。自分の肉体的な有限性を強く意識すれば、そういう自分を支えてくれるものとして、人はどうしても家族や国家、あるいは宗教といった存在を無視しえなくなるであろうし、物質的に豊かになることを唯一の価値とするような生き方にも疑問を抱くと思われるからだ。成人病（生活習慣病）の多くが生活水準の向上にともなう食生活の変化や運動不足を原因としていることが示すように、物質的に豊かになることは必ずしもより健康になることを意味しないし、何らかの病気によって突発的に死ぬことが常にありうるという認識に立てば、人生をより富裕になる（＝未来の時点で、より高度な消費生活を送る）ための過程の連続と見なすような生き方は空しく見えてくるはずだからである。「病の善用を神に求める祈り」において、健康と病気のどちらが自分にとって有益か分からないと書いたパスカルが、さらにつづけて富と貧困のどちらが自分にとって有益かも分からなくなったとも記しているのは、これを端的に表している。なおパスカルがこのような認識を持つに至ったのは、病気によってそれまでの生き方が罪深いものだったことにはじめて気づくことができ、その意味で病気が自分の魂を救済するきっかけを与えてくれたと考えたからであった。

もちろん多くの現代人は、病気になってもパスカルのような認識に至ることはないであろう。とはいえそれらの人々にとっても、自分が常に死や病気と隣り合わせにあるという自覚を持つことは、過剰な個人主義を抑制する役割を果たすと思われる。個人主義の理念的な基盤となっているのは、個人はそれぞれ自律的な存在であるという理念だが、肉体的な有限性の自覚とは、自分の肉体が自分の制御を越えた存在だと認識することを意味しているからである。そして人間は肉体なしには生きられない以上、これは個人が決して自律的な存在とはいえないことを受け入れるに等しい。「人はひとりでは生きられない」とはよく言われる言葉であるが、人間は病気のときにこそ、このことを最も強く実感するのだ。少なからぬエイズウイルス感染者が、自らの感染を知った後で、エイズ問題の啓蒙をはじめとする社会的活動に残された時間の多くを費やそうとするのも、この理由によるものではないだろうか。

すなわち病気と死の絶対性を強調するウイルス保守は、進歩主義者も拒否しえないような形で現代に保守主義を蘇らせる。もっといえば近代的病気観を脱却できないかぎり、現代の保守主義は論理的な自己撞着に陥らざるをえないのだ。なぜなら近代的病気観を受け入れている人間は、少なくとも医学については進歩主義の立場を取っていることになるからである。これについて、独自の文明論で知られる劇作家の山崎正和は、著書『近代の擁護』の中で、いわゆる反近代主義者たちの主張は論理的な一貫性に欠けていると批判し、「産業にたいしては（自然破壊をもたらす元凶であるとして）厳しいこの論者たちも、近代医学についてはおおむね寛容であり、細菌やウイルスという自然を撲滅し、人間の身体から排除することには反対の声をあげていないようです」と揶揄していたが、この批判は死や病気を肯定する視点を持たない保守主義が、本質的に中途半端なものでしかないことを的確に暴いている。(107)

だが山崎の批判が説得力を持っているからといって、近代的病気観が擁護されるべき理念であるということにはならない。それは単に、反近代主義を標榜する人々の間にまで近代的病気観が根深く浸透していること、および安易に反近代主義を唱えることが浅薄で感傷的なロマンティシズムであることを示しているにすぎないのである。これまでの考察が示すように、死に肯定的な意義を見出さないことは、人生はしょせん「罪」や「罰」で終わるだけと見なすに等しいのだから、近代的病気観を受け入れているかぎり人間は本当の意味で自由ですらないのだ。したがってウイルス保守は、人生の量的な拡大を至上の価値と見なすことによって失われた自由を、再び回復させるというメリットも持っている。『死生論』において、西部は「メメント・モリ」というラテン語の格言（これは通常「死を想え」と訳されているが、より正確には「自分が死なねばならないことを忘れるな」という意味である）を引用し、死の観念を日常的な生活の中に組み込んでゆくことが、逆説的に生の充実をもたらすと指摘しているが、人間は死なねばならないにもかかわらず自由なのではなく、死なねばならないからこそ真に自由なのである。

このような主張にたいしては、「そうはいっても、病気や死を忌避するのは人間として当然ではないか」「おまえは病気になっても医者にかからないというのか」といった反論が寄せられるものと思われる。だがすでに明らかなとおり、これらは問題の本質を何ら理解していない愚問でしかない。ウイルス保守が主張しているのは「人間は（個人としても、また人類全体としても）死や病気をしょせん忌避しえないのだから、それを肯定的に受け入れて生きるべきだ」ということだからだ。『ハムレット』の有名な台詞を借りるならば、近代とは「生きるべきか、死ぬべきか」という重大な問いにたいして、あまりにも安易に「もちろん生きるべきだ」という答えを出してしまった時代といえるが、そういう姿勢は決して人生を豊かにするものではないのである。そしてこれが保守的精神のあり方の本質に通じていることは、もはやいうまでもないであろう。(108)

5

ウイルス保守は、より根源的な意味においても、現在の世界で保守主義を主張するうえで不可欠のものといえる。なぜならこういった「死と病の哲学」こそ、実は保守主義の根底をなすものと思われるのだ。保守思想が育まれてきた二十世紀以前の世界においては、医学や公衆衛生の水準がまだ低かったため、ごく一部の特権的な階層の人々を除けば、病気や死は日常的なものだったに違いないからである。さらにいえば科学史家の村上陽一郎が、著書『生と死への眼差し』において「私は戦前の生まれだが、子供のときは、何と言っても化膿が恐かったし、実際ちょっとした怪我でも、すぐに傷口が膿んだ。（中略）治ったあとも、化膿した傷口には、醜いひきつれができた」と述べているように、二十世紀においても抗生物質が多くの国で普及したのは第二次大戦後のことにすぎない。(109) 日本でも一九五一年にはまだ赤痢が流行しており、一万五千人近い死者を出している。すでに紹介したアウグスティヌスや、「病む時は病むがよし。老いる時は老いるがよし。死ぬ時は死ぬがよかろう」といった良寛ではないが、人類の歴史の大部分において、重い病気になったり死んだりするのはごく当たり前のことであり、その意味でもまさに自然なことだったのだ。

死と病気の偏在は、かつての文化や芸術にも明瞭に表れている。十九世紀を通じて、芸術の多くの分野で結核を題材とする作品が創られたことはよく知られているが、それ以外の例を拾ってみても、たとえば一九三四年に書かれたジャン・ジロドゥの戯曲『テッサ』では、二十世紀初頭にアルプス山脈の一部であるチロル地方で暮らしていたヒロインの少女テッサが、猩紅熱を患った経験を持っている。また十九世紀末に発表されたピエール・ドゥクルセルの大河小説『ふたりの少年』には、主要人物の一人であるローズ・フイウという女性が、病弱な息子クローディネを苦しめてきたさまざまな病気について話す場面があるが、それは以下のような延々たるものなのだ。「うちの子はすぐに百日咳にかかってしまった。ある日大通りを散歩させている時にかかったのよ。わたし疲れて運河沿いの小さな公園にすわっていたら、すぐ近くに百日咳にかかっている子供がいたのよ。気がついた時はもうおそかったわ。(中略)そのあと膿痂疹にかかり、ひどい咳が出るようになり、犬歯が生えてきた時は熱が出てあの子はすっかり弱ってしまったの。(中略)その上今度は気管支炎よ」。[110] エミリー・ブロンテの『嵐が丘』や、ルイザ・オルコットの『若草物語』にしても、登場人物は些細なきっかけで病死する。しかもこれらの作品は、いわゆる「難病物」に属するものではない。[111]

もっとも人によっては、これが医学が未発達だった時代における悲劇的な現象と見なし、こういった現象をなくすためにも、医学による病気の克服や制圧が必要なのではないかと主張する者もいるであろう。しかし無視してはならないのは、これらの時代においても、人間は人生に肯定的な意義を見出し、喜びや幸福を味わってきたのだという事実である。それどころか、これまでの議論からも明らかなように、かつての人々の生の方が、われわれの生よりも本質的にはむしろ充実していた可能性さえ無視することはできない。病気や死が日常的であった時代の人々をいちがいに不幸だと見なすこと自体、進歩主義的な立場に基づく傲慢なのだ。

だが伝統とは社会の歴史の中で培われた、生活慣習の体系を含む広義の文化的な秩序を意味する以上、これはかつての人々にとって、死と病気が文字どおり伝統の一部にほかならなかったことを意味する。逆にいえば、いわゆる伝統的価値観とは、そのような「メメント・モリ」的環境を土壌として成立したものに違いない。死と病気こそは、保守主義の肉体的基盤というべきものだったのである。これが従来指摘されてこなかったのは、伝統的な疫病がひととおり制圧される以前の時代の人々にとって、死と病気が人間を越えた領域に属していることはあまりに明瞭であったため、わざわざそれらを尊重せよなどと主張する必要がなかったからではないだろうか。

したがって、二十世紀における医学の進歩や公衆衛生の変化を考慮に入れないまま、保守主義の明文化された部分だけを主張すること自体、現代において保守主義の重要性を訴えるうえでは不十分だったといえよう。医学の進歩と近代的病気観の影響によって自分の肉体的な有限性を自覚しえず、個人主義や人間の理性的能力の限界を認識しえない者にとって、保守主義よりも進歩主義の方が魅力的にうつるのは当然のことと思われるからだ。ウイルス保守は、従来の保守主義が当然の前提として見落としていたこの部分を明文化したものといっても過言ではない。いわば真正の保守主義は、死や病気を自然の一部として受け入れる「保守的肉体」にこそ宿るのである。

これを裏付けるように、進歩主義は一貫して肉体的な制約による人間の有限性を否定しようとしてきた。「われ思う、ゆえにわれ在り」というデカルトの言葉は、その意味できわめて象徴的である。そして今や、ある程度の水準をこえて近代化に成功した国々では、人々の多くは人生の大半の期間において、自己の有限性をそれほど自覚しなくともすむようになった。だが人間の存在が本質的に有限である以上、そのことを自覚しえない者の生が（たとえ突発的な病気になる死を免れえたとしても）充実したものになるとは思えない。戦後日本を代表する保守主義者であった福田恆存は、代表作『人間・この劇的なるもの』の結末において、次のように明快に断言している。「ヒューマニスト（人間中心主義者」たちは、死をたんに生にたいする脅威と考へる。同時に、生を楯にあらゆることを正当化しようとする。かれらにとって、単純に生は善であり、死は悪である。死は生の中絶であり、偶然の事故であるがゆゑに、できうるかぎり、これを防がねばならぬと信じこんでゐる。が、さうすることによって、私たちの生はどれほど強化されたか。生の終りに死を位置づけえぬいかなる思想も、人間に幸福をもたらしえぬであらう。死において生の完結を考へぬ思想は、所詮、浅薄な個人主義に終るのだ」。(112)

ちなみに福田は、「日本および日本人」という評論の中でも、「病気のない状態、死のない状態といふのは、それだけで、健康の喜びや強力な生の歓喜を意味しはしません。それは理想とはなりえない。思想とはなりえないのです」と指摘していた。(113)

そして現在、病原体の秩序の変化によって、死と病気は再び日常的なものとなる兆しを見せている。

好むと好まざるとにかかわらず、「保守的肉体」を復活させるための条件は整いつつあるのだ。とすれば私たちも、この変化に対応した保守的精神を取り戻さねばならないのではないだろうか。ウイルス保守は、まさにこのための理念的基盤を提供する。それは病気と死を、人間が尊重すべき伝統の中に組み入れることで、逆説的に生を充実させることを目的としているのである。またそのような自覚を持たないかぎり、進歩主義の理念的な破綻がますます明瞭なものとなってゆくと思われる今後の世界において、われわれは自らの人生の方向性や意味を見出すことができないであろう。

この議論をしめくくるにあたって、ウイルス保守的な生き方をきわめて見事に要約した、ある文章を紹介しておこう。それは一九二三年に結核で死去した英国の作家キャサリン・マンスフィールドが、死の約二年前に書いた「苦しみ」という文章である。すでに自分の死を予期していた彼女は、ここで自己の心境をこう吐露しているのだ。なお文中の傍点は、マンスフィールド自身がつけたものである。

「苦しみは克服できるのだという信念をここに書きとめないうちは死にたくない。だってそう思っているのだから。でも、どうしたらいいのだろう？『苦しみを超越する』なんて問題外だ。そんなこと嘘だから。苦しみには従わなくてはならない。抵抗せず迎え入れること。苦しみの中に沈み、しっかり受け入れること。そして苦しみを生の一部にすること。人生において私たちが本当に受け入れるものは変化していく。だから苦しみは愛に変わるに違いない。そこに神秘性があり、わたしがなすべきこともそこにあるに違いない。（中略）（わたしは）苦しみがもたらす教訓を学びたい。これは空虚なことばではないし、病人の慰みごとでもない」(114)

まコロナへの敗北を意味する」というメンタリティも、これで完全に説明がつく。理性主義者にとり、行動制限を受け入れることは、耐えがたく許しがたい挫折なのである。

（１０６）同、２３０ページ。

（１０７）山崎正和『近代の擁護』、ＰＨＰ研究所、１９９４年、５６ページ。

（１０８）コロナ禍をめぐる行動制限に反対する者の中には、自説を補強しようとして、近代的病気観を否定したがる向きが見受けられる。「とにかく感染しなければいいと考える価値観は、安直な生命至上主義であり間違っている」といった具合である。

けれども脚注１０５でも述べたとおり、行動制限反対論の根底にあるのは、コロナのせいで自由に行動できないことを「耐えがたい挫折、ほとんど許しがたい挫折」と見なす発想、すなわち近代的病気観にほかならない。行動制限反対の論拠として近代的病気観の批判を持ち出すことには、「近代病気観を擁護したがるあまり、近代的病気観を否定しにかかる」というパラドックスがひそんでいるのだ。

当のパラドックスが、プロローグで提起した「コンセンサス・リアリティを守るために、コンセンサス・リアリティを解体する」パラドックスと同じ構造を持つのは注目に値する。近代的病気観への批判に走る行動制限反対論者は、「行動制限を受け入れがたく思う根拠が、そのまま行動制限をかける根拠にもなる」という不都合な現実を否認したがっているのである。むろんこれは、彼らがラストディッチの状態に置かれていることを暗示しよう。

論理的な整合性を欠く以上、このような近代的病気観批判は、ウイルス保守主義どころか、ご都合主義に基づく「いいとこ取り」にすぎない。パスカルの祈りに見られるとおり、健康と病気のどちらが自分にとって有益か分からないと構える姿勢は、富と貧困のどちらが有益かも分からないと構える姿勢と密接につながる。

くだんの姿勢から「経済を回すために行動制限緩和を」などという主張が出てくるはずはないのだ。ハサン・サッバーフの言葉にならえば、「説得力などというものはない。あらゆる理屈が許される」である。

（１０９）村上陽一郎『生と死への眼差し』、青土社、１９９３年、１２２ページ。

（１１０）『〈病人〉の誕生』、３９ページ。

（１１１）エミリー・ブロンテ自身、結核により３０歳の若さで亡くなった。またルイザ・オルコットは、南北戦争に看護師として従軍した際、腸チフスを患ったものの、その際に水銀を使った治療を受けたことが、晩年の慢性的な健康障害につながったと言われる。

（１１２）『福田恆存全集』第三巻、文藝春秋、１９８７年、５９２〜５９３ページ。本書における引用は、読みやすさを考慮し、かな遣いをすべて現在のものに統一したが、これは１９９６年版においても旧かなだったことにかんがみ、修正せず原文のままとする。

（１１３）同、１８３ページ。

（１１４）『〈病人〉の誕生』、２２２〜２２３ページ。

　すなわち戦後平和主義は、敗戦体験がボディ・ポリティックに残した後遺障害なのだ。そしてプロローグで述べたとおり、戦後日本は本来ならば発展・繁栄するはずのない「あらかじめ失われた国」だったのである。

（９０）「高齢者と非高齢者の２トラック型の新型コロナウイルス対策について」。

（９１）感染被害が拡大すれば、行動制限を強めなかったところで、経済被害も拡大する恐れが強い。さらに政府が積極財政に実践すれば、行動制限を強めたところで、経済被害は相当に軽減される。
「経済活動への制約を最小限にするために行動制限緩和を」という主張は、じつのところ論理的根拠に乏しいのだ。これについては、「予言された疫病の記録」の「Ⅰ　コロナ対策の王道は何か」を参照のこと。

　提言者たちは、社会全体のため、理性的なコロナ対策を考案しているつもりなのだろう。けれども理性的な対応にこだわることと、個人的な利益に執着することは、何ら矛盾するものではない。

　理性は自我と密接に結びついている以上、おのれの理性的能力を過信する者は、おのれの利益の普遍性についても、しばしば過信するようになる。「自分（の自我）にとって都合がいいこと」と、「みんなにとって都合がいいこと」がイコールであるかのように錯覚するのである。「予言された疫病の記録」でも論じたとおり、危機的事態への対処は、理性への信頼ではなく、理性への懐疑に基づいてなされねばならない。

（９２）『新訳　フランス革命の省察』、文庫版３７０～３７１ページ、新書版３０６ページ。

（９３）中野剛志「『論語と算盤』は『ナショナリズムと経済』だった」、東洋経済オンライン、２０２０年5月１０日。カッコは原文。
https://toyokeizai.net/articles/-/348473

（９４）ここで言うグローバリズムとは、地球規模の政治的リーダーシップ形成をめざした、世界政府型のものである。「予言された疫病の記録」の「Ⅱ　疫病対策と政府の役割」を参照のこと。

（９５）１９９６年当時、エイズの治療法はまだ確立されていなかった。現在では、体内のウイルスを完全になくすことこそできないものの、治療薬によって免疫力を維持、普通の生活を送れるようになっている。
https://www.gov-online.go.jp/useful/article/201305/2.html#section4

（９６）１９９２年、第４４号。

（９７）『来たるべき疫病』については、脚注３２を参照のこと。

（９８）エイズをめぐる評価については、脚注９５を参照のこと。

（９９）William H. McNeill, *Plagues and Peoples*, Doubleday, New York, 1977. マクニールについては、「予言された疫病の記録」の「Ⅲ　理性の限界を直視せよ」も参照のこと。

（１００）ＮＨＫ取材班編著、塩川優一監修『ＮＨＫスペシャル　エイズ危機』、１９９２年、１５ページ。

（１０１）クロディーヌ・エルズリッシュ、ジャニーヌ・ピエレ共著、小倉孝誠訳『〈病人〉の誕生』、藤原書店、１９９２年、２１２ページ。

（１０２）*The Coming Plague*, pp.619-620. １９９６年当時の訳なので、「予言された疫病の記録」の「Ⅲ　理性の限界を直視せよ」における同じ発言の訳（４２２～４２３ページ）とは表現が多少異なる。

（１０３）「運命（フォルトゥナ）」の概念については、本書第三部「児童虐待の運命的構造」も参照のこと。

（１０４）西部邁『死生論』、日本文芸社、１９９４年、１６ページ。

（１０５）『〈病人〉の誕生』、２０３ページ。「予言された疫病の記録」の「Ⅲ　理性の限界を直視せよ」で指摘した、「コロナ対策としての行動制限を受け入れることが、そのまデンがそのような戦略を採用したことはないと主張している。
https://www.newsweekjapan.jp/stories/world/2020/05/post-93307.php

（77） 「スウェーデンの対新型コロナウイルス対策」によれば、２０２０年１０月１２日までに集計されたコロナ死者のうち、７０歳以上の高齢者が占める割合は９０％。その半分は介護施設に居住していた。

（78） 藤森克彦「血縁を超え公的にも地域的にも支え合っていける社会に」、みずほリサーチ＆テクノロジーズ、２０１６年３月。これは２０１４年の数字である。
https://www.mizuho-ir.co.jp/publication/contribution/2016/omni-management1512_01.html

（79） 鐙麻樹（あぶみあさき）「スウェーデン『集団免疫』作戦の効果は？　感染防止につながる信頼文化と高い代償を払う高齢者」、Yahooニュース、２０２０年５月２日。
https://news.yahoo.co.jp/byline/abumiasaki/20200502-00176419/

（80） ”Head of Sweden's No-Lockdown Coronavirus Plan Says Country's Heavy Death Toll 'Came as a Surprise'—1,500 Deaths in Aged Care”, The Weekly Source, May 9, 2020.
https://www.theweeklysource.com.au/head-of-swedens-no-lockdown-coronavirus-plan-says-countrys-heavy-death-toll-came-as-a-surprise-1500-deaths-in-aged-care/

（81） ＣＮＮ、２０２０年８月２１日。
https://www.cnn.co.jp/world/35158470.html

（82） 統計サイト「Wordometers.info」。２０２１年９月１９日時点での累計は１４，７７０人となっている。もっとも「スウェーデンの対新型コロナウイルス対策」によれば、同国のコロナ死者数に関する統計は、他国であれば「コロナによる死」と診断されないものまで含める形になっているため、実際よりも多い可能性があると言う。

（83） 外務省「スウェーデン王国基礎データ」。２０１８年の数字である。
https://www.mofa.go.jp/mofaj/area/sweden/data.html

（84） 「コロナ対策『失敗』、スウェーデン国王、異例の政策批判」、朝日新聞アピタル、２０２０年１２月１８日。
https://www.asahi.com/articles/ASNDL2BYGNDKUHBI044.html

（85） 「スウェーデン国王、新型ウイルス対策は『失敗だった』」、ＢＢＣ、２０２０年１２月１８日。
https://www.bbc.com/japanese/55359146

（86） 「医療依存度が高い高齢者......介護施設で医療行為はどこまで受けられる？」、情報サイト「有料老人ホーム検索　探しっくす」、２０１８年８月９日。
　逆に宮川絢子は「スウェーデンの対新型コロナウイルス対策」において、同国でコロナ死者が増えた背景には、医療と介護を異なる自治体が管轄するせいで（医療は「県」の管轄なのにたいし、介護は「市町村」の管轄となる）、両者の分離が進んでしまったことを挙げる。介護施設に常駐の医師はおらず、看護師の数もわずかとのことだった。
https://www.sagasix.jp/column/beadhouse/post-12/

（87） ”Head of Sweden's No-Lockdown Coronavirus Plan Says Country's Heavy Death Toll 'Came as a Surprise'—1,500 Deaths in Aged Care”.

（88） 木村もりよ、関沢洋一、藤井聡「高齢者と非高齢者の２トラック型の新型コロナウイルス対策について」、独立行政法人経済産業研究所、２０２０年４月２３日。
https://www.rieti.go.jp/jp/columns/a01_0584.html

（89） 戦後日本においてナショナリズムを否定的にとらえる風潮が支配的なのも、太平洋戦争の顛末により、政府への信頼が大きく失われたことに起因する。本書第一部「失われた政府への信頼」を参照のこと。

「地球上の全生物の中で、コロナウイルスのパンデミックに責任を負わねばならない種が一つだけ存在する。われわれ人類だ」
https://edition.cnn.com/world/live-news/coronavirus-pandemic-04-28-20-intl/h_61c2b7cb27f1154b533d41bab08dfb48

（63） ヘレン・オンニェーカのグループによれば、今回のパンデミックにより、世界の環境汚染は最大で３０％減少した。"COVID-19 Pandemic: a Review of the Global Lockdown and Its Far-Reaching Effects".

（64） ワクチンに求められる第一義的な役割は「発症予防効果」（ワクチン接種を受ければ、感染しても発症しない）と「重症化予防効果」（同じく、発症しても重症化しない）の二つである。「感染しても一定の健康状態を維持しうる状態」を達成することが、まずもって重要なのだ。
ただしワクチンの究極的な目標は、「感染予防効果」（病原体と接触しても感染せず、ゆえに他人にも感染させない）の達成となる。本論で用いた表現にならえば、これは人間をより徹底的に作りかえることを意味しよう。

コロナのワクチンのうち、アメリカのファイザー社、およびドイツのビオンテック社製のものは、こちらの効果もかなり持つと言われる。もっとも脚注４６で述べたとおり、現在のワクチンの効かない変異株が出現する恐れは否定できない。

（65） 本書第二部「ナショナリズムと突然変異」を参照のこと。

（66） 行動制限を強めないことが、経済被害の軽減に結びつかない点については、「予言された疫病の記録」の「Ⅰ　コロナ対策の王道は何か」を参照のこと。

（67） 同、「Ⅲ　理性の限界を直視せよ」を参照のこと。

（68） 本書第四部「二〇一〇年代末、世界はみな疲れている」を参照のこと。

（69） そもそも戦後平和主義自体が、国家否定と政府不信という形で、ボディ・ポリティックを弱体化させる特徴を持つ。『平和主義は貧困への道』、および本書第三部「戦後史最後の政治的選択」を参照のこと。

（70） ２０２０年4月２１日配信。
https://www.youtube.com/watch?v=rbNuikVDrN4

（71） 「収束」と「終息」の違いについては、脚注１を参照のこと。

（72） 「予言された疫病の記録」の「Ⅲ　理性の限界を直視せよ」を参照のこと。

（73） 「予言された疫病の記録」の「Ⅰ　コロナ対策の王道は何か」を参照のこと。

（74） スウェーデンの首都ストックホルムにあるカロリンスカ大学病院で、泌尿器外科のシニアコンサルタントを務める宮川絢子が、「スウェーデンの対新型コロナウイルス政策」（武見基金COVID-19有識者会議、２０２０年１０月２３日）で述べるところによれば、同国における感染拡大が早かったのは、毎年２月、「スポーツウイーク」と呼ばれる休みの期間があることに起因している可能性が高い。２０２０年のスポーツウイークには、人口の約１割にあたる１００万人が国外に旅行したものの、人気の高い旅行先には、すでに感染拡大の始まっていたイタリアをはじめ、アメリカやイギリスが含まれていたのだ。
https://www.covid19-jma-medical-expert-meeting.jp/topic/3743

（75） さらにスウェーデンは、少しでも風邪の症状を見せた児童の通学禁止、同じく風邪の症状を見せた者の出勤禁止といった措置も取った。宮川絢子によれば、同国では「『部分的ロックダウンが現在（２０２０年１０月）まで継続している』と言って良い」とのことである。

（76） 「『集団免疫』作戦のスウェーデンに異変、死亡率がアメリカや中国の２倍超に」、ニューズウィーク日本版、２０２０年5月1日。
「集団免疫」作戦とは、コロナ弱者に該当しない人々はあえて行動制限を取らないことで、集団免疫の達成を早めようとする方法論を指す。ただし宮川絢子は、スウェー

（52） 理性主義者の中には、行動制限に反対しながら、政府による補償が十分でないことを批判する者も見受けられる。しかるに経済被害を伴う行動制限をかけることこそ、補償をしなければならない根拠なのだから、この主張は論理的整合性を持たない。

（53） 「Ⅰ コロナ対策の王道は何か」で指摘したとおり、感染が拡大すれば、政府や自治体が行動制限をかけるまでもなく、人々は行動を抑制する。これは感染を抑え込む効果を持つので、「政府や自治体とは関係なく、人々が自主的に取る行動抑制は行動制限ではない」と仮定するかぎり、感染の波は自然に収束すると考えることも、完全に間違っているとは言いがたい。

「感染の収束」をめぐる定義を、感染者の減少ではなく「感染者の増加率の減少」など、適当に変更しておけばなおさらである。ただしこれらの仮定や定義変更に基づく主張に、妥当性があるかどうかは別の話だろう。

（54） 本書のプロローグで展開した、「ラストディッチ」をめぐる分析を想起されたい。理性主義者は「行動制限なしでもコロナは抑え込める」という理念を守ろうとして、自分の現実認識を歪曲しているのである。

（55） 『新訳　フランス革命の省察』、文庫版２４０～２４１ページ、新書版１９５ページ、

（56） ただし栃木県は２０２１年２月７日で解除。大阪・京都・兵庫・愛知・岐阜・福岡の六府県も２月２８日で解除となった。

https://www.kwm.co.jp/blog/state-of-emergency/

（57） 沖縄の緊急事態宣言が延長されなかったのは、もともと期限が６月２０日までだったため。残りの都道府県は５月末に期限が来てしまうので、沖縄にそろえる形で再延長された。

（58） 脚注２１で紹介した、ヘレン・オンニェーカのグループによるレポート “COVID-19 Pandemic: a Review of the Global Lockdown and Its Far-Reaching Effects”にも、以下の記述が見られる。

「自分が置かれた環境について制御できなくなることは、心理的なストレスをもたらす。『自分には周囲の環境を制御できる力がある』という自信こそ、人間を積極的な行動に向かわせる根本的な動機なのだ。裏を返せば、そのような制御ができなくなったという思いは精神衛生を悪化させる。人々の精神状態は少しずつ悪化し、緊張、怒り、不安にとらわれるようになるのである」

（59） この前提がなぜ現実にはありえないかについては、「予言された疫病の記録」の「Ⅲ 理性の限界を直視せよ」を参照のこと。

（60） Kim Newman, *Nightmare Movies: A Critical Guide to Contemporary Horror Films,* Harmony Books, New York, 1988, p.116.

（61） Warwick McKibbin and Roshen Fernando, “The Global Macroeconomic Impacts of COVID-19: Seven Scenarios”, p.20. ＵＲＬについては脚注２を参照のこと。

　裏を返せば、疫病によって人類の半分が死滅する事態が起きたところで、世界人口は半世紀前のレベルにしか戻らない。地球環境を維持するためには、このほうが望ましいかも知れないものの、そんなことが起きれば現在の文明は間違いなく崩壊する。感染症をめぐる問題の根底にあるのは、「地球環境の維持」と「文明の存続」とが両立しなくなってきているのではないかという、恐るべきジレンマなのだ。

（62） ”Future Pandemics Will be Deadlier If We Don't Change Our Behavior, Leading Scientists Say”, CNN, April 29, 2020.

　この点については、「予言された疫病の記録」の「Ⅱ　疫病対策と政府の役割」と「Ⅲ　理性の限界を直視せよ」も参照のこと。ＣＮＮの記事は２０２０年４月、ＩＰＢＥＳ（生物多様性および生態系サービスに関する政府間科学―政策プラットフォーム。科学と各国の政策のつながりを強化すべく、２０１２年に設立された政府間組織）のサイトに発表された論文を紹介しているが、そこには次のような一節が見られた。

１世紀前半、みずからの研究によって時間と空間の連続性を破壊してしまった科学者」に変更された。

（４４）　*The Coming Plague*, pp.619-620.

プロローグで私は、戦後日本は「新たな歴史を刻む前に、あらかじめ失われた国」、つまりは最初から失敗を運命づけられた国にほかならず、平成以後の低迷と没落は、これが顕在化したものにすぎないと論じた。しかるにレーダーバーグの発言は、疫病にたいする文明、ないし理性の勝利も、「あらかじめ失われた」ものだったことを暗示する。わが国の問題点が、コロナ禍によっていよいよ浮き彫りになったのも、こう考えれば当然の帰結にすぎまい。

（４５）　コロナのパンデミックについて「中国が生物兵器として開発していたウイルスが、何らかのミスで流出したのではないか」という説が根強く存在するのは、関連して興味深い。この見解、「ウイルス（の蔓延）の背後にも文明がある」ことを前提にしているのだ。ただし現代文明全体ではなく、中国という特定の国の軍事開発だけを槍玉に挙げているので、他の国々は免罪される仕掛けである。

中国生物兵器説には「自然に生まれたウイルスが、かくも甚大な被害をもたらすはずがない」という含みを読み取ることもできる。反語的な形こそ取っているものの、これは人間の理性的能力にたいする信頼、ないしうぬぼれの表明にほかならない。「理性の敗北」という現実と、理性の万能という理念の間に、どうにか折り合いをつけようとしているのである。

（４６）　岩永直子「東京五輪直前に国内外で流行状況が悪化　最後の切り札『緊急事態宣言』の効果が持続しないかもと専門家が不安に思う理由」、BuzzFeed Japan Medical, ２０２１年７月７日。

https://news.yahoo.co.jp/articles/fb28fd6807fd6f346bf10451b14647b42f583b2b

西浦博は「Ⅰ　コロナ対策の王道は何か」で紹介した、「感染防止対策を何も打たなければ国内で４２万人の死者が出る」という予測を公表した人物。彼は対人接触機会を８割減らすことを提唱、みずから「８割おじさん」を名乗った。なおイギリスにおける成人のワクチン接種率は、小林恭子「ワクチン接種進んでも感染拡大『英国』の悩ましさ」（東洋経済オンライン、２０２１年７月６日）に準拠している。

https://toyokeizai.net/articles/-/438914

米ＣＤＣ所長のロシェル・ワレンスキーも、２０２１年７月２７日の記者会見で、西浦と同じ懸念を表明した。いわく、「非常に気になるのは、ワクチンをすり抜けるような変異株が出現しないかということだ。わずか数回の突然変異でも、それが起きてしまう可能性は否定できない」。（Rev.com, "CDC Updated Mask Guidelines Press Conference Transcript July 27", July 27 2021.）

https://www.rev.com/blog/transcripts/cdc-updated-mask-guidelines-press-conference-transcript-july-27

（４７）　この構造が、本書第四部「ポピュリズム・オブ・ザ・デッド」で論じた、ゾンビ映画の特徴とよく似ていることは注目に値しよう。事実、それらの映画において、ゾンビの急激な増加はしばしば「疫病（プレイグ）」と形容される。

ゾンビは「エリートの支配に対抗すべく、ポピュリズムに走った民衆」の比喩と解釈できるものの、ならば疫病のパンデミックも、人類という「エリート生物」の支配に対抗すべく、微生物の引き起こすポピュリズムと解釈することができよう。

（４８）　The Coming Plague, p.6.

（４９）　『新訳　フランス革命の省察』、文庫版１５５ページ、新書版１２３ページ。

（５０）　同、文庫版３７８～３７９ページ、新書版３１３～３１４ページ。

（５１）　『平和主義は貧困への道』第一章、および本書第三部「戦後史最後の政治的選択」を参照のこと。

いう題で、河出書房新社より日本語版が刊行された。ただし本書における引用は、すべて原書から独自に訳したものとなっている。

原書の題名にしたがえば、迫りくるのは病原体ではなく疫病なので、邦題は十分に正確なものではない。また「『ウイルス保守主義』宣言」（後出）でも同書について言及したものの、この評論が発表された１９９６年の時点では、日本語版自体が存在しなかった。以上の点を踏まえ、本文における書名の表記は『カミング・プレイグ』ではなく、原題の直訳『来るべき疫病』にしてある。

（３３）　同。

（３４）　*The Coming Plague,* p.601.

（３５）　*The Coming Plague,* p.598.

あわせて指摘されるべきは、世界人口の増加にいまだ歯止めがかかっていないこと。最初のアルマ・アタ宣言が出た１９７８年は約４３億人だったが、第二のアルマ・アタ宣言が出た１９９１年には約５４億人となり、２０２０年では約７８億人に達している（国連経済社会局データ）。

病原体の視点に立てば、これは「エサがものすごい勢いで増えている」ことにひとしい。ゆえにパンデミックが発生するリスクも、それだけ高まるのである。

https://population.un.org/wpp/

（３６）　このメッセージは一週間後に削除された。

（３７）　*The Coming Plague,* p.619.

（３８）　*The Coming Plague,* p.609.

（３９）　グローバリズムに「新自由主義型」と「世界政府型」がある点については、本書第四部「二〇一〇年代末、世界はみな疲れている」「ＭＭＴとナショナリズム」を参照のこと。

（４０）　“The Global Macroeconomic Impacts of COVID-19: Seven Scenarios”, p.25.

（４１）　「保健所削減が追い討ち　２７年間で８５２カ所から４７２カ所に半減　コロナ対応の脆さと関係」、長周新聞、２０２０年3月5日。

https://www.chosyu-journal.jp/shakai/16032

（４２）　Mary Shelley, *Frankenstein or, the Modern Prometheus,* Penguin Classics, London, 1985, p.89.

本書第二部「ナショナリズムと突然変異」でも述べたとおり、「プロメテウス」はギリシャ神話に登場する巨神の名。神々の専有物であった火を人間に与えたことで、山のてっぺんに鎖で縛りつけられ、大鷲に肝臓をついばまれる罰を受けた。

メアリー・シェリーの夫である詩人パッシー・ビッシー・シェリーは、１８２０年、『解放されたプロメテウス』という劇詩（劇の形式を取っているが、舞台で上演されるのではなく、たんに読まれることを前提にした作品。ただし、ここで言う「読む」は朗読を含む）を発表している。どちらにおいても、プロメテウスが「近代における文明（とくに科学技術）の発達、およびそれによって生じる啓蒙」を象徴しているのは明らかだろう。これについては本書第四部「中華未来主義というノスタルジア」も参照のこと。

（４３）　イギリスのＳＦ作家ブライアン・オールディスは１９７３年、『解放されたフランケンシュタイン』という長編を発表した。２１世紀の政治家が、１９世紀はじめのスイスに迷い込み、ヴィクトル・フランケンシュタインやメアリー・シェリーと出会う物語だが、この題名は脚注４２で紹介した『解放されたプロメテウス』を踏まえたもの。

オールディスは「近代世界が本当に解き放ったのは、プロメテウスではなくフランケンシュタイン（の怪物）ではなかったか」と問いかけているのだ。『解放されたフランケンシュタイン』は１９９０年、ロジャー・コーマン監督によって映画化されたが（ビデオ邦題『フランケンシュタイン　禁断の時空』）、ここでは主人公が「２

https://www.bloomberg.co.jp/news/articles/2021-03-23/QQE9IUT0AFB601
ブルームバーグ「新型コロナ前よりさらに豊かになった富裕層、大手米銀が照準合わせる」、２０２１年４月２０日。
https://www.bloomberg.co.jp/news/articles/2021-04-20/QRUQ6NT1UM1601
Newsweek, "Man With Insurance Left With $80K Hospital Bill After Covid Battle", September 17, 2021.
https://www.newsweek.com/man-insurance-left-80k-hospital-bill-after-covid-battle-1630229

（２５） 京都大学レジリエンス実践ユニット「新型コロナウイルス感染症に伴う経済不況による『自殺者数』増加推計シミュレーション」、２０２０年４月３０日。
http://trans.kuciv.kyoto-u.ac.jp/resilience/documents/corona_suicide_estimation.pdf

（２６） 厚生労働省自殺対策推進室・警察庁生活安全局生活安全企画課「令和２年中における自殺の状況」、２０２１年３月１６日。
https://www.npa.go.jp/safetylife/seianki/jisatsu/R03/R02_jisatuno_joukyou.pdf

（２７） ただし２０１７年の段階においてすら、自殺者総数は２１，３２１人であり、２０２０年の２１，０８１人より多かった。メディアでは２０２０年の秋ごろから「コロナによって自殺が急増した」といった論調が見られたものの、これは事実認識のレベルにおいて必ずしも的確なものではない。

のみならず、２０１９年１０月には消費税が１０％に引き上げられたのだから、自殺者の増加がすべてコロナ禍によるものかどうかも定かではないのだ。逆に消費増税が自殺者数の変動に影響を与えなかったとするなら、税率を引き上げようと大した問題はないことにもなりかねない。

行動制限に反対する者の中には、２０２０年のわが国における超過死亡数（脚注１５を参照のこと）がマイナスだった点をとらえて、「超過死亡がマイナスだったのだからコロナは大して怖くない、経済被害による自殺の増加こそが問題だ」という旨を主張する傾向が見られる。だが超過死亡数には自殺者も含まれるため、超過死亡数がマイナスだったことを根拠に感染対策を緩めて構わないのであれば、自殺者の増加も気にする必要はない。つまり経済対策も緩めて構わないことになるのだ。

（２８） ２０２１年の自殺者数は、８月までを見るかぎり、２００１人となった３月を除けば、毎月１６００〜１８００人台で推移している。同月までの累計自殺者数は１４，３８６人と、やはり２０１７年の水準（１４，８９８人）を下回った。

（２９） 「Go To 商店街」キャンペーンの開始は２０２０年１０月１９日より。

（３０） Declaration of Alma Ata. 世界保健機関（ＷＨＯ）ウェブサイト。
https://www.euro.who.int/__data/assets/pdf_file/0009/113877/E93944.pdf

（３１） ２０１５年に国連が採択した「持続可能な開発目標（ＳＤＧｓ）」計画でも、三番目の目標は「年齢を問わず、すべての人に健康な生活と福祉の増進を」となっている。

この目標のもと、２０３０年までに達成すべきゴールが九項目挙げられたが、第三項は以下の通り。

「エイズ、結核、マラリア、および今まで看過されてきた熱帯病の流行を終息させる。肝炎、水系感染症（病原微生物を含んだ水を摂取することで感染する病気）、その他の感染症対策にも取り組む」

https://www.un.org/sustainabledevelopment/health/

（３２） Laurie Garrett, *The Coming Plague: Newly Emerging Diseases in a World Out of Balance,* Farrar, Straus and Giroux, New York, 1994, p. 594. ギャレットは１９９６年、ザイールで生じたエボラ出血熱のアウトブレイクをめぐる記事により、ピューリッツァー賞を受賞した。『来るべき疫病』は２００１年、『カミング・プレイグ　迫りくる病原体の恐怖』と

補償されない状態が続けば、いずれ人々は生活のために行動せざるをえなくなり、感染対策は失敗する。２０２１年に入り、国民の「コロナ疲れ」「自粛疲れ」が指摘されるようになったのも、必然の帰結だろう。

もっともこれは「感染対策の徹底こそ、経済被害を抑え込むことにつながる」点を否定するものではない。経済被害を補償しなくても、強い行動制限が維持できると見なすのが間違っているだけの話なのだ。なお感染被害を抑え込もうとする国民の努力は、アジア人、ないし日本人のコロナにたいする抵抗力を強めているのではないかとされる謎の要因、いわゆる「ファクターX」によっても助けられたのかも知れない。

コロナの感染被害と経済被害をめぐるマッキビンたちの予測が、どれだけ的中したかをめぐっては、他国でも乖離が生じることがある。経済被害の的中度のほうが目立って高いのであれば、わが国の場合と同様に解釈しうるとして、感染被害の的中度のほうが目立って高い場合はどう解釈すべきか。

感染被害の拡大は、経済被害の拡大も引き起こすのだから、そのような事態は生じえなさそうなものだが、必ずしもそうとは言えない。以下の状況が成立しうるためである。

（ａ）社会的な格差が大きく、少数の富裕層は感染被害（および経済被害）を自主的に抑え込めるものの、多数の貧困層はどちらの被害も抑え込むことができない。
（ｂ）政府も経済対策については積極的な一方、感染被害については楽観視し、十分な対策を講じない。

この場合、富裕層の独占する富が多ければ多いほど、社会全体としては「経済被害は比較的軽くすんだが、深刻な感染被害が発生する」結果となる。

アメリカにおけるコロナの死者数は３６万６０００人と、マッキビンたちがシナリオ４で提示した予測を上回ったものの、経済被害は実質ＧＤＰで２０１５年比９９５０億ドル増と、予測（４２００億ドル減）よりもかなり軽かった。同国の社会的格差が大きいこと、およびトランプ政権が経済重視の姿勢を取りつつ、コロナの感染被害を軽く見ていたのを踏まえれば、これも決して不可解ではない。

２０２０年、アメリカで最も裕福な上位１０％の世帯は、資産を約８兆ドル増やしたのだ。そのうちの半分、４兆ドルあまりを最上位１％が稼ぎ出している。同時にコロナ禍の発生から１年以上が過ぎても、１０００万人近くが失業したままであり、いわゆる「Ｋ字型回復」（上に伸びる層と、下に落ちる層とに二極分解すること）の様相を呈した。

さらに同国における医療費の高さを考えれば、医療体制の逼迫とは関係なく、感染しても適切な治療が受けられなかった人々が多数存在する恐れが強い。日本などと比べた場合、国民が感染予防に十分な努力を払わなかった可能性もあろう。

ニューズウィーク（英語版）は２０２１年9月１７日、民間の医療保険に加入していたにもかかわらず、コロナで半年ほど入院した結果、8万ドル（８８０万円）以上にのぼる治療費を請求されたジム・スウィーニーという６０代の男性の事例を報じた。入院先の病院は保険の対象に含まれていたものの、くだんの病院が契約していた医師の中に対象外の者がいたのだ。

スウィーニーは退院後も酸素吸入が必要で、仕事に復帰できる状態ではないとのこと。治療費を支払うため、息子のスコットがネットで募金活動を始めたそうである。

ブルームバーグ「最上位１％の米国人、コロナ禍でもますます豊かに―株と不動産回復で」、２０２１年3月２３日。

場合、名目ＧＤＰは約２１兆１７００億円の減少、実質ＧＤＰは約２５兆４２００億円の減少となる。内閣府ホームページによれば、前者はマイナス３．９％、後者はマイナス４．４％。

計算に使用した数値は以下の通り。いずれも小数第１位を四捨五入した。

円建て名目ＧＤＰ（２０１５年）　５３８，０３２（単位１０億円）
円建て名目ＧＤＰ（２０１９年）　５５９，８６２（同）
円建て名目ＧＤＰ（２０２０年）　５３８，６８９（同）
円建て実質ＧＤＰ（２０１５年）　５３８，０８１（同）
円建て実質ＧＤＰ（２０１９年）　５５４，３８１（同）
円建て実質ＧＤＰ（２０２０年）　５２８，９６１（同）
ドル建て名目ＧＤＰ（２０１５年）　４，４４５（単位１０億ドル）
ドル建て名目ＧＤＰ（２０２０年）　５，０４５（同）

２０１５年の年次レートによって計算しなおした、２０２０年のドル建て名目ＧＤＰは４，４５１（同）。２０２０年のＧＤＰデフレータ（１０１．８４）に基づいて、実質ＧＤＰを出すと４，３７０（同）になる。２０１５年のＧＤＰデフレータは９９．９９だったので、同年のドル建て実質ＧＤＰは４，４４６。

これらの数値（とくに２０２０年のもの）も、アップデートにより多少変動する可能性がある。

https://ecodb.net/country/JP/imf_gdp.html（世界経済のネタ帳）
https://www.esri.cao.go.jp/jp/sna/menu.html（内閣府ホームページ）

（１８）　「"対策なければ最悪４０万人以上が死亡" 厚労省専門家チーム」、ＮＨＫ、２０２０年４月１５日。
https://www3.nhk.or.jp/news/html/20200415/k10012387961000.html

（１９）　西田淳志「都内主要繁華街における滞留人口モニタリング」、２０２１年9月２４日。これは東京都の新型コロナウイルス感染症モニタリング会議の資料である。
https://www.bousai.metro.tokyo.lg.jp/_res/projects/default_project/_page_/001/015/588/64/20210924_09.pdf

（２０）　２０２０年の春、コメディアンの志村けんや女優の岡江久美子があいついでコロナにより亡くなったことは、社会に少なからぬ衝撃を与え、コロナにたいする人々の警戒を強めた。志村が亡くなったのは、第一回の緊急事態宣言が発令される以前の３月２９日であり、岡江が亡くなったのは発令中の４月２３日である。

（２１）　"The Global Macroeconomic Impacts of COVID-19: Seven Scenarios", pp.8-18.
ロックダウンと株価下落の関連性については、バーミンガム大学の工業微生物学者ヘレン・オンニェーカのグループによるレポート "COVID 19 Pandemic: a Review of the Global Lockdown and Its Far-Reaching Effects"（コロナ・パンデミック〜世界的なロックダウンと、それがもたらす甚大な影響について）で指摘されている。
https://journals.sagepub.com/doi/10.1177/00368504211019854

（２２）　時事ドットコム「インフラにも影響じわり　交通、保育、ごみ回収…―デルタ株猛威・新型コロナ」、２０２１年8月２６日。
https://www.jiji.com/jc/article?k=2021082600126&g=soc

（２３）　本書第四部「ＭＭＴとナショナリズム」を参照のこと。マッキビンとフェルナンドも、次のように指摘する。
「各国の中央銀行と財務当局は、コロナが終息するまでの間、打撃を受けた経済が機能しつづけるよう手を尽くすことが必要である。人々の暮らしが、健康面でも金銭面でも脅かされているとき、政府の果たすべき役割は決定的に重要だ」（"The Global Macroeconomic Impacts of COVID-19: Seven Scenarios", p.25.）

（２４）　行動制限の度合いを強めたにもかかわらず、それによって生じる経済被害がロクに事例まで含めた場合、死者が２６万１０００人あまりに達することをほのめかしており、政府内ですら統一見解が存在しない。
https://www.tokyo-np.co.jp/article/90626

（１３） https://www.worldometers.info/coronavirus/country/china/#graph-deaths-daily

（１４） https://www.worldometers.info/coronavirus/country/india/#graph-deaths-daily。
ただしこれは、インドが感染拡大を抑え込めていたことを意味しない。同国の累計感染者数は、２０２０年９月の段階で５００万人を突破、アメリカについで多かった。ところがインドは、感染者の死亡率が他国より低いのである。これは人口に占める若者の比率が高いことや、計数が正確でないことに起因すると見られている。
https://www.bbc.com/japanese/54186519

（１５） 中国のコロナ対策の成功に関しては、共産党一党支配のもと、政治的自由が制限されていることがプラスに作用したのは疑いえない。４６３４人という死者数の信憑性には疑問の余地があるとしても、同国が未来へのカギを握っている（ないし、そのように見える）事例はたしかに存在するのだ。本書第四部「中華未来主義というノスタルジア」を参照のこと。
ワシントンＤＣとロンドンに本拠を置くシンクタンク「世界開発センター」(Center for Global Development, CGD）は２０２１年7月２０日、インドにおけるコロナの累計死者数が、政府発表（４０万人）をはるかに上回る可能性が高いと発表した。同センターによれば、パンデミックの発生から２０２１年６月までの同国の超過死亡者数（例年の死亡数をもとに推定される死亡数と、実際に確認された死亡数との差）は３４０万人〜４９０万人と推計される。

超過死亡のすべてがコロナによるものではないとしても、これは実際のコロナ死者数が、政府発表の８倍〜１０倍程度に達していることを暗示する。その場合、２０２０年の死者数も、１５万人の８倍〜１０倍、つまり約１２０万人〜１５０万人ほどだったことになろう。

https://www.cgdev.org/publication/three-new-estimates-indias-all-cause-excess-mortality-during-covid-19-pandemic
アメリカのワシントン大学保健指標評価研究所も２０２１年５月、各国の超過死亡数に注目、コロナによる死者の数は公式発表よりも多いと結論づけた。同研究所が推計した世界のコロナ死者数は、２０２１年５月３日現在で累計６９３万人。先に挙げた統計サイト「Wordometers.info」は、同時点での累計値を３３６万人としているので、約２．０６倍（小数第三位を四捨五入）となる。

この比率を、２０２０年末までの公式の累計死者数１９４万人にかけると約４００万人。マッキビンとフェルナンドの予測したシナリオ４の死者数１５００万人の４分の１強である。

ただし４００万人という数字は、インドの死者数を３１万人（１５×２．０６＝３０．９）としたときのもの。ＣＧＤの推計に基づけば、インドの実際の死者数は１３５万人前後（１２０万人と１５０万人の中間値）なので、さらに１０４万人ほど加算しなければならない。

すると合計５００万人あまり。中国の公式死者数が少なかったことによる誤差２８０万人を、さらに加えると７８０万人。

シナリオ４の５２％に達している。マッキビンたちの予測は、やはり相当に的確だったと評しえよう。

https://forbesjapan.com/articles/detail/41269

（１６） “The Global Macroeconomic Impacts of COVID-19: Seven Scenarios”, p.22. 円換算にあたっては、１ドル＝１１０円のレートを用いた。以下、断りないかぎり同じ。

（１７） 統計サイト「世界経済のネタ帳」、および内閣府ホームページ。２０１９年と比べたこれもまた、認識枠組み次第で理念の意味合いが変わる例と言えよう。

（91） 本書第一部「手違いで繁栄した戦後日本」、同「失われた政府への信頼」、および第三部「戦後史最後の政治的選択」を参照のこと。

（92） マッキントッシュ系のコンピュータでは、アプリが動作しなくなると、画面上のマウスカーソルが虹色の円に変わり、ぐるぐる回り続ける。これを「レインボーカーソル」と呼ぶ。動作が回復すればカーソルも元に戻るが、回復しない場合は強制終了が必要となる。

（93） 左翼・リベラルは、戦後平和主義へのこだわりが強いぶん、この状態に陥る危険がとくに高い。脚注７５でも紹介した山口二郎は、現にこう述べている。
「（積極財政が戦争への道だとすれば）デフレと平和が結び付き、インフレと戦争が結び付くということになる。ですから、平和を守りつつ、積極財政をやって雇用の確保をするという議論を、戦後（＝敗戦直後）から現在に至るまで、左翼・革新側がちゃんとやってこなかったのです」（『歴史を繰り返すな』、１１７ページ）
　自国の政府さえ肯定できない者が、地球規模の支配権を持つ世界政府を肯定できるとは信じがたい。世界政府志向型のＭＭＴは、ナショナリズム型のＭＭＴ論と比べても、わが国に定着しにくいと思われる。

第五部　パンデミックと国の行く末

（1） 「終息」は感染症の流行を完全に制圧すること。これにたいし、制圧にまではいたっていないが、かなり抑え込んだ状態が「収束」である。

（2） Warwick McKibbin and Roshen Fernando, “The Global Macroeconomic Impacts of COVID-19: Seven Scenarios”.
https://www.brookings.edu/wp-content/uploads/2020/03/20200302_COVID19.pdf

（3） 危険性のレベルは、感染者が人口に占める比率と、感染者の死亡率に基づいて設定されている。なおシナリオ１〜３は、コロナの流行が中国国内に限られることを想定しているため、「パンデミックをめぐる予測」には該当しない。

（4） “The Global Macroeconomic Impacts of COVID-19: Seven Scenarios”, p.9.

（5） シナリオ４は「中国では人口の１０％が感染、感染者の２％が死亡」という基準に基づくもの。これを各国の保健衛生水準や、国民一人当たりの医療費支出、都市部の人口密度、全人口に都市部人口が占める割合、外国からの観光客を受け入れる度合いなどに応じて補正し、あてはめている。

（6） シナリオ６の基準は「中国では人口の３０％が感染、感染者の３％が死亡」。各国にあてはめる際の方法は同じである。

（7） 統計サイト「Wordometers.info」。２０２１年９月１９日現在では約４７０万人であり、増加のペースはむしろ上がっている。なお以下の数字は、アップデートにより多少変動する可能性がある。
https://www.worldometers.info/coronavirus/

（8） 同。ただしこちらも２０２１年に入ってから急増した。同年９月１９日時点の累計は１万７１５６人。

（9） https://www.worldometers.info/coronavirus/country/us/#graph-deaths-daily

（10） https://www.worldometers.info/coronavirus/country/brazil/#graph-deaths-daily

（11） https://www.worldometers.info/coronavirus/country/mexico/#graph-deaths-daily

（12） ロシア連邦統計局の数字。ロシア政府のコロナ対策本部は約５万６０００人としているが、こちらは速報値なのにたいし、統計局は確定的な死亡診断書をもとに集計しているとされる。それどころか保健担当の副首相は、後遺症が原因で亡くなった

法九条と財政法四条とは平和主義の縛りなのだという言い方をして、社会党は赤字国債に反対していた」（１１６〜１１７ページ）

（７６）「ＭＭＴをめぐる議論で欠けている『供給力』の視点」、東洋経済オンライン、２０１９年１１月１２日。研究会の参加者は島倉原、中野剛志、佐藤健志、施光恒、柴山桂太の５名。
https://toyokeizai.net/articles/-/311863

（７７）The Modern Money Network, "Statement on Kelton Visit to Japan".
https://m.facebook.com/nt/screen/?params=%7B%22note_id%22%3A636878280334554%7D&path=%2Fnotes%2Fnote%2F&_rdr

（７８）Bill Mitchell, "On Visiting Japan and Engaging with Conservative Politicians", September 11, 2019.
http://bilbo.economicoutlook.net/blog/?p=43129

（７９）Bill Mitchell, "Some Reflections on My Time in Japan While I am Too Busy to Write", November 7, 2019.
http://bilbo.economicoutlook.net/blog/?p=43578

（８０）「全ユーロ圏中央財務省」という表現は、ランダル・レイが使ったもの。「二〇一〇年代末、世界はみな疲れている」で述べたとおり、ドイツの社会民主党や「同盟９０／緑の党」はユーロ圏共通予算に賛成している。そのような予算を実際に編成するのであれば、中央財務省の創設が必要なのは明白だろう。

（８１）ユーロ圏解体について触れているのは、『ＭＭＴ　現代貨幣理論入門』の３５０〜３５１ページ。ただし分量は、本文で書いたとおり三行にすぎない。

（８２）グローバリズムに新自由主義型と世界政府型の二つがある点については、脚注９も参照のこと。

（８３）中野剛志『全国民が読んだら歴史が変わる　奇跡の経済教室【戦略編】』、２１４ページ。民間企業が「就業保証プログラム」から労働者を採用するとインフレ圧力が緩和されるのは、もともと最低賃金で働いていたため、好景気でも賃金をさほど上げずにすむからである。

（８４）The Modern Money Network, "Statement on Kelton Visit to Japan".

（８５）同書、５２３ページ。

（８６）日本国憲法前文。

（８７）プロローグで論じた「コンセンサス・リアリティ」は、社会的に共有された認識枠組みと規定される。社会全体のＯＳとして、物事が正常に動作するための環境を維持することこそ、コンセンサス・リアリティの果たすべき役割にほかならない。
　コンセンサス・リアリティの崩壊した社会は、ＯＳが機能不全に陥ったコンピュータと同じ状態に陥る。要するに、何であれ正常に動作しなくなるのだ。これを望ましいものとして美化した表現が「真実などというものはない。すべてのことが許される」である。

（８８）知的エリートの認識枠組みのあり方をめぐっては、『平和主義は貧困への道』の序論でも論じた。

（８９）本書第四部「ＭＭＴとナショナリズム」を参照のこと。

（９０）ＭＭＴにはナショナリズムを肯定する性格と、世界政府型グローバリズムを肯定する性格とが同居している。経世済民を達成するうえで、政府が果たすべき役割の重要性を強調するのがＭＭＴの本質だが、当該の政府がどの程度の規模のものであるべきかについては触れていないのだ。
　現在の主権国家の枠を望ましいと見なす者にとっては、ＭＭＴは「ナショナリズム肯定の理念」となる。しかるに地球規模の政治主権が構築されることを望ましいと見なす者にとり、それは「世界政府型グローバリズム肯定の理念」となるのである。

（60）　「退歩」ではなく「逆進歩」としたのは、退歩に「前より悪くなること。劣等になること」という語義があるため。中華未来主義における反動や暗黒啓蒙は、経済発展や技術革新のペースを速める（＝優等になる勢いを強める）ためのものなのだから、進歩に反していようと退歩ではない。

（61）　ルチアン・ボイア『世界の終末　終わりなき歴史』、守矢信明訳、株式会社パピルス、１９９２年、１２１ページ。

（62）　https://www.pinterest.jp/pin/37788084345167183/

（63）　大島渚『体験的戦後映像論』、７１～７２ページ。「日本の民衆は映画を教科書として民主主義を勉強した」は、左翼系の映画評論家で、映画プロデューサーでもあった岩崎昶（いわさき・あきら）の発言。

（64）　フォード・モーター社が「あなたの未来にはフォード車があります！」と謳った１９４６年は、アメリカが第二次大戦に勝利を収めた翌年にあたる。未来はまさしく「工業力の発展した、進歩し続ける国」に暮らす「勝ちぬいてゆくヒーロー」のものなのだ。

　その意味では「フォード車を買える身分になりたい」こそ、戦後日本人の象徴的な行動原理だったと評しえよう。何かを買えるだけの余裕があることを意味する英語は「アフォード（afford）」、「フォード車」を意味する英語は「ア・フォード（a Ford）」なので、さしずめ「アフォード・ア・フォード（Afford a Ford）」である。

（65）　『平和主義は貧困への道』や、本書第三部「戦後史最後の政治的選択」で展開した、国家否定の風潮と財政均衡主義の関連をめぐる議論も、ＭＭＴを踏まえたものであり、『富国と強兵』に多くを負っている。

（66）　「共同体への夢と幻滅」は加筆のうえ、単行本『未来喪失』（東洋経済新報社、２００１年）に収録された。

（67）　「鈴木敏夫プロデューサー・インタビュー　もうひとつのジブリ史―'83～'95現場からの報告」、『宮崎駿・高畑勲とスタジオジブリのアニメーションたち』、５０ページ。

（68）　同。

（69）　ただし為替レートが固定されていると、自国通貨で負債を抱えても、他国通貨で抱えたのと実質的に同じになってしまう。財政、ないし経済がどんな状態であろうと、自国通貨の下落が起こらず、決まったレートで他の通貨に交換しなければならない（＝それだけの外貨をつねに準備していなければならない）ためである。よって財政破綻を起こさないための条件には、変動為替相場制を採用していることが含まれる。

　通貨発行権を放棄するとは、たとえばＥＵ加盟国の大半のように、自国通貨を廃止して他の通貨（ＥＵならユーロ）を導入すること。

（70）　徳間康快は２０００年9月２０日に死去した。

（71）　逆に戦争や内乱などで存続が危ぶまれるにいたった政府は信用を失い、その通貨も価値を失う。政治的安定のないところに主権の確立はなく、ゆえに通貨発行権も有名無実となるのだ。

（72）　理由については脚注６９を参照のこと。

（73）　途上国はしばしば通貨主権を持てない。自国通貨を、ドルのような主要通貨と固定レートでリンクさせないかぎり、暴落の恐れありとして、外国から設備や技術を導入（＝輸入）できないせいである。

（74）　本書第三部「戦後史最後の政治的選択」を参照のこと。

（75）　政治学者の山口二郎は、歴史学者である坂野潤治との対談本『歴史を繰り返すな』（岩波書店、２０１４年）で次のように指摘する。

「戦後初の国債を出した時（１９６５年）に、当時の社会党が反対した理由の一つは、赤字財政は戦争につながるという議論でした。財政法の四条で国債発行を禁止したのは、要するに戦争のために野放図に国債を出したことへの反省の表れであり、憲

amid more vandalism and tear gas", September 8 2019.
https://hongkongfp.com/2019/09/08/thousands-hongkongers-urge-us-pass-bill-defending-human-rights-amid-mtr-vandalism-tear-gas/
CNN, "Hong Kong protesters march to US Consulate to call for help from Trump", September 9, 2019.
https://edition.cnn.com/2019/09/08/asia/hong-kong-us-protests-0809-intl-hnk/index.html
The Straits Times, "Hong Kong protesters trash Central train station, call on US to 'liberate' the territory", September 9, 2019.
https://www.straitstimes.com/asia/east-asia/hk-protesters-trash-central-train-station-call-on-us-to-liberate-the-territory
The Straits Times, "Aaron Kwok trapped in traffic jam caused by Hong Kong protests while out buying diapers", September 9, 2019.
https://www.straitstimes.com/lifestyle/entertainment/aaron-kwok-trapped-in-traffic-jam-caused-by-hong-kong-protests-while-out

（49） https://twitter.com/joshuawongcf/status/1169167619200438272

（50） The Mainichi, "Mahathir: Hong Kong rallies show limit of 1 nation 2 systems", September 7, 2019.
https://mainichi.jp/english/articles/20190907/p2g/00m/0in/027000c

（51） https://www.project-syndicate.org/commentary/hong-kong-protests-democracy-inequality-housing-by-andrew-sheng-and-xiao-geng-2019-08

（52） https://www.newsweekjapan.jp/stories/world/2019/09/post-12898_1.php

（53） https://data.oecd.org/inequality/income-inequality.htm

（54） ニューズウィーク日本語版では、上海の一人当たり居住スペースが「２４平方メートル」となっていたが、３６平方メートルが正しいと判断される。プロジェクト・シンジケートの記事では、「３８７平方フィート」という換算値が併記されていたものの、３６平方メートルは３８７．５平方フィートなのだ。

（55） プロジェクト・シンジケート版の記事より。

（56） 香港のデモでは「光復香港、時代革命」（香港を取り戻せ、時代の革命だ）なるスローガンがしばしば用いられたが、２０２０年７月、香港政府はこれを「『香港独立』、つまり香港特別行政区を中華人民共和国から切り離し、香港特別行政区の法的地位を変更、つまり国家権力を転覆させることを暗示している」として、香港国家安全法のもとでは犯罪になるという見解を示した。
https://jp.reuters.com/article/hongkong-protests-idJPKBN2440DS

（57） 世界経済のネタ帳「名目ＧＤＰ（ＵＳドル）の推移（１９８０～２０２１年）（中国、日本）
https://ecodb.net/exec/trans_country.php?type=WEO&d=NGDPD&c1=CN&c2=JP

（58） 国際統計データ専門サイト「グローバルノート」。数値はＩＭＦ統計に基づく。
　２０２０年、シンガポールの一人当たり名目ＧＤＰは５９，７９５ドルまで下落、６３．３５８ドルのアメリカに追い抜かれた。ただしわが国は４０，０８９ドルなので、差をつけられていることに変わりはない。

　これらの数値は、２０２１年１０月１３日更新のもの。今後の更新によっては、多少変動する可能性がある。

https://www.globalnote.jp/p-data-g/?dno=8870&post_no=1339

（59） 『広辞苑』の「進歩」の項では、反対語として「退歩」が挙がっている。もっとも「反動」の項を見ると、「歴史の潮流に逆行して、進歩をはばもうとすること」という語義が出てくるので、「反動」が進歩の反対概念であることを否定しているわけではない。

いう姿勢を取るせいで、政府の果たすべき役割についても否定的。ゆえに世界政府型グローバリズムと比べても、ナショナリズムをひときわ強く否定する特徴を持つにいたる。

(34) 薬師寺克行「香港・国家安全維持法、条文で読む深刻事態」、東洋経済オンライン、２０２０年7月8日。
https://toyokeizai.net/articles/-/361267

(35) ロイター「中華全人代常務委、香港選挙制度改正案を承認＝新華社」、２０２１年3月３０日。
https://jp.reuters.com/article/china-hk-reform-idJPKBN2BM08J

(36) 「香港大規模デモ、問題の『引き渡し条例』とは何か？」、２０１９年6月１２日。
https://www.newsweekjapan.jp/stories/world/2019/06/post-12300.php

(37) 同。

(38) 同。

(39) 高橋史弥「『香港が想像できない場所になる』 "民主の女神"が訴えた、逃亡犯条例の危険性」、ハフィントンポスト、２０１９年6月１２日。
　香港において周庭は「民主の女神」ではなく「学民の女神」と呼ばれた。このあだ名は彼女が参加していた学生運動組織「学民思潮」にちなんだもの。
https://www.huffingtonpost.jp/entry/chowting_jp_5d00a2eae4b075510399c626

(40) ニューズウィーク日本版「『香港は本当にヤバいです』 逃亡犯条例の延期を女神は『予言』していた」、２０１９年6月１７日。
https://www.newsweekjapan.jp/stories/world/2019/06/post-12320_1.php

(41) Davide Cantoni, David Y. Yang, Noam Yuchtman, "Power to the People? China's Policy Trilemma in Hong Kong", London School of Economics Department of Management Blog, October 9, 2019. 黄の発言は、もともとワシントン・ポスト紙に掲載された。
https://blogs.lse.ac.uk/management/2017/10/09/power-to-the-people-chinas-policy-trilemma-in-hong-kong/

(42) 世界的に知られる香港の映画監督ウォン・カーウァイ（王家衛）は、２００４年に『２０４６』という作品を発表した。題名『２０４６』は、劇中に登場するホテルの部屋番号に由来するものの、一国二制度が通年で維持される最後の年が２０４６年であることにもちなんだものと言われる。映画の主人公チャウは、２０４６号室への宿泊を希望していたにもかかわらず、ホテル側の都合によって隣の２０４７号室に泊まらざるをえなくなるのだ！
http://www.hkpost.com.hk/history/index2.php?id=2052#.YIU9bi2KW7Y
https://cragycloud.com/blog-entry-50.html#toc2

(43) ＢＢＣニュース「中国、『２０２８年までにアメリカ追い抜き』世界最大の経済大国に＝英シンクタンク」、２０２０年１２月２７日。
https://www.bbc.com/japanese/55457085

(44) 香港特別行政区政府による２０１９年9月４日のプレスリリース。
https://www.info.gov.hk/gia/general/201909/04/P2019090400666.htm

(45) https://twitter.com/chowtingagnes/status/1163252935507058688

(46) 中村かさね「香港、逃亡犯条例撤回も『遅すぎる』『騙されないで』。周庭（アグネス・チョウ）らが警告」、ハフィントンポスト、２０１９年9月４日。中略部分には反対運動に関連した死者や負傷者の数が列挙されている。
https://www.huffingtonpost.jp/entry/story_jp_5d6f90a5e4b09bbc9ef76f6a?ncid=tweetlnkjphpmg00000001

(47) https://twitter.com/joshuawongcf/status/1169167621826048001

(48) Hong Kong Free Press, "Thousands of Hongkongers urge US to pass bill defending human rights,

（２１）　FiveThirtyEight, "How (Un)Popular is Donald Trump?"
　同サイトは現在、ウォルト・ディズニー・カンパニーの傘下にある。サイトの名称は、アメリカの大統領選挙人が５３８名である点に由来するとのこと。
　https://projects.fivethirtyeight.com/trump-approval-ratings/

（２２）　２０１７年２月３日、不支持率（４７．１％）が支持率（４４．２％）を抜き去っていらい、一貫して不支持率のほうが高い。トランプが大統領に就任したのは同年１月２０日なので、この日は在任１５日目。

（２３）　ポピュリズムは権力を手にした瞬間に最大の危機を迎えるという、「ポピュリズム・オブ・ザ・デッド」の論点を想起されたい。

（２４）　ホワイトハウス公式サイト、"Inaugural Address by President Joseph R. Biden Jr."
https://www.whitehouse.gov/briefing-room/speeches-remarks/2021/01/20/inaugural-address-by-president-joseph-r-biden-jr/

（２５）　FiveThirtyEight, "How (Un)Popular is Joe Biden?"　２０２１年９月現在の推移。
https://projects.fivethirtyeight.com/biden-approval-rating/?cid=rrpromo

（２６）　神余隆博「メルケル首相を一気に追い詰めた逆風の正体　ドラマさながらのメルケル追い落とし劇」、東洋経済オンライン、２０１８年１１月７日。
https://toyokeizai.net/articles/-/247654

（２７）　日本貿易振興機構「欧州議会選挙　２大政党が落ち込む中、緑の党が躍進」、２０１９年５月２８日。キリスト教民主同盟は６議席減、社会民主党は１１議席減となった。とくに後者は歴史的大敗とされる。
https://www.jetro.go.jp/biznews/2019/05/0d1735849945a9d3.html

（２８）　ＡＦＰＢＢニュース「選挙めぐる言論の自由を制限！？　与党党首の発言が大炎上　ドイツ」、２０１９年５月２９日。
https://www.afpbb.com/articles/-/3227251

（２９）　ブルームバーグ「メルケル首相の独与党ＣＤＵ、クランプカレンバウアー党首辞任へ」、２０２０年２月１１日。ＣＤＵはキリスト教民主同盟の略称。
https://www.bloomberg.co.jp/news/articles/2020-02-10/Q5H9DFT1UM0W01

（３０）　ＢＢＣニュース・ジャパン「メルケル氏率いたドイツ最大与党、新党首に中道派ラシェット氏」、２０２１年１月１７日。
https://www.bbc.com/japanese/55693073

（３１）　上記三点については、『平和主義は貧困への道』、および『右の売国、左の亡国　２０２０ｓファイナルカット』を参照のこと。

（３２）　本書第二部「日米貿易交渉の真実」「安倍外交に見る『失敗の法則』」「大国はヤクザ、小国は娼婦」、および第三部「戦後史最後の政治的選択」を参照のこと。

（３３）　国家を超える規模で経世済民を達成しようとする以上、グローバリズムは必然的にナショナリズムを否定する。
　ただし脚注９で述べたとおり、グローバリズムの中には、強力な主権を持った世界政府の構築をめざすものもある。そのようなグローバリズムは、既存の国家の枠を否定しつつも、政府が経世済民に大きな役割を果たすべきだという点までは否定しない。

　同時に世界政府が強力な主権を持つには、全世界の政治的統合、つまり世界国家（ないし世界連邦）の形成が条件となる。いかなるものであれ、国家の形成をめざすかぎりは、当該の国家にたいする愛着と忠誠、すなわちナショナリズムが打ち出されなければならない。このため世界政府型グローバリズムは、ナショナリズムをただ否定するのではなく、「国家規模のナショナリズムを否定することで、地球規模のナショナリズムを成立させようとする」性格を持つ。

　逆に新自由主義型グローバリズムは、経世済民は市場原理によって達成されると

（9）　「新自由主義型」と断ったのは、グローバリズムであれば必ず新自由主義な性格を持つとは限らないため。強力な主権を持った世界政府が、地球規模で経済活動を管理・規制することを理想とするグローバリズムも存在する。

市場原理を抑制する以上、このような「世界政府型グローバリズム」は新自由主義的ではない。ただし２０世紀末いらい、世界を席巻してきたのは新自由主義型グローバリズムだったため、「グローバリズム＝新自由主義」の図式が実質的に成り立つのも事実である。これについては、本書第四部「ＭＭＴとナショナリズム」も参照のこと。

（１０）　同運動は２０１８年５月より，オンラインでの署名運動という形で始まっていたとされるが、デモが行われるようになったのは１１月１７日より。２０１９年の半ばには鎮静化に向かったものの、運動自体は続いている。

（１１）　イスラエルの哲学者・政治理論学者ヨラム・ハゾニーは、著書『ナショナリズムの美徳』（庭田よう子訳、東洋経済新報社、２０２１年）において、第二次大戦におけるホロコースト、ナチス・ドイツによるユダヤ民族絶滅の企てが、ナショナリズムのイメージを大きく傷つけたと論じた。

ハゾニーの主張は、もとより間違ってはいない。ただし看過しえないのは、同大戦の終わりに核兵器が登場したことである。１９４５年以後、戦争は民族絶滅どころか、人類滅亡をもたらしかねなくなったのだ。そして戦争とは国家の行為なのだから、ナショナリズムの評判が悪くなるのも当然と言わねばなるまい。

（１２）　新たな期限は、離脱をめぐる協定が議会で承認された場合は２０１９年５月２２日、そうでない場合は同４月１２日と定められた。

（１３）　ＢＢＣニュース・ジャパン「ＥＵとイギリス　ブレクジットの延期に合意　１０月３１日まで」、２０１９年４月１１日。
https://www.bbc.com/japanese/47889452

（１４）　このやりとりは以下の動画で見ることができる。
https://www.youtube.com/watch?v=TDCAxuiZLPw

（１５）　この日時はＥＵ本部のあるベルギー時間に準拠したもの。ベルギーとイギリスでは時差が１時間あるため、現地では１月３１日の午後１１時をもって離脱となった。これもまた、グローバリズムが各国の主権を抑圧することの例と言えよう。

（１６）　前項と同じ理由により、これもイギリス時間では２０２０年１２月３１日の午後１１時となる。

（１７）　ＴＰＰ１１は、ＴＰＰ（環太平洋パートナーシップ協定）から発展する形で生まれた協定。「１１」は参加国の数に由来するが、協定名のイニシャルを取って「ＣＰＴＰＰ」とも呼ばれる。２０１８年１２月３０日発効。なおＴＰＰ自体は、まだ発効にいたっていない。

（１８）　上院における民主党の議席数は４８だが、無所属の議員２人と統一会派をつくっているので総数は５０。共和党も５０議席を有するものの、採決で賛否が同数となった場合は、上院議長である副大統領が投票権を持つ。このためジョー・バイデン政権の発足後は、実質的に民主党が過半数となった。

（１９）　本書第五部「予言された疫病の記録」を参照のこと。

（２０）　トランプがコロナの脅威を軽く見るような言動を繰り返したのも、彼の反グローバリズム的な姿勢と結びついている可能性がある。自国第一の立場を取る者にとり、海外から流入したウイルスのせいで不便を強いられるのは、理不尽で受け入れがたいことに違いない。

ならば疫病の危険性をことさら軽視することで、そのような現実を否認したくなるのも当然ではないか。わが国のコロナ軽視論者にも、保守、つまりナショナリストを自認する者が多数含まれている。

「しかし、いざとなると、どうにも書きにくい。そもそも、非常手段を強行する独裁者を正当と思わせるほど、社会を狂わせなければならないのだ。いつも、そこでゆきづまってしまう。（中略）私としては、人類に広がる狂気の状態を書きたいのだ。それなのに、いっこうにイメージがわいてこない」（同書、１６９〜１７０ページ）

行き詰まってしまう理由について、星は「まだまだ、狂気について勉強不足というわけであろう」（同）と語るものの、本論の内容を踏まえれば、この解釈は正しくない。「狂気の世界における正義の独裁者」を作品にできなかった真の理由、それは現実の世界が、ことさら狂うまでもなく、そのような人物をしばしば祭り上げてきたからなのである！

正気を保ったまま狂気の沙汰をやらかすことこそ、人間社会の真実なのだ。にもかかわらず、狂気の沙汰を正当化するためには社会を狂わせなければならないと思っていたら、イメージがわかなくて当たり前だろう。

（4）　アメリカの映画評論家ジョン・マッカーティは、著書『モダンホラー映画　５０本の傑作』において、『ナイト・オブ・ザ・リビングデッド』がつくられた１９６８年を「アメリカのみならず、世界中で社会のあり方が崩れだした年」と規定したうえで、同作についてこう述べる。

「１９６０年代末という時代の雰囲気を、これ以上みごとに描き出した映画は、私の知るかぎり存在しない。（中略）製作者たちが意図的にそうしたかどうかはともかく（じつはある程度まで意図的だったのだが）、『ナイト・オブ・ザ・リビングデッド』の救いのない展開、おぞましくパンチの効いたブラックユーモア、悪夢じみていながらコミカルでもある過激さは、あの恐ろしくも忘れがたい時期、人々の目に社会がどう映っていたかをめぐる秀逸な寓話となった。誇張され、現実離れしているとは言えるかも知れないが、その度合いはさほどのものではない」（John McCarty, *The Modern Horror Film:50 Contemporary Classics,* Citadel Press, New York, 1990, pp.102-103. カッコは原文）

（5）　Robin Wood, *Hollywood from Vietnam to Reagan,* Columbia University Press, New York, 1986, pp.114-121. ウッド自身の文章を紹介すれば以下の通り。

「従来のモダンホラー映画の終わり方は、既存の秩序が復活するか、救いはどこにもないという絶望にひたるかのどちらかである（『ナイト・オブ・ザ・リビングデッド』の結末には、この両方が見られた）。破滅の向こう側に突き抜けろという結論を提起したホラー映画は、『ゾンビ』が初めてかも知れない。ただし提起のしかたは、まだ非常に控えめだ」（１２１ページ。カッコは原文）

（6）　２０１９年の漢字は「令」。２０２０年は「密」である。改元とコロナ禍が、それぞれ影響したのは自明だろう。

（7）　日本漢字能力検定協会ホームページ。「北海道・大阪・島根での地震」とは、北海道胆振東部地震（２０１８年９月６日発生）、大阪府北部地震（同６月１８日発生）、島根県西部地震（同４月９日発生）を指す。

西日本豪雨の発生は、同年６月２８日から７月８日にかけて。大型台風とは、９月４日に上陸した台風２１号と、９月３０日に上陸した台風２４号のことである。台風２１号の際は、強風にあおられたタンカーが関西空港の連絡橋に衝突、孤立状態に陥った空港は全面閉鎖に追い込まれた。

引用したコメントに、「自助」と「共助」はあっても「公助」が出てこないのは興味深い。自覚的かどうかはともかく、日本漢字能力検定協会は、社会のあり方について新自由主義的な姿勢を見せているのだ。

https://www.kanken.or.jp/project/edification/years_kanji/2018.html

（8）　日本漢字能力検定協会ホームページ「『今年の漢字』一覧」。

https://www.kanken.or.jp/project/edification/years_kanji/history.html

９９９年、７７～７８ページ。傍点原文。

（５５）　本書第一部「手違いで繁栄した戦後日本」を参照のこと。日本の復興が軌道に乗った経緯については、『平和主義は貧困への道』の第四章で、いっそう詳しく論じた。

（５６）　池田勇人は総理になる前より、所得倍増計画の原型たる「月給二倍論」を唱えていた。しかるに経済学者の都留重人は、月給二倍を（望ましい形で）実現させるような経済成長は維持しうるものではなく、インフレを招くだけに終わると批判する。

つまり嘘だと決めつけたのである。本論の内容を踏まえれば、これは池田がいかに偉大なドン・ファンだったかを証拠立てるものにほかならない。

（５７）　結党当時の自民党に見られた、安全保障をめぐる長期的な構想については『平和主義は貧困への道』の第五章で詳しく論じた。

（５８）　この趨勢に抵抗を試みた最後の総理が鈴木善幸。１９８１年５月、訪米した鈴木はロナルド・レーガン大統領と首脳会談を行ったが、その際に発表された共同声明には、公式文書としては初めて、日米が同盟関係にあると明記された。

ところが鈴木は「同盟関係という表現に軍事的意味はない」なる旨を公言する。外相の伊東正義、外務次官の高島益郎は、そろってこれを否定したものの、鈴木は鈴木で、共同声明の内容は自分の意向を反映していないと不満を表明、閣内不統一が生じる事態となった。

政府は結局、「安保条約が存在する以上、日米同盟は軍事的側面を持つが、同盟という表現の使用自体は、新たな軍事的意味を持つものではない」という主旨の統一見解を発表することで収拾を図る。伊東外相はその直後、混乱を招いた責任を取る形で辞任したが、アメリカは日本に不信感を抱くことになった。鈴木に続いて総理となった中曽根康弘が、就任直後の１９８３年１月、やはりレーガンと首脳会談を行うべく訪米した際、「日米は運命共同体」と述べたのは、この不信感を払拭することを狙ったもの。

狙いは成功し、中曽根は米大統領と愛称で呼び合う関係（いわゆる「ロン・ヤス」）を築いた初の総理となった。「対米一体化＝国際社会での活躍」の口説きは国内的にも受け入れられ、中曽根内閣は１９８０年代を代表する長期政権となる。片や鈴木は、「対米従属は一時的な方便」という時代遅れの口説き文句にこだわったせいで、ドン・ファンになるどころか面目をつぶすハメとなった人物と評さねばなるまい。

（５９）　「ザ・リバー」はブルース・スプリングスティーンが１９８０年に発表した二枚組アルバムのタイトル曲。１９９５年の『グレイテスト・ヒッツ』にも収録されており、代表作の一つである、

本書第二部「必殺！　米朝指導者ヨイショ合戦」で取り上げたリトル・スティーブンは、スプリングスティーンの旧友にして、彼が率いる「Ｅストリート・バンド」の中核的存在。バンドメンバーとして登場する際は「リトル・スティーブン」ではなく、「スティーブ（ン）・ヴァン・ザント」と名乗る。

第四部　世界観をめぐる逆説

（１）　『新訳　フランス革命の省察』、文庫版１１５ページ、および１６１ページ。文中のカッコは原文。当該の箇所は、新書版では８８ページ、および１２８ページに登場する。

（２）　本書第三部「戦後史最後の政治的選択」を参照のこと。

（３）　作家の星新一は、エッセイ集『できそこない博物館』（新潮文庫、１９８５年）で、「世界が狂ってゆく中、事態の悪化を防ごうと、なりふりかまわず頑張る独裁者」というアイディアを小説にしたいのだが、どうもうまく行かないと述べている。

「孤軍奮闘、これこそ自分の使命、人類を救う道と信じて、寝食を忘れて活躍する独裁者。こういう逆説的な主人公は、あまり書かれていないはずだ。

原文では「砦」の後に、カッコに入れて読みがなが付されていたが省略した。
https://www.kantei.go.jp/jp/98_abe/actions/201902/08jido_gyakutai.html

（３６）　「子ども虐待防止・オレンジリボン運動」サイトの統計データ。正確な数字は、２０１２年度が６６，７０１件、２０１９年度が１９３，７８０件だが、本文では一万件未満を四捨五入した。なお２０２０年度は、速報値で２０５，０２９件。
http://www.orangeribbon.jp/about/child/data.php

（３７）　「令和２年における少年非行、児童虐待及び子供の性被害の状況」、１５ページ。
https://www.npa.go.jp/publications/statistics/safetylife/R2.pdf

（３８）　同。

（３９）　この方針は２０１８年３月、東京都目黒区で、五歳だった船戸結愛（ゆあ）ちゃんが虐待のあげく死亡した事件を受けて決定されたもの。
https://shakaidekosodate.com/archives/2799

（４０）　東京都児童相談所『事業概要』（２０２０年版）、４２ページ。
https://www.fukushihoken.metro.tokyo.lg.jp/jicen/others/insatsu.files/jigyogaiyo2020.pdf

（４１）　東京すくすく「児童福祉司が足りてません…東京都９８人不足、全国ワースト２位」、２０１８年9月１２日（同年６月２９日の東京新聞記事より）。ワースト１位は大阪府（１０６人不足）だった。
https://sukusuku.tokyo-np.co.jp/life/2811/

（４２）　厚生労働省「児童相談所関連データ」、５９４ページ。
https://www.mhlw.go.jp/content/11900000/000349860.pdf

（４３）　社会で子育てドットコム「『児童福祉司を２，０００人増員』がどれくらいの増員かをグラフで確認」、２０１８年7月２６日。
https://shakaidekosodate.com/archives/1168

（４４）　日本経済新聞、２０１９年2月7日。
https://www.nikkei.com/article/DGXMZO41047210X00C19A2CC1000/

（４５）　アエラドット「野田市虐待死　栗原心愛さんと船戸結愛ちゃんに共通する父親の過剰な家族依存」、２０１９年2月５日。ならばＤＶや虐待も、プロローグで述べた「ラストディッチ」の一形態になろう。現在生じているのは、家庭内におけるコンセンサス・リアリティの崩壊ではないだろうか。
https://dot.asahi.com/dot/2019020500074.html?page=1

（４６）　「令和２年における少年非行、児童虐待及び子供の性被害の状況」、１７ページ。

（４７）　池田勇人には当時、「キレイゴトを言うのが苦手なせいで物議をかもす人物」のイメージがあった。「嘘は申しません」は、これを逆手に取ったものとされる。

（４８）　本書第三部「消費増税と『日本の自殺』」を参照のこと。

（４９）　本書第一部「『爽快な器』だった安倍総理」を参照のこと。

（５０）　『表現者クライテリオン』２０２０年３月号の特集企画意図。「現実から否認し逃避する」は、明らかに「現実を否認し、現実から逃避する」の誤りだが、原文のままとした。
　藤井の主張は、「ラストディッチ」の心理的メカニズムをずばり要約している。２０２０年アメリカ大統領選挙をめぐるバイデン不正選挙論者や、コロナ軽視論者のメンタリティは、これでほぼ完璧に説明できるのだ。けだし慧眼の名に値しよう。

（５１）　爽快の概念についても「『爽快な器』だった安倍総理」を参照のこと。

（５２）　T. S. Eliot, *The Complete Poems and Plays 1909-1950,* Harcourt Brace Jovanovich, New York, 1971, p.118.

（５３）　Stephen King, *Stephen King's Danse Macabre,* Berkley Books, New York, 1983, p.267.

（５４）　浅利慶太『浅利慶太の四季　著述集２　劇場は我が恋人』、慶應義塾大学出版会、１

したがって新書版に準拠するかぎり、同書を正しく評価することはできない。「腐敗の研究」と「再生への胎動」がカットされた理由については、佐藤健志『僕たちは戦後史を知らない』（祥伝社、２０１３年）の第七章を参照のこと。

（１９）　大平総理と中曽根総理の間に、鈴木善幸総理が入るので４人。第二臨調は鈴木内閣のもとで設立された。

（２０）　「ポストコロナと『国民連帯税』」、日本経済新聞、２０２１年４月１０日。
https://www.nikkei.com/article/DGKKZO70876970Z00C21A4EN2000/?unlock=1

（２１）　日本で財政破綻が起こりえない点については、本書第四部の「ＭＭＴとナショナリズム」を参照のこと。政府否定と財政均衡主義の関連については、「戦後史最後の政治的選択」でも論じた。

（２２）　基礎的財政収支が黒字だった期間は、１９８５年〜１９９２年。
わが国は本来、１９９０年も赤字国債を発行しないはずだった。最終的には１兆円弱ほど発行するものの、これは同年８月、イラクがクウェートに侵攻したことで湾岸危機が生じたのにかんがみ、この地域における平和維持活動支援の財源として補正予算で盛り込まれたものである。

（２３）　日本財団「不登校傾向にある子どもの実態調査」、２０１８年１２月１２日。なお同調査は、不登校の中学生の数を１１万人ではなく、約１０万人と推計している。
https://www.nippon-foundation.or.jp/who/news/information/2018/20181212-6917.html

（２４）　リセマム、２０２０年7月２０日。
https://resemom.jp/article/2020/07/20/57291.html

（２５）　日本財団の資料には、「教室外登校・部分登校・仮面登校Ａのいずれかを選択した者」という項目が存在する。同項目のサンプル数は、各項目のサンプル数を合計したものより少ないが、これは二つ以上の項目を選んだ者がいるためと思われる。

（２６）　本書第四部「二〇一〇年代末、世界はみな疲れている」を参照のこと。

（２７）　出入国在留管理庁によれば、２０２０年６月末の時点で約２８９万人。コロナ禍の影響もあってか、２０１９年末と比べて４万７千人ほど減少したが、１０年前、２０１０年末の時点では２０９万人だった。
http://www.moj.go.jp/isa/publications/press/nyuukokukanri04_00018.html

（２８）　移民受け入れは、コロナ禍によってストップをかけられた形になったものの、感染が世界的に収束、さらには終息すれば、再開されるのは確実だろう。

（２９）　https://www.mext.go.jp/content/20200326-mxt_kyousei01-000006114_01.pdf

（３０）　同調査における「就学」は、外国人学校への在籍も含む。不就学者の中には、住民票を残したまま出国したと見られる子どもが計上されているが、出国予定者も混じっているため、それらの子どもが本当に出国したかどうかは確認されていない。

（３１）　「１５歳のニュース　外国籍の子、就学不明２万２０００人　国が初めて全国調査」、２０１９年１０月５日。外国籍の保護者は日本国民でないため、子どもに教育を受けさせる義務から外れるという記述は、義務教育の「義務」が国家にたいするものであることを完璧に証明している。
https://mainichi.jp/maisho15/articles/20191005/dbg/048/040/004000c

（３２）　「外国籍の子　就学不明１．６万人　義務教育の対象外」、２０１９年1月６日。
https://mainichi.jp/articles/20190106/k00/00m/040/148000c

（３３）　https://www.mext.go.jp/a_menu/shotou/shugaku/detail/1422256.htm

（３４）　我妻弘崇「『怒りっぽい子ども』が増加している悲しい事情」、東洋経済オンライン、２０２１年４月１９日。
https://toyokeizai.net/articles/-/422447

（３５）　首相官邸サイト「児童虐待防止対策に関する関係閣僚会議」、２０１９年2月８日。

https://www.nikkei.com/article/DGXMZO44707090T10C19A5MM8000

（５）　はたせるかな、２０１９年１０月の景気動向指数は９５．３となった。これは前月比５．１ポイント減である。
https://www.esri.cao.go.jp/jp/stat/di/201910rsummary.pdf

（６）　自民党が誕生したのは１９５５年（昭和３０年）なので、ここでいう「昭和期」とは昭和後半期のこと。

（７）　ＮＨＫ政治マガジン、２０１９年7月２２日。
https://www.nhk.or.jp/politics/articles/statement/20284.html

（８）　産経ニュース、２０１７年3月5日。
https://www.sankei.com/politics/news/170305/plt1703050010-n1.html

（９）　https://www.youtube.com/watch?v=_hsi-qvFE4M。動画の中で紹介されるムーアの講演映像は、自身の監督作品『マイケル・ムーア・イン・トランプランド』（２０１６年）から抜粋したもの。

（１０）　『平和主義は貧困への道』第一章を参照のこと。

（１１）　大蔵省が１９６９年に編纂した『大蔵省百年史』にも、以下の記述が見られる。
「大蔵省で財政法案を検討した過程では、（財政均衡主義について）それほど固く考えてはいなかった。むしろ財政運営について弾力的な扱いを残すことの配慮が大きかった」（「第七期　占領下の財政金融と大蔵省」、１８９ページ）
https://www.mof.go.jp/pri/publication/mof_100history/7ki_c3.pdf

（１２）　この点については、たとえば外務省「ＯＤＡちょっといい話　第二話　戦後の灰燼からの脱却」を参照のこと。
https://www.mofa.go.jp/mofaj/gaiko/oda/hanashi/story/1_2.html

（１３）　日本国憲法前文。

（１４）　「仏の顔も三度（まで）」は、「どんなに温厚な相手も、面と向かって顔をなでられるような無礼な振る舞いを三度もされたら怒り出す」の意。ゆえに三回目はアウトとなる。

（１５）　全労連「実質賃金指数の推移の国際比較」
https://www.zenroren.gr.jp/jp/housei/data/2018/180221_02.pdf

（１６）　厚生労働省「国民基礎生活調査（平成２８年）の結果から　グラフで見る世帯の状況」。２０１８年の世帯平均所得のみ、同省の「２０１９年　国民基礎調査の概況」に拠った。ここに記した数字は、１万円未満を四捨五入してある。
https://www.mhlw.go.jp/toukei/list/dl/20-21-h28.pdf#search='世帯年収+平均+推移'
https://www.mhlw.go.jp/toukei/saikin/hw/k-tyosa/k-tyosa19/dl/14.pdf

（１７）　竹下登が大蔵大臣になったのは、１９７９年の総選挙後に成立した第二次大平内閣のときだが、大平は組閣にあたり、まず中曽根を蔵相に据えようとした（『昭和　二万日の全記録』第十六巻、講談社、１９９０年、３０３ページ）。
　１９８７年、総理退陣にあたって中曽根が竹下を後継者に指名したのも、消費税導入を実現するうえで最も適任だと判断したためと言われる（田原総一朗『１００分でわかる！　ホントはこうだった日本現代史』第三巻、ポプラ社、２０１３年、６８ページ）。消費税は、この三人の総理との関連において捉えられねばならない。

　なお売上税は、大型間接税ではあるものの、小売業者が消費者に商品を販売する際にのみ課税される。これにたいし消費税は、商品の製造や、小売業者への卸（おろ）しの過程でも、付加価値が発生するたびに課税されるので、両者の仕組みは同じではない。

（１８）　単行本『日本の自殺』は、「日本の自殺」「腐敗の研究」「再生への胎動」の三部構成となっている。文庫版も同様だが、２０１２年の新書版には「日本の自殺」のみが収録された。

（63） ロイター、２０１９年6月２６日。
https://jp.reuters.com/article/northkorea-usa-idJPKCN1TR0VN
当時、米大統領補佐官として国家安全保障問題を担当していたジョン・ボルトンは、２０２０年に刊行した回顧録で、トランプは金正恩と二人きりで会うつもりだったが、会見当日の６月３０日になって、文在寅が強引に同行を申し出たと述べた。とはいえ６月２６日の時点で、文大統領が水面下で米朝が協議していると語ったこと、および６月２９日のトランプのツイートに「文大統領とともに」という一節が見られることを思えば、真偽のほどは少なからず疑わしい。むろん韓国大統領府は、ボルトンの主張を全面的に否定した。

（64） トランプが7月１日に送信したツイート。ＵＲＬは脚注５１に同じ。

（65） さすがに偶然とは思うが、これはアメリカの独立記念日である。

（66） 産経ニュース、２０１９年7月4日。二番目のカッコは原文。
平和安全法制は２０１５年９月に成立、２０１６年３月に施行された。当時の大統領はバラク・オバマだが、こちらもゴルフ好きで有名な人物。２０１３年、安倍はオバマに日本製のパターを贈っている。

ゆえにこの発言、端折りすぎの感はあるものの、決して間違ってはいない。むしろ注目すべきは、引用したくだりに「平和安全法制はオバマからの要望（ないし圧力）を受けて成立させた」という含みが読み取れることである。

https://www.sankei.com/politics/news/190704/plt1907040049-n1.html

（67） https://www.youtube.com/watch?v=R8CWrQ4EY4I&feature=emb_logo
問題のやりとりが出てくるのは１７分１０秒より。

（68） 同、１７分２８秒前後。トランプはすでにアメリカに帰国しており、インタビューはホワイトハウスの庭で行われた。

（69） ＶＯＸ、２０１８年6月１５日。
https://www.vox.com/policy-and-politics/2018/6/15/17467644/trump-kim-summit-fox-news

（70） https://twitter.com/TheDailyShow/status/1009847187088347136

（71） 動画の英語字幕より。以下同じ。

（72） この発言が、「大国はヤクザ、小国は娼婦」で紹介した麻生太郎の言葉「歴代首相が夢にまで見た日米関係がいま構築されている。諸外国がやっかむほど日本の地位は国際社会で上がっている」と瓜二つなのは特筆に値しよう。

（73） https://www.youtube.com/watch?v=Nzguf7WBIM0。リトル・スティーブン（別名スティーブン・ヴァン・ザント）については、第三部の脚注５９も参照のこと。「俺は愛国者」は同年に発表されたセカンド・アルバム『ボイス・オブ・アメリカ』に収録されている。

第三部　崩れゆく経済と社会

（1） 五五年体制については、『右の売国、左の亡国 ２０２０ｓファイナルカット』第一部、および『平和主義は貧困への道』第五章を参照のこと。

（2） ロイター、２０１９年7月9日。
https://jp.reuters.com/article/wage-japan-may-idJPKCN1U32NQ

（3） 内閣府の公表する景気動向指数（一致指数。以下同じ）は、２０１５年を１００とした場合、２０１７年には１０５前後に達したが、２０１８年より上昇と下降を繰り返しながらも緩やかな下降傾向を見せていた。
https://www.pref.aomori.lg.jp/soshiki/kikaku/tokei/files/R01_1-1-2.pdf

（4） 日本経済新聞、２０１９年5月１３日。

（４１）　同、３２分９秒前後からの発言。
（４２）　首相官邸発表の安倍総理冒頭発言。ＵＲＬは脚注３６に同じ。
（４３）　同。原文では「金正恩」と「虚心坦懐」の後に、カッコに入れて読み方が付されていたが省略した。
（４４）　https://www.youtube.com/watch?v=oDkHdcNu7R0。３８分６秒前後からの発言。
（４５）　同、５９分１８秒前後からの発言。
（４６）　https://www.youtube.com/watch?v=zB1LC-wFNv0。３４分１７秒前後からの発言。
（４７）　首相官邸発表の安倍総理冒頭発言。ＵＲＬは脚注３６に同じ。
（４８）　産経ニュース、２０１９年5月２６日。
https://www.sankei.com/politics/amp/190526/plt1905260013-a.html
（４９）　ただし漢和辞典によると、「妄」は本来「女性に心が惑わされ、われを忘れた振る舞いをすること」を意味した。
（５０）　アメリカ国務省のモーガン・オルタガス報道官は２０１９年７月９日、これは両首脳が対面しただけであり、首脳会談や交渉とは異なるとの認識を示した。ただしトランプが金正恩と板門店で会ったこと自体は「世界の多くの人にとって特別で歴史的な日だった」とも述べている。https://jp.yna.co.kr/view/AJP20190710001400882
（５１）　https://twitter.com/realDonaldTrump/status/1145709384963645440。送信の日時は、ツイートに表示されたものに準拠した。以下同様。
（５２）　https://twitter.com/realDonaldTrump/status/1144740178948493314。カッコはどちらも原文。「文大統領」とは、韓国の文在寅大統領のこと。
（５３）　日本経済新聞、２０１９年７月１日。
https://www.nikkei.com/article/DGXMZO46811680R00C19A7PP8000
（５４）　安倍総理が日米共同記者会見の冒頭発言で「ドナルドとの非常に親密な個人的信頼関係により、日米同盟の絆はもはや揺るぎようのない、世界で最も緊密な同盟となりました」と自画自賛したのは、このわずか１ヶ月前、２０１９年5月２７日のことである。「大国はヤクザ、小国は娼婦」を参照のこと。
（５５）　ＢＢＣニュース日本版。原文では「金正恩」の後に、カッコに入れて読み方が付されていたが省略した。https://www.bbc.com/japanese/48740854
（５６）　https://twitter.com/DPRK_News
（５７）　https://twitter.com/DPRK_News/status/1144748792840957954
（５８）　ビジネスインサイダーが２０１９年９月１１日に配信した記事によれば、中国遼寧社会科学院の研究員で、朝鮮半島問題研究の第一人者とされる呂超も、習近平が米朝会見のお膳立てをしたのではないかと見ている。「これを裏付ける公式報道はないが、（指導者動静の）時間経過と発言内容を論理的に分析すれば、その可能性は高い」とのこと（カッコは原文）。
https://www.businessinsider.jp/post-198433
（５９）　ニューズウィーク日本版、２０１９年6月２１日。
https://www.newsweekjapan.jp/stories/world/2019/06/post-12369.php
（６０）　トランプは２０２０年、新型コロナウイルスの世界的流行が生じたあたりから、中国にたいする姿勢を一気に硬化させた。しかし米朝会見をめぐる本論の分析が正しければ、これも確固たる信念に基づいたものではなく、中国を敵視してみせたほうが得だという打算の産物にすぎないことになろう。
（６１）　つまりトランプの親書は、金正恩の親書への返信だったと見られる。しかも前掲のビジネスインサイダー記事によれば、トランプの親書を届けるにあたっては、アメリカ政府高官がわざわざ平壌を訪れているのだ。
（６２）　Ｇ２０サミットの開幕は２０１９年６月２８日。トランプはその前日、２７日に来日した。

ちらも中野の発言である。

（２１）　島倉原「『貿易依存度』から考える経済政策とＴＰＰ」、２０１５年１０月２７日。http://keiseisaimin4096.blog.fc2.com/blog-entry-118.html。記事中の下記ＵＲＬによって、推移のグラフを見ることができる。
https://www.facebook.com/shimakurahajime/photos/a.765798070181740.1073741827.550087395086143/961637817264430/?type=3&permPage=1

（２２）　『グローバリズム　その先の悲劇に備えよ』、１３４ページ。

（２３）　ＲＣＥＰは２０２０年１１月１５日、テレビ会議形式で開催された第四回首脳会議で署名された。署名した各国のうち、ＡＳＥＡＮの構成国から少なくとも六ヶ国、そうでない国から少なくとも三ヶ国が批准すれば、その後６０日で（当該諸国について）効力を持つ。なお「６０日で発効」のルールは、遅れて批准した国にも適用される。
https://www.mofa.go.jp/mofaj/files/100115475.pdf

（２４）　「日米貿易交渉の真実」を参照のこと。

（２５）　https://www.recordchina.co.jp/b217107-s0-c10-d0062.html

（２６）　ＮＢＣニュース、２０１９年５月２６日。
https://www.nbcnews.com/politics/donald-trump/trump-attends-sumo-match-tokyo-charm-offensive-continues-n1010366

（２７）　同。

（２８）　https://twitter.com/realDonaldTrump/status/1132506435848495104。
「七月の選挙」とは第２５回参議院選挙を指す。原文では「elections」と複数形になっているが、これは参院選が選挙区選挙と比例区選挙に分かれているのを念頭に置いたものだろう。「農業と牛肉」云々をめぐっては、「安倍外交に見る『失敗の法則』」で紹介した、「ＧＡＴＴ体制下では日本に限らず、どの国だって、農業は自由化の対象から外していました」という中野剛志の発言を想起されたい。

　ドナルド・トランプのツイッターアカウントは、２０２１年１月８日、暴力を煽る恐れが強いとして永久停止された。これは１月６日、暴徒化したトランプ支持者がアメリカ連邦議会に乱入、議事堂を占拠したことを踏まえた措置である。

　ツイッター社の公式見解については、下記ＵＲＬを参照のこと。ただしトランプのツイートにたいして寄せられたコメントは、今でも閲覧可能である。

https://blog.twitter.com/en_us/topics/company/2020/suspension.html

（２９）　https://www.youtube.com/watch?v=zB1LC-wFNv0。１３分１２秒前後からの発言。

（３０）　同。２７分３４秒前後からの発言。

（３１）　日米貿易協定（日本語版）。
https://www.mofa.go.jp/mofaj/files/000527400.pdf

（３２）　https://www.mofa.go.jp/mofaj/files/000527401.pdf

（３３）　日米貿易協定、日本語版ＰＤＦ、８ページ。

（３４）　https://www.meti.go.jp/committee/summary/0004532/2017/pdf/02_01.pdf

（３５）　同、１９７ページ。カッコは原文。

（３６）　首相官邸発表の安倍総理冒頭発言。
https://www.kantei.go.jp/jp/98_abe/statement/2019/0527usa.html

（３７）　ＡＦＰＢＢニュース、２０１９年５月２７日配信記事。
https://www.afpbb.com/articles/-/3226913

（３８）　https://twitter.com/realDonaldTrump/status/1132459370816708608

（３９）　https://www.youtube.com/watch?v=zB1LC-wFNv0。２１分１３秒前後からの発言。

（４０）　同、３１分５８秒前後より。質問したのはロイター社のジェフ・メイソン記者と思われる。

https://www.newsweekjapan.jp/stories/world/2018/09/post-11021.php

（7） https://www.mofa.go.jp/files/000402972.pdf

（8） ニューズウィーク日本版、前掲記事。

（9） https://www.jacom.or.jp/nousei/tokusyu/pdf/toku1810111306.pdf

（10） https://trumpwhitehouse.archives.gov/briefings-statements/joint-statement-united-states-japan/

（11） この担当者が外務省の職員かどうかは不明である。ただし声明の日本語訳をサイトに掲載した以上、同省は内容に責任を負わねばならない。

（12） 日米貿易交渉をめぐる政府の振る舞いが、「特攻隊員を笑いものにしたトランプ」で紹介した産経新聞記者・黒瀬悦成（ないし産経新聞社自体）の振る舞いと瓜二つなのは注目に値しよう。堂本かおるではないが、問題は矜持を維持しようとする意思の有無なのである。

（13） 日米貿易協定は、２０１９年１０月７日にホワイトハウスで署名され、２０２０年１月１日に発効した。これについては、つづく「大国はヤクザ、小国は娼婦」でも取り上げる。「日米物品貿易協定（ＴＡＧ）」なる呼称が、今やきれいに消滅したのは言うまでもあるまい。

（14） 自由民主党「党の政綱」第五項。https://www.jimin.jp/aboutus/declaration/

（15） 日本とソ連の国交回復は１９５６年１０月１９日、共同宣言の調印をもって果たされるが、批准書が交換され、宣言が発効したのは同年１２月１２日。日本の国連加盟が可決されたのは、その６日後、１２月１８日である。

　中華人民共和国は１９７１年まで国連に加盟していない。それまで「中国」として安保理常任理事国の地位にあったのは、中華民国、つまり台湾だった。

（16） 本書第一部「手違いで繁栄した戦後日本」を参照のこと。

　自民党の「党の政綱」第五項は、外交の基調を「自由民主主義諸国との協力提携」に置くと述べているものの、これが実質的に「対米従属に徹する」ことを意味するのは明らかだろう。ただし第六項では「国力と国情に相応した自衛軍備を整え、駐留外国軍隊の撤退に備える」と謳うなど、「党の政綱」は対米自立をめざす姿勢も見せていた。これが失われていった過程については、『平和主義は貧困への道』の第五章を参照のこと。

（17） https://www.kantei.go.jp/jp/98_abe/statement/2018/0912eef.html。読みやすさを考慮し、段落分けを変更した。

　引用した箇所に続くくだりで、安倍が述べたことも紹介しておこう。いわく、「２０２０年、東京はオリンピックとパラリンピックで姿を一新します。自動運転の車は地上を走るだけでなく、飛翔体に姿を変えて空飛ぶ車になっているかもしれません」

（18） ２０２０年、ロシアでは憲法が改正され（７月４日発効）、国境画定の場合を除いて領土の割譲を禁止する条項が盛り込まれた。これを受けて7月２４日には、「領土の一体性の侵害」につながる行為を、違法な過激行為として処罰の対象にする連邦法改正案が、ロシア議会で可決される。

　これに先立つ7月２日、同国のイーゴリ・モルグロフ外務次官は、改憲のあとも日本との平和条約交渉は継続できると述べた。要するに北方領土を返還するつもりなど皆無なのである。

（19） https://www.kantei.go.jp/jp/98_abe/statement/2018/0925enzetsu.html。最後に出てくる「ＦＦＲ」とは、「自由（Free）」「公正（Fair）」「相互的（Reciprocal）」の頭文字を並べたもので、貿易に関する日米協議の通称。

（20） 中野剛志・柴山桂太『グローバリズム　その先の悲劇に備えよ』、集英社新書、２０１７年、１３６～１３８ページ。同書は両者の対談本だが、ここで引用したのはど歌に込め続ける桑田佳祐の今」、２０２１年9月１７日。
https://news.yahoo.co.jp/articles/1a6ada5ec5b9058c5b5906883d6704c75a0ee9d0。ヤフーニュースは一定期間をすぎると削除されることが多いが、その場合は「桑田佳祐　空っぽの容れ物」などで検索されたい。

（１６）　くだんの本末転倒に陥るのは、物事を根本的、かつ迅速に変えたがる者、つまり急進左翼と相場が決まっていたが、現在の日本では「保守」を名乗る者が、全体主義的な独裁願望に取り憑かれる例が目立つ。

　ちなみに「空虚な器」論にしたがえば、さまざまな勢力の主張を聞き入れる政治家は、自分自身の理念を持っていないことになる（でなければ「空虚」と形容する意味はない）ものの、これも独善に基づく偏見にすぎない。独自の理念を持ち、その実現をめざしながらも、多様な民意に耳を傾け、できるだけ取り入れようとすることこそ、偉大な政治家の条件なのだ。

（１７）　『新訳　フランス革命の省察』、文庫版１２６～１２７ページ、新書版９７ページ。二つの版では訳文の細部が異なるが、ここでは文庫版に準拠した。

（１８）　『表現者クライテリオン』２０１９年１１月号の特集に関する企画意図。

（１９）　広辞苑の定義。

（２０）　この経緯については、「失われた政府への信頼」のほか、佐藤健志『僕たちは戦後史を知らない　日本の「敗戦」は４回繰り返された』（祥伝社、２０１３年）を参照のこと。同書についても、以下ではサブタイトルを省略する。

（２１）　この経緯については、『平和主義は貧困への道』の第五章を参照のこと。

（２２）　平和ボケとは、要するに「安全保障のことなど考えず、平和平和と念仏のように唱えるのが最高の安全保障」と構える発想なので、「国益や国家戦略など追求しないのが真の国益や国家戦略」という態度と完全に重なる。この矛盾を気にしない、ないしそもそも自覚できないのは思想の劣化にほかならず、逆に矛盾を無理やり解決しようとすれば革命幻想や破壊願望に行き着く。

　そのような状態が長く続けば続くほど、国や社会のあり方は欺瞞的なものとならざるをえない。よって無知と忘恩、無責任と恥知らずが蔓延することになるのである。

（２３）　矛盾が極限に達したときに爽快感をおぼえる心理的メカニズムについては、『平和主義は貧困への道』の第六章で詳述した。

（２４）　https://nypost.com/2019/08/09/trump-cracks-jokes-about-rent-control-kamikaze-pilots-at-hamptons-fundraiser/amp/?__twitter_impression=true

（２５）　https://twitter.com/America_seiji/status/1160339343539441664

（２６）　https://twitter.com/nybct/status/1160590083436752896

（２７）　https://www.sankei.com/world/news/190813/wor1908130010-n1.html

第二部　黄昏の現地妻国家

（1）　Norman O. Brown, *Love's Body*, Vintage Books, New York, 1966, p.33.

（2）　第一部の脚注８を参照のこと。

（3）　袖井林二郎『拝啓マッカーサー元帥様　占領下の日本人の手紙』、大月書店、１９８５年、１４２～１４３ページ。後半の段落が示すとおり、袖井も戦後日本を「シングルマザーの家庭」になぞらえている。

（4）　北康利『白洲次郎　占領を背負った男』、１８９ページ。

（5）　グローバリズムに反対の立場を取る者が、すべて「異様な『愛国者もどき』や『ナショナリストもどき』」というわけではない。ただしナショナリズム回帰の風潮が、そのような突然変異の出現を促進するのも否定しえまい。

（6）　ニューズウィーク日本版、２０１８年9月２７日。

必要があったのだ。

わが国は１９４７年より貿易再開を許されたものの、為替業務は占領軍のライセンスを受けた外国銀行が行い、日本側は外貨にタッチできない仕組みになっていた。独立回復のためには、当然この点を改めねばならない。

けれども当時の日本は、生産能力が疲弊したせいで、かなり猛烈なインフレに苦しんでいた。この状態で固定為替レートを導入したら最後、価値がどんどん下がる円を、主要な外国通貨、すなわちドルに替えようとする圧力が高まり、政府はすぐ外貨不足に陥る。

事態を打開するには、ドル建ての国債の発行が不可避となる。しかし円ならいざ知らず、日本政府にドルを発行する権限はない。ゆえに当のドル建て国債は償還不能となるリスクを抱えており、それが発生した時点で国は財政破綻をきたす。単一固定為替レート導入のためには、強引にでも厳しい緊縮財政を行い、（特別会計や政府関連機関まで含めた）全面的な財政均衡によるインフレ収束を達成しなければならなかったのだ。

ドッジ・ラインによって日本は深刻な不況に陥るが、朝鮮戦争が巨大な需要をつくりだしたおかげで、「緊縮財政のもとでの好景気」という幸運に恵まれた。独立回復への道と、復興への道とが、同時に切り拓かれる形になったのである。詳しくはオンライン講座『僕たちは戦後史を知らない　令和エディション』（経営科学出版、２０２２年配信予定）をご覧いただきたい。

（４）　北康利『白洲次郎　占領を背負った男』、講談社、２００５年、３１１ページ。

（５）　枢軸国と戦った連合国の中には、のちに社会主義陣営の中核となるソ連（現ロシア）も含まれていたが、この点は脇に置く。第二次世界大戦当時、ソ連以外の社会主義国といえば、１９２４年に誕生したモンゴル人民共和国（現・モンゴル国）ぐらいであり、「社会主義陣営」と呼ぶに足るものは存在していなかった。

（６）　岡崎久彦・佐藤誠三郎『日本の失敗と成功　近代１６０年の教訓』、扶桑社文庫、２００３年、６６ページ。ちなみに近衛文麿は、１８９１年（明治２４年）１０月１２日の生まれである。

（７）　『体験的戦後映像論』、朝日選書、１９７５年、１５ページ。「大東亜戦争」が二重カギカッコになっているのは、大島が１９６８年に同名のテレビ・ドキュメンタリーをつくったため。

（８）　大島渚『魔と残酷の発想』、芳賀書店、１９６６年、１３７〜１３８ページ。

（９）　戦後平和主義と財政法の関連については、『平和主義は貧困への道』の第一章を参照のこと。

（１０）　この点をめぐっては、オンライン講座『痛快！　戦後ニッポンの正体』（経営科学出版、２０１９年。全三巻）を参照のこと。わけても第二巻「貧国弱兵のカラクリ」では、戦前の富国強兵路線によって形成された国家への信用が、敗戦・占領によって「自国不信と対米従属」に変貌する過程を、じっくり時間をかけて論じた。オンライン講座『佐藤健志のニッポン崩壊の研究』（経営科学出版、２０２０年〜２０２１年。全三巻）の第二巻「自滅的改革が支持されるメカニズム」と、第三巻「閉ざされる再興への道」でも、これについて異なる角度からさらに掘り下げている。

（１１）　適菜収『安倍政権とは何だったのか』、ＫＫベストセラーズ、２０１７年、１０ページ。安倍内閣の評価については、佐藤健志『右の売国、左の亡国　２０２０ｓファイナルカット』（経営科学出版、２０２０年）も参照のこと。

（１２）　同。

（１３）　同、３２ページおよび３６ページ。

（１４）　『表現者クライテリオン』２０１９年１１月号の特集に関する藤井の企画意図。

（１５）　ヤフーニュース、オリジナル特集「『僕自身は空っぽの容れ物』――世の中の空気を安心の大会を実現できる」という理念に固執、不都合な現実に直面することをほぼ完全に拒否したのである。これをめぐっては、本書第五部「パンデミックは愛の行為」も参照のこと。

（16） 初めて総理になったとき、安倍は「戦後レジーム（注：体制）からの脱却」を謳ったが、２０１０年代に入ると、この主張を実質的に封印した。しかるに戦後日本の現実認識を根底より改めないかぎり、今やラストディッチに走るほかないのだから、安倍が都合の悪い現実に直面しようとしなくなったのも、当然の帰結と評さねばなるまい。本書第一部「『爽快な器』だった安倍総理」も参照のこと。

（17） 本書第三部「嘘と夢のはざまで」を参照のこと。

（18） 『平和主義は貧困への道』第六章で提起した「現実否認の大同団結」の概念を参照のこと。

（19） 完全な客観性や普遍性を持った現実認識は存在しえないので、このような発想にもまったく一理ないわけではない。「都合の悪い現実に向かい合おうとする認識」にも、虚構性は必ず存在するのだ。だからといって「都合のいい妄想に閉じこもろうとする認識」が正当化されることにはならないだけの話である。

（20） ２０１０年代後半は、安倍内閣が経世済民について、当初謳われたような結果を出せないことがハッキリしてきた時期でもあった。これがラストディッチ化による現実否認をうながしたのは疑いえまい。

（21） ２０２０年大統領選挙について、トランプの勝利を主張したがる人々にも、同じ指摘が当てはまる。コンセンサス・リアリティの解体と妄想化は、決して日本だけの現象ではない。

（22） 脚注１３を参照のこと。

（23） その意味では、妄想に閉じこもろうとする人々にも、現実に立ち戻る可能性は残されている。妄想へと無限に退却しようとするのは、アイデンティティの崩壊を避けようとするためなのだから、いったん崩壊が起きてしまえば我に返るかも知れないのだ。ただし崩壊を進んで受け入れたわけではない以上、そのような者が新しいアイデンティティを確立するのは、控えめに言っても容易ではあるまい。

（24） Victor Bockris, *With William Burroughs : A Report from the Bunker,* Revised Edition, St. Martin's Griffin, New York, 1996, p.78.

第一部　平成までを総括する

（1） 『表現者クライテリオン』２０１９年３月号の特集に関する、編集長・藤井聡の企画意図。

　本書に収録された評論には、同誌の依頼で執筆されたものが含まれる。これらの評論において、私はポイントを整理する意味もこめ、しばしば企画意図についてコメントするところから考察を始めた。

（2） 葛井欣士郎『アートシアター新宿文化　消えた劇場』、創隆社、１９８６年、１０８～１０９ページ。

（3） 日本政府は財政法の制定後も、じつは積極財政を行っていた。一般会計こそ均衡させたものの、「特別会計」と呼ばれる別枠の会計（国有鉄道事業、通信事業、食糧管理、貿易資金など）や、政府関連機関（公団や公社、あるいは金融公庫など）の会計では、公債発行や借入金を継続させていたのである。

　これにたいし１９４９年、アメリカは「ドッジ・ライン」と呼ばれる厳しい緊縮財政の実施を強要した。ただしドッジ・ラインを、復興の阻害を狙ったものと解釈することはできない。アメリカは日本の国際社会復帰、つまり独立回復を後押しする路線を取るようになっていたが、そのためには単一の固定為替レートを導入するリアリティのおかげで存立と発展を遂げたのではなく、「国の存立や発展を脅かすようなコンセンサス・リアリティを持っていたにもかかわらず、たまたま幸運にもうまく行った」としたほうが、はるかに真相に近い。本書第一部「手違いで繁栄した戦後日本」も参照のこと。

(10) 『リーダーズ英和辞典』(研究社)第三版に記された定義。同辞典によれば、名詞のときは「last ditch」と二語だが、形容詞のときは「last-ditch」とハイフンでつないで一語にする。

(11) エドマンド・バーク著、佐藤健志編訳『新訳 フランス革命の省察 「保守主義の父」かく語りき』、PHP文庫、2020年、108～109ページ。同書は2011年、PHPより単行本として刊行されたが、こちらの該当箇所は82ページとなる。二つの版では、訳文も細部が多少異なることを了承されたい。また以下ではサブタイトルを省略する。

「物事は本来、すべて思い通りになるはずだから、そうならないのはみんなが結託して邪魔しているせいだ」の箇所は、陰謀論を信じたがる者のメンタリティそのもの。ラストディッチと陰謀論も、密接につながっているのだ。

(12) ラストディッチに陥った者は、しばしば矛盾や破綻について指摘される前から、この四つの反応を示す。アイデンティティ崩壊の不安にいつも脅かされているせいで、自分が不当な迫害にさらされているかのごとく思い込むのである。まして実際に批判された際は、理不尽な誹謗中傷(ひぼうちゅうしょう)と受け止め、被害者意識をつのらせるのが一般的。

(13) ウィリアム・バロウズは、言語そのものが人間と共生するにいたったウイルスだという持論の持ち主だった。ダニエル・オディエによるインタビュー集『The Job』の序文「ウォーターゲートからエデンへのプレイバック」で、彼はこう述べる。

「私の基本的な考えは、文字としての言語はウイルスであり、これに感染することで人間は(注:喉の構造に突然変異を起こしたあげく)言葉を話せるようになったというものだ。言語がウイルスだと認識されなかったのは、宿主である人間との間に、安定した共生関係を築き上げたためである」(Willam S. Burroughs, *The Job: Interviews with William S. Burroughs by Daniel Odier,* Penguin Books, New York, 1974, p.12.)

理念は言語によって表現される以上、言語がウイルスだとすれば、理念もウイルスと見なしうる。この場合、ラストディッチは「ストレスによって抵抗力の弱まった精神の中で、理念というウイルスが毒性を強め、精神を自滅に追いやる病気」と規定できよう。バロウズも20世紀後半の世界では、言語ウイルスが突然変異を起こしたせいで、人間との共生関係が崩れつつあると考えていた。

(14) 左翼・リベラルのラストディッチ性、およびそれに起因する現実適応能力の低さは、五五年体制において野党第一党だった社会党(のちの社民党)が、長らく自衛隊を違憲と見なし、日米安保体制の廃棄を主張してきたことが示すとおりである。逆に自民党は、1993年に下野するや、そんな社会党と連立を組み、同党の党首・村山富市を総理に推すという無節操なまでの柔軟性を見せた。

政権を担う(=コンセンサス・リアリティの維持に努める)立場に置かれた村山は、自衛隊をあっさり合憲と認め、日米安保体制の堅持を謳う。左翼・リベラルにあるまじき柔軟性を見せたわけだが、これは大きな代償を伴った。村山内閣の退陣いらい、社会党は「社民党」と改称して出直しを図ったものの、支持を失って小政党に転落、今では政党要件を失って消滅しかねない状態となっている。

(15) 2020年いらいのコロナ禍、およびそれによって一年延期された東京オリンピック・パラリンピック大会にたいする政府の姿勢は、ラストディッチ性をみごとに体現したものだった。前者については(とくにワクチン接種を推進できるようになるまで)「国民に行動の自粛を要請すれば短期間で抑え込める」、後者については「安全・

脚注

プロローグ　令和はすべてが許される

（1）　１９７０年代までの日本人は、自国を「アメリカとソ連（現ロシア）という二大国に挟まれた小国」と見なす傾向が強かった。元に戻った形だが、「アジアのトップランナー（＝欧米化・産業化に最も成功した国）」としてのプライドは当時より存在したので、昔に比べても落ちぶれたことになる。

（2）　ここで想起すべきは、２０２０年１１月に行われたアメリカ大統領選挙である。同選挙では民主党のジョー・バイデンが勝利を収めたが、対立候補だった共和党のドナルド・トランプは結果を認めず、大規模な不正が行われたと主張した。２０２１年１月には、過激化したトランプ支持者が連邦議会を襲撃するにいたっている。

　バイデンは無事、大統領に就任したものの、トランプ、ないし共和党の支持者には、今なお選挙結果を受け入れない者が見られる。コンセンサス・リアリティが崩壊するとき、社会のまとまりは根本から損なわれるのだ。

（3）　物事がうまく行っており、成功を重ねているときの振る舞い方についても、コンセンサス・リアリティに基づいたルールがあるほうが望ましい。「成功しさえすれば何をしてもいい」というのも、「何でもあり」の一種にほかならないのである。だとしても、物事がうまく行かなかったり、不祥事を抱え込んだりする場合に比べれば、これは二次的な問題だろう。

（4）　この心理的なメカニズムについては、佐藤健志『平和主義は貧困への道　または対米従属の爽快な末路』（ＫＫベストセラーズ、２０１８年）の第六章を参照のこと。なお以下で同書に言及する場合は、サブタイトルを省略する。

（5）　ただし「暗殺教団」の活動をめぐる伝説と、実際のニザール派の活動は相当にかけ離れていると言われる。

（6）　Keith Haring, William S. Burroughs, *Apocalypse,* George Mulder Fine Arts, New York, 1988. この本にはページ番号が付されていない。

　バロウズは１９９０年、自作を中心とした朗読に音楽をつけたＣＤ『Dead City Radio』をアイランド・レコードより発表したが、同作には『黙示録』も収録されている。『Dead City Radio』は同年３月に死去したヘリングに捧げられた。

（7）　黙示録を意味する英語「apocalypse」は、ギリシャ語「apokalyptein」を語源とするが、これは「今まで隠されていたものを暴いて明らかにする（こと）」という意味。現実の虚構性を暴露することが黙示録だというバロウズの論理は、その点でも正しい。

（8）　『平和主義は貧困への道』の第一章を参照のこと。日本国憲法前文の冒頭には「（日本国民は）政府の行為によって再び戦争の惨禍が起ることのないようにすることを決意し、（中略）この憲法を確定する」と謳われている。すなわち政府は、行動に制約を加えるべき対象なのだ。

　戦後日本では、政府の歳入と歳出は各年度で均衡していなければならないとする発想も根強いが、これも政府不信と密接に関連しているのは明らかだろう。自由な財政出動を許せば、政府の行動はそれだけ制約しにくくなるのである。

　政府債務の増大した１９７０年代後半いらい、くだんの発想は「歳出を抑制して財政を均衡させねばならない」という緊縮志向に行き着く。これがコンセンサスを得てしまったことも、公共投資を抑制し、インフラ整備を阻害する結果を招いた。

（9）　繁栄が（１９９０年ごろまで）続いたのは、経済成長を重視するという合意によって戦後平和主義の弊害が中和されていたおかげであり、平和が続いたのはアメリカの覇権、および対米従属のおかげである。わが国は戦後平和主義というコンセンサス・

本書に収録された評論の原型となる文章は、二〇一八年から二〇二〇年にかけて『表現者クライテリオン』、『BEST TIMES』、および東洋経済オンラインに発表された。ただし収録にあたっては、大幅な加筆・改稿、および文体の変更が行われている。

「『ウイルス保守主義』宣言」は、468ページにもあるとおり、一九九四年に『発言者』に掲載され、一九九六年、単行本『幻滅の時代の夜明け』に収録された。

カバー＆本文イラスト　金子信之
図版　志岐デザイン事務所
装幀　濱中幸子

著者略歴

佐藤健志（さとう・けんじ）

1966年、東京生まれ。評論家・作家。東京大学教養学部卒業。1989年、戯曲『ブロークン・ジャパニーズ』で、文化庁舞台芸術創作奨励特別賞を受賞。1990年、最初の単行本となる小説『チングー・韓国の友人』（新潮社）を刊行した。
1992年の『ゴジラとヤマトとぼくらの民主主義』（文藝春秋）より、作劇術の観点から時代や社会を分析する独自の評論活動を展開。これは21世紀に入り、政治、経済、歴史、思想、文化などの多角的な切り口を融合した、戦後日本、さらには近代日本の本質をめぐる体系的探求へと成熟する。

主著に『平和主義は貧困への道』（KKベストセラーズ）、『右の売国、左の亡国　2020sファイナルカット』（経営科学出版）、『僕たちは戦後史を知らない』（祥伝社）、『バラバラ殺人の文明論』（PHP研究所）、『夢見られた近代』（NTT出版）、『本格保守宣言』（新潮新書）など。共著に『国家のツジツマ』（VNC）、『対論「炎上」日本のメカニズム』（文春新書）、訳書に『新訳　フランス革命の省察』（PHP研究所）、『コモン・センス 完全版』（同）がある。『新訳　フランス革命の省察』は2020年、リニューアルのうえPHP文庫に収められた。

2019年以来、経営科学出版よりオンライン講座を配信。現在までに『痛快！　戦後ニッポンの正体』全3巻、『佐藤健志のニッポン崩壊の研究』全3巻が制作されている。2021年からは、オンライン読書会『READ INTO GOLD 黄金の知的体験』もシリーズで開催。

twitterアカウント　@kenjisato1966

感染の令和

または　あらかじめ失われた日本へ

2021年12月30日　初版第1刷発行

著者　佐藤健志
発行者　小川真輔
編集者　鈴木康成
発行所　株式会社ベストセラーズ
〒112-0013
文京区音羽1-15-15
シティ音羽2階
電話　03-6304-1832（編集）
03-6304-1603（営業）
http：//www.kk-bestsellers.com/

印刷所　錦明印刷
製本所　ナショナル製本
DTP　オノ・エーワン

定価はカバーに表示してあります。
乱丁、落丁本がございましたら、お取り替えいたします。

ISBN 978-4-584-13980-6 C0095